COLLECTION FOLIO

Marie NDiaye

La Cheffe, roman d'une cuisinière

Gallimard

Marie NDiaye est née en 1967 à Pithiviers. Elle est l'auteur d'une vingtaine de livres – romans, nouvelles et pièces de théâtre. Elle a obtenu le prix Femina en 2001 pour *Rosie Carpe*, et le prix Goncourt en 2009 avec *Trois femmes puissantes*. Une de ses pièces, *Papa doit manger*, est entrée au répertoire de la Comédie-Française.

Oh oui, bien sûr, c'est une question qu'on lui a souvent posée.

Je dirais même qu'on n'a cessé de la lui poser, cette question, dès lors que la Cheffe est devenue célèbre, et comme si elle détenait un secret qu'elle allait bien, par faiblesse, par lassitude, par indifférence, finir par révéler, ou par insouciance, ou par un accès soudain de générosité qui la ferait s'intéresser à tous ceux que le métier tentait et aussi une forme de gloire, en tout cas un renom certain.

Oui, il y en avait beaucoup que cela fascinait, à la fin, cette réputation grandiose qu'elle s'était faite sans la rechercher, et peut-être se disaient-ils, peut-être imaginaient-ils qu'elle gardait par-devers elle l'éclaircissement du mystère, ils voyaient là un mystère, elle n'était pas très intelligente.

Ils se trompaient deux fois.

Elle était terriblement intelligente, et par ailleurs il n'est pas besoin de l'être autant qu'elle l'était pour réussir dans le métier.

Elle aimait qu'on fasse fausse route à son sujet.

9

Elle détestait être approchée, sondée, risquer d'être dévoilée.

Non, non, elle n'a jamais eu de confident avant moi, elle avait trop de répugnance.

On lui a très souvent posé la question qui vous préoccupe également, et à chaque fois elle haussait les épaules, souriait de cet air qu'elle aimait se donner, un peu ahuri, lointain, sincèrement ou trompeusement modeste on ne savait trop, elle répondait : Ce n'est pas difficile, il suffit d'être organisée.

Et quand on insistait et qu'elle se contentait de dire : Il suffit d'avoir un peu de goût, ce n'est pas difficile, elle détournait alors très légèrement son front haut, étroit, contractait ses lèvres minces comme pour signifier non seulement qu'elle ne parlerait pas davantage mais qu'elle était prête à lutter pour empêcher qu'on lui desserre les dents par la force.

L'expression de son visage, de son corps même, raidi, hermétique, distant, prenait alors quelque chose d'obtus, d'absurdement intransigeant qui décourageait toute nouvelle question, on ne se reprochait pas d'être importun, on la croyait idiote.

La Cheffe était formidablement intelligente.

Comme j'aimais la voir se réjouir de passer pour une femme bornée !

J'avais l'impression que cette connaissance malicieuse que nous avions tous les deux de sa grande finesse d'esprit tissait entre nous un lien qui m'était précieux et qui ne lui déplaisait pas, que je n'avais pas exclusivement car d'autres que moi, ceux qui la fréquentaient depuis longtemps, savaient son intelligence et sa perspicacité et devinaient aussi qu'il lui importait de dissimuler celles-ci aux inconnus et aux indiscrets, mais j'étais le plus jeune, je ne l'avais pas connue avant, quand elle ne pensait pas encore à se cacher, j'étais le plus jeune et celui qui l'aimait le plus profondément, j'en suis certain.

C'est aussi qu'elle trouvait excessives les louanges dont on s'est mis à couvrir sa cuisine.

Elle trouvait ridicules et affectées les tournures de ces éloges, c'est une question de style.

Nulle part elle n'appréciait ni ne respectait l'emphase, le grand genre.

Elle comprenait les sensations puisqu'elle s'appliquait à les faire naître, n'est-ce pas, et que leur manifestation sur la figure des convives l'enchantait, c'est tout de même bien ce à quoi elle s'évertuait jour après jour, depuis tant d'années, presque sans repos.

Mais les mots pour décrire tout cela lui paraissaient indécents.

Qu'on lui dise : C'est très bon, elle n'en demandait pas plus, surtout pas.

Il lui semblait qu'en détaillant les principes et les effets de la volupté qu'on ressentait grâce à son gigot d'agneau en habit vert, par exemple, puisque c'est aujourd'hui son plat le plus connu et l'emblème de sa façon (on ignore qu'à la fin elle ne voulait plus le préparer, elle en était fatiguée comme une chanteuse du même vieux morceau adoré qu'on lui demande toujours de répéter, elle en était vaguement dégoûtée, elle gardait rancune à ce gigot formidable d'être plus connu qu'elle-même et d'avoir laissé demeurer dans une ombre imméritée d'autres plats qui exigeaient d'elle plus de travail et de talent, dont elle était fière bien davantage), il lui semblait qu'en analysant les diverses formes de ce plaisir on exposait au grand

11

jour une intimité ultime, celle du mangeur et celle de la Cheffe par contrecoup, elle en était embarrassée, elle aurait voulu alors n'avoir rien fait, rien offert, rien sacrifié.

Elle ne le disait pas mais je le savais bien.

Elle ne l'aurait jamais dit, ç'aurait été encore se livrer.

Mais je le savais bien, au silence têtu et froid dans lequel elle se réfugiait quand on la tirait de sa cuisine pour aller entendre un client désireux de la complimenter, lequel, intrigué, gêné ou excité par le mutisme de la Cheffe, n'avait de cesse qu'il n'ait obtenu un semblant de réponse, alors, pour en finir, elle secouait lentement la tête de droite à gauche comme si, trop modeste, elle souffrait de ce flot d'éloges, elle ne disait rien, elle avait honte de s'exhiber ainsi, dans sa nudité et celle du client qui ne s'en rendait pas compte.

Ensuite elle était de mauvaise humeur comme si on l'avait critiquée ou insultée plutôt que flattée.

Si j'avais assisté à la scène ou si, du moins, elle le pensait (souvent à tort car je tâchais de m'esquiver quand la Cheffe se voyait contrainte de venir en salle), je sentais qu'elle m'en voulait, sa dignité avait été blessée devant moi.

J'étais pourtant celui, je voudrais dire le seul mais comment en être certain, dont rien n'aurait jamais pu altérer la vénération et la tendresse à l'égard de la Cheffe, pas même le spectacle d'un esclandre dans la salle quand, ainsi que c'est déjà arrivé, aux critiques d'un client exceptionnellement mécontent elle avait opposé comme toujours son silence hautain et que le client l'avait mal pris, se croyant méprisé alors

12

qu'il n'était qu'ignoré par pudeur, à l'égal des admirateurs.

C'est tout à fait exact, les félicitations ne la mettaient pas plus à l'aise que les attaques.

Celles-ci, au moins, se présentaient sans exaltation et leurs mots ne prétendaient pas pénétrer le cœur et l'âme de la Cheffe.

Oui, c'est cela, les reproches ne s'adressaient qu'aux plats, aux choix que la Cheffe avait faits de telle association d'ingrédients (c'est ainsi que même le fameux gigot en habit vert, avant d'acquérir une si grande gloire qu'on ne peut plus aujourd'hui le discuter, s'était vu reprocher par certains son enveloppe d'oseille et d'épinards, ils auraient préféré l'un ou l'autre, voire de la feuille de blette), tandis que les congratulations versaient aussitôt dans le panégyrique de la Cheffe et, de là, dans le secret de ses intentions supposées, le désir de connaître son être le plus vrai, celui-ci qui seul avait pu lui faire créer ces plats sublimes.

Une fois la Cheffe m'a dit de tout ce cinéma : Ce qu'ils sont bêtes.

Elle affirmait aussi ne pas comprendre le tiers de ce qu'on écrivait au sujet de sa cuisine, confortant dans leur idée ceux qui ne la croyaient pas intelligente, qui la pensaient douée par hasard.

Oui, ils pensaient que le dieu intraitable, le dieu exigeant de la cuisine avait jeté son dévolu, pour prendre chair, sur cette petite femme pas facile et un peu sotte.

Comme je vous l'ai déjà dit, elle se trouvait bien d'être jugée sans astuce, elle s'échappait.

Elle n'était pas de ceux qui, à force de jouer les

13

idiots, le deviennent car ils oublient que ce n'était d'abord qu'un rôle, non, ce personnage la rendait seulement plus rusée, plus finaude, peut-être imperceptiblement cynique, je ne sais pas.

Elle était féroce, elle était âpre, j'ai toujours pensé néanmoins que la jeune fille avide de plaire, d'enchanter son monde tout en restant derrière la porte à travers laquelle il lui suffit pour se réjouir d'entendre les murmures de satisfaction des convives savourant ce qu'elle a imaginé et préparé, que cette fille solitaire, en quête d'amitié et de mansuétude, était demeurée tapie dans la poitrine de la Cheffe et qu'elle s'étirait parfois, modelant d'un coup différemment le visage de la Cheffe, tempérant ses propos, la surprenant elle-même.

Elle m'a montré souvent une figure adoucie, elle avait confiance, je n'en tirais pas avantage.

Reste qu'elle était ambitieuse, oui. Pourquoi pas ?

Elle voulait être quelqu'un mais selon son idée, sans chichis, sans qu'il soit besoin d'en parler, quelqu'un qu'on n'oublie pas même si, finalement, on ne l'a jamais rencontré.

Elle voulait laisser dans la mémoire des mangeurs une réminiscence éblouie, et de telle nature que, tentant de se rappeler d'où pouvait bien provenir une image aussi alléchante, mélancolique aussi comme d'un bonheur qu'on ne retrouvera pas, on n'ait que le souvenir d'un plat, même du nom de ce plat seulement, ou d'un parfum ou de trois couleurs nettes et franches sur l'assiette d'un blanc opalin.

Son propre nom, la Cheffe préférait qu'on ne s'en souvienne pas, son visage qu'on ne l'ait jamais vu, qu'on ignore si elle était ronde ou mince, petite ou grande, si son corps était bien fait.

Cela n'a pas été possible. Il n'était pas dans les dispositions de la Cheffe ni dans son inclination de travailler à former sa légende.

Elle ne s'est pas cachée, même si elle n'aimait pas se montrer.

Elle a fait tantôt ceci tantôt cela, elle a posé avec ses employés, pour un journal régional, devant la porte de son établissement, et cette photo gauchement prise par le chroniqueur culinaire, où la Cheffe sourit largement à une plaisanterie que lance au pied levé son second juste derrière elle, où elle a plus l'air, dans sa curieuse nonchalance satisfaite, plissant un peu les yeux au soleil ardent de midi, d'une mère de famille récemment décorée pour son efficace fécondité que de la patronne inflexible, austère, résolument discrète, énigmatique et parfois insondable que nous connaissions tous, cette photo de la Cheffe est aujourd'hui la plus renommée et tout article au sujet de la Cheffe s'illustre maintenant d'un gros plan sur ce visage enjoué et badin, comme s'il s'agissait là du vrai visage de la Cheffe.

Rien de plus faux, je vous assure.

D'un autre côté, car elle n'avait pas de stratégie, la Cheffe s'est dérobée quand il s'agissait de se laisser photographier en salle auprès de clients prestigieux, des hommes politiques, des comédiennes, des patrons de grandes entreprises, on lui en a gardé rancune, on la trouvait d'une rouerie ou d'une arrogance antipathiques, elle n'était que farouche, timide, fatiguée aussi.

Je suis certain que ces clichés, si elle avait accepté

de s'y prêter, en montrant son visage lointain, mal à l'aise, sauvagement refermé sur sa complexité intime, auraient témoigné d'une vérité bien plus grande que la photo de *Sud-Ouest* où elle paraît si espiègle.

Du reste, elle n'aimait pas cette photo, non parce qu'elle avait dessus une expression dans laquelle elle ne se reconnaissait pas, c'est plutôt un aspect qui lui aurait plu puisque la Cheffe s'ingéniait à brouiller les pistes à son propre sujet, mais parce qu'elle craignait que cette image si incongrue pût laisser croire que le photographe avait réussi à saisir sa nature véritable et donner à espérer à certains qu'ils la découvriraient bien eux aussi, et même qu'ils persuaderaient la Cheffe qu'elle était ainsi, qu'elle était essentiellement cette femme rieuse, tranquille, maternelle et solaire qu'elle méconnaissait elle-même.

Peu lui importait qu'on se fourvoie sur ce qu'elle était, qu'on la pense aimable, etc.

Elle refusait simplement qu'on s'adresse à elle en se fondant sur cette représentation absurde, elle ne voulait pas d'interlocuteurs qui tentent de faire surgir sa figure guillerette et placide en la poussant dans des retranchements où elle n'avait jamais été, qui n'étaient pas les siens.

Que le portrait de son intimité fût véridique ou trompeur, elle ne voulait pas qu'on s'en occupe ni qu'on ait des prétextes, comme cette photo, pour s'y intéresser, pour y songer même.

Elle était comme ça. En tout cas, je crois qu'elle était comme ça.

Même à moi la Cheffe a dissimulé la plupart des traits importants de sa personnalité.

Oui, on peut le comprendre puisque j'étais son

· guillerette : une gaieté vive ; insouciante
· femme mystérieuse → narrateur proche
  peut nous informer

employé et que l'âge nous tenait éloignés l'un de l'autre au moins autant que la position dans la société, l'expérience de la vie, même le sexe si vous voulez, bien qu'il ne m'ait jamais semblé crucial, dans la compréhension que j'ai tenté d'avoir de l'âme de la Cheffe, que je sois un homme, je ne l'ai jamais vu comme un inconvénient.

Au contraire ? C'est possible.

Je fais encore plus d'efforts, je ne tiens jamais pour évident ce que je crois ressentir, deviner, déchiffrer.

Oui, si j'avais à vous parler d'un autre homme, il est possible, il est probable que j'analyserais son comportement en fonction du mien dans une situation comparable, ce qui serait une grande erreur, n'est-ce pas, car je sais maintenant que je diffère de la plupart des hommes par ma façon d'éprouver certains sentiments, par la nature même de ces sentiments, alors que le fond de mon cœur a toujours pénétré celui de la Cheffe, quand bien même elle était une femme, quand bien même elle avait le double de mon âge.

Pardonnez-moi cette petite vantardise mais je pense être doté d'une certaine finesse d'esprit.

C'est ce que, à la fin, redoutait la Cheffe, elle a tenté de me chasser loin d'elle, peine perdue.

On ne peut rien contre la fidélité d'un être aimant, passionné.

Si elle l'acceptait ? s'y résignait ? Oui, bien sûr, elle m'aimait aussi, à sa manière.

Vous souriez sans gentillesse, vous me demandez : Qu'est-ce que l'enfance d'une Cheffe ? et vous supposez que je ne saisis pas la référence, vous me croyez peu éduqué.

Vous avez raison, je n'ai pas appris grand-chose à l'école.

Il suffisait que j'entre dans la classe pour sentir une anxiété sans motif contracter ma vessie et aussi, plus ennuyeux, chasser de ma mémoire ce que j'y avais fait entrer la veille, à la maison, pendant des heures appliquées, pleines d'inquiétude et de désir anxieux de bien faire, d'être irréprochable, et voilà qu'en quelques secondes disparaissait le produit précieux de mes efforts pour apprendre et retenir, voilà que la seule odeur de la salle, sueur, cuir, poussière, craie, transformait mon cerveau en ballon d'hélium tout prêt à s'envoler hors de mon crâne dès qu'un mouvement de ma part l'y autoriserait, et ce mouvement je le connaissais et je tâchais en vain de le réprimer — c'était celui qui faisait se recroqueviller toute ma petite personne tremblante et privée de souffle quand le professeur cherchait du regard qui interroger, j'avais l'air d'un coupable, d'un fainéant pas même capable d'assumer crânement sa paresse et son ennui, alors que j'avais envie de crier : Je sais tout parfaitement, je peux répondre à toutes les questions ! et qu'au même moment s'élevait, traversait les vitres, allait rejoindre dans le ciel d'automne tous les autres échappés avant lui, le ballon de ma mémoire, de mon travail, de mon intelligence, ne laissant sur la chaise que la dépouille de mon être authentique, prostrée et minuscule et imbécile, lamentable.

J'ai vécu seul la plupart du temps.

Je vis encore plus seul depuis le départ de la Cheffe, même si mon appartement de Lloret de Mar reçoit plus de monde en une semaine que n'en a jamais vu mon studio de Mériadeck en plusieurs années, il n'em-

pêche que je me sens profondément seul et tout aussi profondément satisfait de la situation.

Je me suis fait ce qu'on appelle rapidement ici des amis et, pour cette sorte particulière d'amis à qui il ne me viendrait pas à l'idée de confier quoi que ce soit de personnel, dont je ne sais à peu près rien de la vie avant qu'ils viennent passer leurs vieux jours à Lloret de Mar, je suis un des leurs bien que nettement plus jeune, ils m'apprécient parce que je leur ressemble et j'ai plaisir à les voir, à prendre d'interminables apéritifs en leur compagnie sur leur terrasse ou la mienne identique à la leur au-dessus de la piscine éclairée depuis le fond, chatoyante, fastueuse, j'y ai plaisir car ils n'attendent rien de moi qu'un agréable commerce et que ni les uns ni les autres nous ne souhaitons encombrer notre mémoire des récits que nous pourrions nous sentir obligés de faire si nous étions en France, l'exil luxueux nous enveloppe d'un mystère très douillet.

Je lis beaucoup, je pense même avoir des lettres, comme on disait autrefois.

Je ne cuisine plus, du reste je n'ai jamais cuisiné pour moi.

Certes la Cheffe m'a raconté de son enfance ce qu'elle voulait bien que je sache, mais n'en faisons-nous pas tous autant ?

J'ai bien connu sa fille qui, par ailleurs, m'a décrit certains endroits, a précisé le sens de certains événements, et quoique cette femme n'ait jamais évoqué le passé de la Cheffe et le sien que pour montrer à quel point elle avait été lésée à toute période et en tout lieu, j'ai recueilli suffisamment d'éléments concrets et analogues chez l'une et chez l'autre pour être en

19

mesure de retracer véridiquement cette époque, que je n'ai pas connue, de la vie de la Cheffe.

Tout d'abord je veux affirmer ceci : l'enfance de la Cheffe n'a pas été malheureuse, contrairement à ce que se permettent d'avancer ceux qui n'ont foi qu'en la connaissance de faits et de dates, cela ne veut rien dire, presque rien.

Vous le croyiez aussi, qu'elle avait souffert dès sa naissance ?

Que faites-vous de la manière dont, malgré les faits et les dates, elle a ressenti les phénomènes que des jeunes gens d'aujourd'hui, élevés dans le confort d'une bonne éducation par des parents qui ont tenu à ce qu'ils sachent tout de la vie sans en éprouver rien de pénible, doivent trouver terribles et injustes et incompréhensibles et archaïques ?

Je ne veux pas dire qu'ils ne sont pas tout cela, pire encore.

C'est possible qu'ils le soient.

Mais si la Cheffe a éprouvé vis-à-vis de ces faits qui la concernent d'autres sentiments, ne serait-ce pas la traiter avec condescendance que de ne pas tenter d'en juger nous-mêmes au niveau exact où elle s'est toujours tenue ?

C'est elle qui a vécu ce dont nous parlons.

Par conséquent, puisque la Cheffe a trouvé tout au long de son enfance indubitablement pauvre, voire misérable, de multiples occasions de se divertir et même de se dire, par la suite, heureuse comme un petit animal en pleine santé, parfaitement accordé avec son milieu et ne désirant surtout pas en changer, nous devons la croire, en toute simplicité, et ne pas lui faire l'affront de supposer qu'elle a paré ces

20

premières années d'une joie que celles-ci ne conte-
naient nullement.

Vous vous dites, je me suis dit également, avant :
il est impossible de se souvenir sincèrement de soi-
même comme d'un enfant gai et comblé dans un tel
contexte, moi-même je n'aurais pas été cet enfant et
je me rappellerais ce temps-là avec douleur, la douleur que j'aurais nécessairement éprouvée alors.

Donc une enfant de ce genre ne peut exister et la
Cheffe mentait ou se leurrait, peu importe.

Non, pas du tout. Je suis certain qu'elle a toujours
été dans le vrai.

C'est à nous de nous efforcer de l'atteindre là,
dans ce bonheur qui a été le sien au début, qu'il nous
est si difficile d'imaginer.

Oui, c'est presque révoltant.

Tout de même, la bonne enfance que j'ai eue,
disait la Cheffe quand elle parlait de Sainte-Bazeille
où elle avait passé ses quatorze premières années, où
ses parents s'embauchaient ici et là comme ouvriers
agricoles, la traînant avec eux, la faisant travailler dès
qu'ils étaient à peu près sûrs d'échapper au regard
des patrons, c'était déjà interdit à l'époque d'employer les enfants.

Et comme eux elle déterrait les betteraves ou gla-
nait le maïs, prête, sur un signe de sa mère dont elles
étaient convenues, à jeter ce qu'elle avait en main et
à mimer quelque jeu, si quelqu'un approchait qui
aurait pu les dénoncer.

Oui, la Cheffe était née après la guerre, en 50 ou
51, je n'ai jamais su exactement malgré les recherches
que j'ai menées.

Je suis allé voir cette petite maison de Sainte-

21

Bazeille où la Cheffe affirmait avoir vécu le meilleur de sa vie bien qu'elle n'y fût jamais retournée, bien qu'elle eût même pris soin de ne jamais faire le plus léger détour pour la revoir, comme cette fois où nous allions tous les deux en voiture de Bordeaux à Grignols pour acheter des canards gras chez un éleveur au renom grandissant et que je proposai à la Cheffe de faire un crochet par Sainte-Bazeille.

Elle garda le silence pendant un moment si long que je renouvelai ma suggestion, pensant qu'elle ne m'avait pas entendu, je parlais, je crois, avec l'excitation réprimée mais vibrante, heureuse et fière de celui qui ne doute pas de l'excellence de son idée, et je lançai un regard en coin à la Cheffe, très content de moi, j'étais si anxieux de lui plaire, de la combler en tout point, si désireux de lui procurer le moindre plaisir fût-ce au détriment du mien, je veux dire de mon plaisir immédiat qui m'était indifférent car, à l'époque, mon bonheur ne me venait que de celui de la Cheffe.

Et alors que son visage avait exprimé une inhabituelle sérénité depuis que nous avions quitté Bordeaux par la nationale, je vis qu'il s'était assombri et que, même, deux petits plis de colère barraient le côté de sa bouche.

La lumière limpide, argentine, hautaine de cette matinée de novembre détourait si exactement la tête de la Cheffe, ses cheveux tirés vers l'arrière où elle les emprisonnait sur la nuque en un chignon implacable, son cou long et droit, lisse et dense comme un jeune tronc de hêtre, que j'eus l'impression fugace que la Cheffe n'était pas là près de moi sur le siège du passager mais sa simple apparence sans relief, sans chair ni vie, adorable pourtant et hiératique ainsi qu'elle se montrait souvent dans mes rêves ou que je la voyais, la sentais à mon côté quand, après le travail, je me retrouvais dans ma chambre, seul et jamais vraiment seul cependant grâce à cela.

Un chignon très serré, oui, presque torturant pour ses pauvres cheveux qui en étaient devenus fins et ternes, à force d'être comprimés ainsi.

Elle ne se coiffait jamais différemment et c'est encore un effet de cette maudite photo de *Sud-Ouest* que vous vous en étonniez puisque, de fait, on lui voit un nuage de cheveux bruns et doux qui semble moins entourer ou envelopper son crâne que flotter délicatement de part et d'autre de celui-ci, et cette photo ayant, comme je vous l'expliquais, accompagné indûment les articles consacrés à la Cheffe, il a été établi dans l'esprit de tous ceux qui ne l'avaient pas rencontrée, qui n'avaient pas l'espoir de la rencontrer jamais, qu'elle permettait ainsi à ses cheveux de se déployer en nimbe léger aux abords de ses tempes, de son front, liberté qu'en vérité elle ne leur donnait pas et dont j'ignore pourquoi, le jour fameux où cette photo inauthentique a été prise, elle la leur avait accordée.

Non, je ne suis pas sur la photo, je ne travaillais pas encore chez la Cheffe à ce moment-là.

Mais je sais bien qu'elle attachait toujours ses cheveux et pas seulement pour les raisons d'hygiène évidentes en cuisine, je sais bien qu'elle aurait préféré ne pas avoir de cheveux du tout et que, si cela avait été concevable à l'époque, elle les aurait rasés plutôt même que de les flétrir et de les brimer comme elle le faisait en les étranglant dans un élastique noué et renoué plusieurs fois.

Elle aurait aimé n'être que cette figure que détachait devant mes yeux l'intense, la froide lumière de novembre à travers les vitres de la voiture, elle aurait aimé que son art s'incarne, puisqu'il le fallait bien, de la manière la plus sobre, la plus stricte comme la plus neutre : un pur visage.

Ah non, j'y reviendrai, il ne lui était pas égal d'être une femme. Je vous en parlerai plus tard.

Mais cela n'avait rien à voir avec le visage.

Elle n'avait pas, là, dans cette brillance distante, blafarde, un visage féminin, encore moins, si je peux dire, un visage masculin.

Elle était une idée de visage, un emblème de visage qui, dans la clarté matinale impartiale et juste, proclamait : puisque ma cuisine doit être représentée par des traits humains, voici ceux qui en expriment au mieux l'extrême simplicité, voire le dénuement, car ces traits ne sont ni charmeurs ni jolis ni ornés, ils sont au-delà de toute considération de beauté ou de laideur.

Voilà pourquoi, quoique je n'aie jamais su la raison nécessairement fortuite, exceptionnelle pour laquelle celui qui la photographia a pu un jour la voir cheveux déliés, oui, c'est vrai, presque fièrement exhibés même, quoique je n'aie jamais su cette raison puisque personne n'a voulu me renseigner sur les circonstances exactes de la séance de pose, en plein midi et devant le restaurant qui devait pourtant être rempli de clients à cette heure-là, je suis certain que la Cheffe a regretté par la suite d'avoir montré, en plus du reste, cette chevelure qui d'une certaine façon ne lui appartenait pas, qu'elle supportait par convention, qui ne s'accordait nullement avec cette essence de visage qu'elle voulait présenter au monde.

24

Je vis alors avec quelle contrariété elle recevait ma suggestion de faire un pèlerinage par Sainte-Bazeille, là où elle avait passé son enfance.

Elle murmura, sans me jeter le moindre coup d'œil qui aurait pu adoucir ses mots : Occupe-toi de ce qui te regarde.

Et, certes, je ne pouvais nier qu'elle eût raison mais le coup n'en fut pas moins brutal pour ma sensibilité, toujours enflammée dès qu'il était question de la Cheffe.

Bêtement, non par amour-propre, je n'en avais aucun avec elle, mais parce que, sonné, il a dû m'apparaître que mon insistance bienveillante l'amènerait à mesurer la violence de sa réponse, effaçant pour une part la précédente, j'ajoutai : Vous avez été si heureuse là-bas, ça pourrait être intéressant de…

Mais tais-toi, tais-toi, tu ne sais pas de quoi tu parles ! s'exclama-t-elle de manière assourdie, difficilement contenue, et ce que je devinai de ses efforts pour ne pas laisser éclater dans un cri furieux l'ampleur de son exaspération m'accabla tout autant que ce qu'elle avait dit.

Je marmonnai des excuses contrites, elle haussa les épaules, tendue, agacée, ayant perdu d'un coup et par ma faute l'entrain que lui avait apporté cette virée en voiture.

Elle le retrouva par la suite, quand nous rentrâmes à Bordeaux avec trois caissettes de beaux canards gras qu'elle allait inventer de laquer à la gelée de figues blanches avant de les cuire à four très doux, des heures durant, dans une cocotte lutée.

Mais je n'ai jamais oublié sa brusquerie, ce matin-là.

Lorsque, bien plus tard, j'allai à Sainte-Bazeille de

ma propre initiative, sans en rien dire à personne, et qu'à force de questions posées à droite et à gauche dans le village je finis par trouver la maison où elle avait grandi, je me demandai si elle avait craint de revoir ce que, moi, je découvrais dans tout son pathétique : moins une maison qu'une bicoque gauchement construite tout au bord de la route sur un lopin délimité par des barbelés à demi effondrés, et, certes, selon toute apparence nul n'habitait là depuis longtemps et les vitres en avaient été brisées, peut-être par ceux qui avaient couvert de tags et de graffitis le bardage des murs, mais il ne pouvait manquer d'apparaître, même à tant d'années de distance, qu'un tel abri pour une famille de huit personnes (oui, la Cheffe avait cinq frères et sœurs) rangeait cette famille parmi les plus pauvres du village, voire la signalait comme la plus pauvre de toutes, d'autant plus, m'avait appris la Cheffe incidemment, que ses parents n'en avaient été que locataires, sur ce minuscule terrain, une terre de remblai d'où il ne sortait jamais grand-chose bien que la mère se fût escrimée à y faire un potager.

La Cheffe aurait été gênée, aurait eu honte de me montrer cette maison ?

Non, la Cheffe n'avait honte de rien de ce dont elle n'était pas responsable, par ailleurs, à l'âge que j'avais alors, j'étais quelqu'un de si peu important pour elle qu'elle ne pouvait se soucier de mon appréciation ou de mes sentiments quant à ce qui la concernait.

Je pense plutôt qu'elle a eu peur de son propre apitoiement devant l'image aussi criante de l'infortune de ses parents, de leur disgrâce à tous.

26

Car ses parents, disait la Cheffe, avaient toujours su, avaient toujours tenu non à diminuer aux yeux des enfants le nombre et l'ampleur de leurs épreuves mais à leur apprendre à considérer celles-ci comme beaucoup moins intéressantes, donc moins graves, que ce que leur disait le sens commun représenté à Sainte-Bazeille par les voisins et les instituteurs.

De sorte que la Cheffe avait toujours pu opposer aux paroles de compassion, aux regards voilés de dédain ou d'une antipathie réprobatrice, le sain optimisme de ses parents qui était leur façon à eux de se montrer braves, et en l'occurrence héroïques.

Ils comptaient toujours que les choses s'arrangeraient et quand, simplement, elles ne devenaient pas pires, ils estimaient encore avoir eu raison.

C'est pourquoi, la Cheffe ayant tant aimé ses parents, entretenu avec tant de jalousie leur souvenir, et ses parents ayant travaillé toute leur vie à ne jamais pouvoir être plaints (ou d'une pitié générale qui ne s'adressait pas à eux, qui ne les touchait pas), elle aurait pensé manquer à leur mémoire en éprouvant, en ne pouvant s'empêcher d'éprouver, devant la cahute de Sainte-Bazeille une terrible commisération, quand bien même la sienne aurait été bien moindre que celle que je ressentais face à ce tas de planches où ses parents avaient accompli la prouesse de lui créer une enfance resplendissante, ou l'illusion d'une enfance resplendissante, oui, mais n'est-ce pas la même chose puisqu'il ne s'agit de rien d'autre que de souvenirs.

Ses frères et sœurs n'ont jamais parlé de cette période, pour ce que j'en sais.

C'étaient des gens réservés, qui ne s'exprimaient

27

pas avec aisance et qui, du reste, n'auraient jamais pris la liberté de tenir un discours différent de celui de la Cheffe, la seule de la fratrie à avoir réussi, gagné de l'argent.

Bien que plus jeunes, ils sont tous morts avant elle (à l'exception d'Ingrid), deux d'entre eux se seraient suicidés, la Cheffe ne prononçait pas leur nom, qu'aurait-elle pu faire?

Que pouvait-elle faire, avec la vie de labeur qu'elle avait, l'absence presque totale de congés et les soucis qui ne rythment pas, qui n'accompagnent pas mais qui sont la substance même de l'existence d'une cuisinière parvenue à un tel niveau, que pouvait-elle faire pour eux sinon prendre de leurs nouvelles une ou deux fois par an et, quand on la sollicitait, prêter ou donner certaines sommes, toujours en gardant avec eux un éloignement tant géographique que moral puisqu'il était exclu, pour toutes ces raisons et d'autres sans doute encore, qu'elle tente de pénétrer la nature exacte des problèmes qui les poussaient à demander son aide et dont les deux plus jeunes ont préféré se délivrer, l'un en se jetant sous un train, l'autre en se pendant, je crois?

Elle ne les a jamais laissés tomber, elle n'a jamais abandonné personne, d'ailleurs.

Mais que pouvait-elle faire de plus pour eux?

Ce n'était pas déjà bien, de signer des chèques généreux?

Sans jamais exiger de comptes, sans demander la moindre raison, et même si la volonté de se tenir à une distance protectrice d'ennuis répétitifs, désolants, insolubles lui prescrivait un tel tact, ses frères et sœurs n'en savaient rien, ils ne pouvaient que se réjouir qu'elle fût à la fois si discrète et si prodigue à leur égard.

Ils ne se sont jamais plaints, eux. Certainement pas, ils auraient été bien bêtes.

Vous avez entendu ce qu'a affirmé sans savoir grand-chose la fille de la Cheffe et, comme c'est souvent le cas, cela vous arrange de croire la personne qui dénigre plutôt que d'essayer d'entendre dans son silence même celle qu'on accable de critiques.

Je vous en parlerai le moment venu.

Jamais la Cheffe ne se serait vantée d'avoir donné de l'argent, jamais elle ne l'aurait avoué non plus pour assurer sa défense, il lui allait finalement mieux, ou moins péniblement, qu'on n'en sache rien, qu'on la croie dure, dénuée de sentiment fraternel.

Qu'on se trompe à son sujet sans rien lui demander, cela lui convenait.

Que ce fût sa propre fille qui induise tout le monde en erreur, dans le but de venger je ne sais quel affront, cela a dû la blesser, oui, mortellement, je pense.

Mais, cette fille, la vie même lui faisait outrage, elle n'était qu'une victime, encore et toujours, de l'obligation d'être née. *I don't see it like that anymore.*

Elle n'avait aucun courage. Elle s'aimait trop. Je vous raconterai plus tard.

Quoi qu'il en soit, exactement comme la Cheffe s'était farouchement abstenue de revoir sa maison de Sainte-Bazeille pour ne pas risquer de trahir dans son cœur ses parents vaillants, dignes et allègres, je veux vous retracer son enfance de telle sorte que je ne puisse jamais avoir l'impression de la trahir dans mon cœur, elle qui avait envers ses parents une telle gratitude pour l'avoir élevée dans la joie.

Elle allait à l'école irrégulièrement, quand elle en avait le temps.

Il s'agissait, à l'entendre, de s'acquitter d'une corvée, alors que les travaux qu'elle accomplissait pour ses parents, si éreintants et monotones fussent-ils, la remplissaient toujours du plaisir de se sentir utile, et par là vivante.

Oui, il est probable que, assise en classe et songeant à ses parents qui, au même moment, étaient contraints de se passer d'elle, de travailler plus dur et plus longtemps encore pour qu'elle puisse se prélasser à l'école en vue d'obtenir elle ne savait quoi puisqu'elle manquait trop souvent pour parvenir à voir la moindre cohérence dans ce qu'on lui apprenait, il est probable, oui, qu'éloignée de ses parents en de telles circonstances elle ait éprouvé pour l'école impatience et répulsion, d'autant plus qu'elle sentait cruellement à quel point il était impossible pour les enseignants, malgré les efforts méritoires de certains, de l'aimer, avec son air hostile, ennuyé, buté, avec ses parents travailleurs mais si bizarrement insouciants, satisfaits de tout, ni arrogants ni humbles mais, pouvait-on dire, inexplicablement frivoles.

Elle voulait qu'on l'aime, et plus que tout qu'on aime ses parents.

Là elle aurait donné le meilleur d'elle-même, voire plus, le meilleur de quelqu'un en elle qui ne s'était encore jamais manifesté, dont elle devait ignorer l'existence secrète et larvée jusqu'à ce qu'elle découvre la cuisine.

Non, c'est vrai, elle aurait supporté sans douleur aucune de n'être pas aimée.

Je suis d'accord avec vous sur ce point.

Je maintiens qu'elle n'admettait pas qu'on n'éprouve ni amitié ni admiration pour ses parents et que, les rares fois où ceux-ci se rendirent à une convocation de l'école, le caractère exceptionnel et flamboyant de leur personnalité n'arrêtât pas aussitôt sur les lèvres de l'enseignant les remarques déplaisantes qu'il voulait leur adresser, qu'il leur adressait de fait comme s'il avait eu en face de lui des parents négligents, frustes, avides, ignorants des capacités de leur enfant ou s'en souciant comme d'une guigne.

Ils ne disaient rien du reste, ils repartaient d'une humeur égale à celle qu'ils avaient en arrivant, ayant fait leur devoir, dociles mais impénétrables, en retrait de l'école comme de toute institution, oui, soumis en apparence car ils étaient foncièrement pacifiques mais au fond inaltérablement rétifs, sans en avoir conscience, comme deux petits ânes repliés sur leur mystérieux quant-à-soi.

Et ce que ses parents dissimulaient d'admirable, pensait la Cheffe, sous leur aspect d'indigents, il aurait suffi qu'un enseignant s'en rendît compte pour l'amener, elle, à travailler en classe avec le même courage, la même intelligence infatigable, la même astuce qu'elle mettait à aider ses parents dans les champs où, toute petite déjà, elle avait inventé divers procédés honnêtes pour réduire la fatigue ou le mal qu'on pouvait se faire à la longue dans une mauvaise position.

Mais comme aucun représentant de l'école ne lui fit jamais compliment de ses parents ni ne retint jamais les mauvaises paroles qu'on leur pensait légitimement destinées (concernant les multiples absences de la Cheffe et les mots d'excuse fantaisistes qu'elle rédigeait et signait d'ailleurs elle-même, peu désireuse de les ennuyer avec cela), elle en vint à se considérer comme l'ennemie des professeurs, de la directrice, de tous ceux, élèves compris, qui tenaient le monde de l'école pour celui de la vérité, de la justesse et ne reconnaissaient ni la vérité ni la justesse du monde étrange de ses parents.

Certainement, oui, la Cheffe aurait-elle fréquenté l'école à l'époque d'aujourd'hui, ses enseignants auraient reçu l'esprit ouvert, sans prévention ni colère outragée, ces parents énigmatiques, ils auraient perçu la stoïque cohérence et la bonté dans lesquelles, malgré leurs nombreuses déficiences, les parents de la Cheffe éduquaient leurs enfants, ils auraient tâché de se mettre au niveau de cette manière récalcitrante, sauvage et cependant parfaitement paisible qu'ils avaient, les parents, de vivre en société, ils auraient tenté de pénétrer tout cela et s'en seraient trouvés bien, instruits eux-mêmes et peut-être élevés, et la Cheffe n'aurait pas eu l'impression d'être déloyale envers ses parents si elle montrait du goût pour l'école, si elle acceptait même d'en faire partie.

Oui. Cela n'a pas été le cas.

Dès l'âge de quatorze ans elle cessa définitivement d'aller en classe, sachant lire mais écrivant avec peine, sachant bien compter en revanche, naturellement douée pour les chiffres.

Sur la recommandation d'un fermier pour qui il leur arrivait de travailler, les parents envoyèrent la Cheffe dans une famille de Marmande apparentée à cet homme, comme c'était l'hiver et qu'ils trouvaient eux-mêmes difficilement à s'embaucher, comme, d'autre part, ces gens de Marmande recherchaient une petite bonne, et la Cheffe découvrit la vie en ville, l'autorité bizarrement ironique d'une maîtresse de maison inconnue, les relations d'un genre tout nouveau et déconcertant pour elle avec les deux autres employés, une cuisinière et un jardinier.

À propos de ces deux-là, la Cheffe ne pouvait s'empêcher de dire, des décennies plus tard, avec un petit sourire de travers : Ils ne m'ont pas fait de cadeau.

Et elle répétait, elle disait toujours cette phrase deux fois mais, à la seconde, le sourire tordu avait disparu et ses lèvres s'arquaient vers le bas d'un air solennel : Ah ça, ils ne m'ont pas fait de cadeau.

Je suis resté longtemps avant de connaître la nature précise des traitements pénibles que la cuisinière et le jardinier du couple Clapeau avaient fait endurer à la Cheffe et je dois vous avouer que, dans l'ignorance, mon imagination soucieuse, dramatique, m'avait représenté la Cheffe, minuscule personne d'à peine quinze ans, dans une situation où le viol pur et simple d'une gamine serait relaté ou remémoré par les protagonistes, par la victime elle-même, avec fatalisme, comme l'ingrédient nécessaire d'un apprentissage de la vie d'adulte.

Oui, je pensais : Ce serait bien d'elle, si on l'a violée à quatorze ans et demi, de dire qu'on ne lui a pas fait de cadeau, et j'en étais si furieux contre le jardinier et la cuisinière des Clapeau que j'aurais bien mené quelques recherches pour les retrouver, les saisir par leur vieille chevelure et lever leur figure à hauteur de leur crime.

Oui, j'étais ainsi, extravagant peut-être mais surtout désespéré de n'avoir pu protéger la Cheffe depuis le début, depuis ce moment où le car l'avait amenée de Sainte-Bazeille, avec sa pauvre valise de carton bouilli, chez les Clapeau de Marmande, et où elle s'était retrouvée offerte à la voracité, à la dépravation, au mensonge respecté comme art de vivre, elle que ses parents avaient enveloppée d'une atmosphère d'innocence brute qui leur était propre, dont ils n'avaient pas même connaissance, qui leur était aussi naturelle que l'air qu'ils respiraient.

Non, je ne l'ai pas effectuée, cette enquête pour retrouver leur trace.

C'est qu'à force de questions prudentes mais obstinées de ma part la Cheffe a fini par me raconter dans le détail son existence à Marmande.

Elle n'avait d'ailleurs rien à cacher là-dessus, elle a mis des années à saisir à quel point tout cela m'intéressait, ce qui a eu du bon mais pas uniquement puisque, l'ayant perçu mais ne pouvant le comprendre, elle s'est méfiée comme de tout ce qui échappait à son entendement profond, elle a réfléchi à ce qu'elle devait me dire, elle préférait encore se taire parfois.

Mais elle n'a montré aucune réticence à me rapporter que la cuisinière et le jardinier des Clapeau l'avaient traitée comme quantité négligeable, avaient feint de ne pas s'apercevoir de sa présence alors même que la cuisinière devait partager sa chambre avec la Cheffe.

D'un commun accord ou non, ils avaient décidé de laisser leurs regards entourer vaguement sa silhouette sans jamais se poser sur elle, sans la traverser non plus, de sorte qu'il lui semblait s'être transformée en une masse de chair morte et floue qui gênait l'œil aussi bien que le flux de la pensée.

Ils ne lui adressaient pas la parole, et comme les Clapeau n'étaient pas accoutumés à parler aux domestiques autrement que pour réprimander ou commander, la Cheffe dut prendre l'habitude de ne dire mot, elle qui, chez ses parents, avait toujours eu le droit d'être bavarde, ainsi qu'elle disait, ayant même tiré une certaine vanité enfantine de sa faculté à discourir inlassablement et, ce faisant, à distraire et amuser sa famille chez qui le verbe était rare et malaisé.

Vous me demandez, vous vous demandez pour quelle raison la cuisinière et le jardinier des Clapeau affectaient de voir en la nouvelle petite bonne de la maison un morne obstacle à leur regard, comment il est possible qu'ils ne se soient pas rendu compte qu'elle n'était qu'une enfant affligée, isolée, tout juste arrachée à l'environnement tutélaire et chaleureux qu'elle avait seul connu, vous vous demandez et me demandez pourquoi ils se montraient si mauvais alors qu'il ne pouvait y avoir entre la Cheffe et eux nulle espèce de concurrence.

En réalité, comme la suite allait en témoigner, la cuisinière des Clapeau n'avait pas tort d'être hostile à cette petite personne à laquelle on l'obligeait de faire une place dans sa chambre déjà bien étroite.

Seulement elle n'avait aucun moyen de le savoir, lorsque la Cheffe est entrée chez les Clapeau, aucun moyen de savoir qu'elle n'avait pas tort.

Mais si elle l'a senti ?

Je ne sais pas. La Cheffe ne savait pas.

Qu'est-ce qu'ils avaient contre moi, au début ?

me disait-elle. Après, je comprends, mais au tout début…

La Cheffe avait-elle un certain air qui la rendait déplaisante ou redoutable ?

Amenait-elle dans la maison banalement corrompue, ordinairement mesquine des Clapeau l'intransigeante pureté qui prévalait au foyer de ses parents et sur le visage même de ses parents, m'avait déjà dit la Cheffe qui, si longtemps après, en même temps qu'elle amplifiait peut-être dans son souvenir l'ingénuité miraculeuse de ses parents (je n'en suis pas sûr, je n'en sais rien en vérité, je ne les ai pas connus), s'interrogeait avec de plus en plus de perplexité et, presque, de désespoir et de ravissement sur ce qui avait rendu possible une telle ingénuité et une telle joie de vivre chez des gens à ce point dépourvus de tout ce qui fait le bonheur des autres ?

Avait-elle fait entrer, la Cheffe, sans le savoir ni le souhaiter, un peu de cette insoutenable intégrité chez les Clapeau ?

La voyait-on sur son visage à elle aussi, la véracité qui éclairait tranquillement et de façon constante le visage de ses parents ?

Je l'ignore, la Cheffe l'ignorait.

Il faut noter que les Clapeau eux-mêmes ne se sentaient guère à l'aise avec la Cheffe, quoique, c'est important, l'expression qu'elle avait, qu'elle tenait de ses parents, fût de celles qui ne jaugent jamais, si bien que la gêne qu'ils pouvaient éprouver en sa présence ne leur venait pas d'une appréciation sévère dont ils se seraient crus l'objet (ce qui les aurait laissés parfaitement indifférents) mais d'un questionnement nouveau que l'expression particulière de ce visage d'enfant les forçait d'avoir sur leur propre rectitude, je veux dire sur leur absence ou leur manque de rectitude.

Je ne parle pas d'argent ni même de comportement, je parle de l'honnêteté de l'âme, je parle du fait tout nu d'avoir une âme honnête et de le sentir.

De le sentir, pas de le savoir car l'orgueil ne doit avoir aucune possibilité de s'immiscer dans cette affaire.

Par la suite, la Cheffe a toujours pensé que ses talents et son intuition, que la carrière professionnelle hors du commun qui en a procédé, l'avaient dépossédée de son visage d'alors, elle a toujours pensé que sa réussite et son ambition l'avaient entraînée bien loin des rivages purs qu'habitaient ses parents, elle en a toujours éprouvé de la peine et une intense mélancolie.

La vie chez les Clapeau, dans cette atmosphère de glaciale hostilité d'un côté, d'embarras et de sécheresse de l'autre, lui fut très vite si pénible qu'elle résolut, après six ou sept semaines, de s'enfuir, de retourner à Sainte-Bazeille chez ses parents dont elle ne doutait pas un seul instant de l'accueil tendre et compréhensif qu'ils feraient à ses plaintes, à son malheur.

Elle s'imaginait reprendre tout simplement l'existence laborieuse et gaie qu'avait interrompue pour des raisons sans valeur le séjour chez les Clapeau.

Mais alors que, s'éloignant de Marmande par la nationale, marchant sur la bande herbeuse entre la route et le fossé, elle voyait décroître la lumière du jour, elle se représentait de mieux en mieux l'intérieur de la maison de ses parents à cette heure-ci et à cette dure période de l'année, elle les voyait tous les deux allant et venant dans les trois petites pièces peu chauffées, son père, désœuvré dans un logement aussi réduit et aussi rempli, se cognant partout, trop grand, trop massif, sa mère s'occupant du plus jeune enfant qu'elle allaitait encore bien qu'elle fût, pensait la Cheffe, si maigre, si mal pourvue pour se suffire simplement à elle-même, elle voyait parfaitement ce qui se passait en cet instant et que son absence ne modifiait en rien, elle voyait tout et se disait peu à peu, comme son pas devenait plus lent, qu'elle n'avait plus sa place dans ce tableau.

L'espace qu'elle avait libéré en partant et que ses frères et sœurs devaient avoir comblé aussitôt de leurs jeunes corps oppressés, exigeants, elle ne pouvait se permettre de l'occuper de nouveau, si même elle réussissait à s'y glisser, elle ne pouvait se le permettre, songeait-elle maintenant immobile au bord de la route, séparée de Sainte-Bazeille, de la vie merveilleuse dont elle se souvenait à Sainte-Bazeille, moins par les kilomètres encore à parcourir dans l'obscurité que par l'idée inopinée que ses parents ne pourraient se défendre d'un sentiment ambivalent en la voyant revenir.

Et c'était la première fois que la Cheffe osait supposer que ses parents pussent avoir des sentiments ambivalents.

Oh je pense qu'elle se trompait.

Tels que je me les figure, ils auraient accepté impassiblement le retour de leur fille, ils n'auraient pas posé de questions, n'auraient fait aucun reproche, ils auraient été capables d'oublier aussitôt et jusqu'au plus profond d'eux-mêmes Marmande et les Clapeau.

Mais elle voulait sans doute mieux que cela, elle voulait les surprendre et qu'ils fussent très visiblement heureux et fiers de sa fuite loin de chez les Clapeau.

Comment pourraient-ils l'être? songeait-elle soudain au bord de la route, incapable d'aller plus loin.

Alors que la raison officielle de son placement à Marmande lui avait toujours paru négligeable et, d'une certaine façon, indigne de la vénération enragée qu'elle avait pour ses parents, il lui apparaissait brutalement que le salaire très modeste que lui versaient les Clapeau avait dû convaincre ses parents de la grande utilité de lui faire quitter Sainte-Bazeille, et non pas, comme elle s'était plu à le croire bien qu'on ne lui eût tenu aucun discours à ce sujet, qu'on ne lui eût donc pas menti ni « raconté d'histoires », l'intérêt de vivre en ville, d'acquérir une saine expérience professionnelle, etc.

Oui, comprenait-elle d'un coup, frissonnant sur le bas-côté de la route déserte, enténébrée, ne sachant plus dans quelle direction porter ses pas mais sentant néanmoins qu'elle allait rebrousser chemin, ne le sachant pas encore, le sentant seulement, avec réticence, avec dégoût, avec résignation aussi, ce qu'elle gagnait et ce qu'elle mangeait ailleurs signifiait autant de répit pour ses parents adorés.

Comment, alors, pourraient-ils être absolument heureux de la voir rentrer à la maison?

La Cheffe avait honte de présumer que ses parents se sentiraient partagés entre la joie et la déception, il lui semblait avoir tout d'un coup le cœur malin, il lui semblait que la vie chez les Clapeau l'avait pervertie en la rendant subtile, et cependant elle pensait ne pas se méprendre et que ses parents se trouveraient dans l'ambiguïté en lui ouvrant la porte — mais c'était comme si sa propre intelligence un peu vile créait à distance un tel état d'esprit chez ses parents.

Au lieu de se dire : Je me rends compte maintenant que deux sentiments opposés peuvent tirailler leur sensibilité, elle se disait étrangement : Si je n'avais pas eu cette pensée, leur tendresse serait restée tout unie et limpide.

C'est pourquoi elle s'en voulait et se croyait devenue mauvaise subitement.

Elle fit ce que son intuition lui avait déjà annoncé qu'elle ferait, elle revint sur ses pas, rapidement cette fois, courant presque de peur que son absence eût été remarquée chez les Clapeau.

Notre jolie résidence de Lloret de Mar a été construite à l'usage quasi exclusif de retraités dans le genre de mes amis, des Français aisés qu'une vie nouvelle, étrangement anonyme entre des murs neufs et neutres, semble projeter d'un coup et sans grand sacrifice, sans contrepartie diabolique, dans un type de jeunesse qu'ils n'ont pas connue, alcoolisée, vaguement communautaire, inconséquente et froidement jouisseuse, nous rions et plaisantons beaucoup, nous nous retrouvons en minislips de bain et imperceptibles bikinis sur la plage de Santa Cristina à boire quantité de vin blanc, nous ne craignons aucun jugement défavorable dans notre petit cercle affranchi, incurieux, opiniâtrement frivole, nous n'avons jamais été aussi libres, aussi délibérément juvéniles. Je n'ai pas leur âge, loin de là, mais nos modes de vie similaires, nos apparte-

ments interchangeables nous rendent égaux de ce point de vue également, j'oublie que je ne suis pas encore vieux et que, objectivement, ils le sont, nous sommes en bonne santé, nous prenons soin de nous, nous sommes immortels, nous ne prenons soin que de nous.

Elle retrouva sa vie de petite bonne préposée au ménage et aux courses, au lavage du linge et de la vaisselle, et le changement d'attitude de la cuisinière et du jardinier à son égard, qui glissèrent de l'animosité silencieuse, volontairement cruelle, à une indifférence ordinaire semée de quelques phrases sèches et impersonnelles, resta toujours lié pour elle à ce qui lui était arrivé sur la route de Sainte-Bazeille : elle avait imaginé quelque chose de légèrement déshonorant concernant ses parents et cet excès de perspicacité ne signifiait pas qu'ils ne méritaient plus son dévouement total mais qu'elle avait, elle, failli, en outrageant une certaine pureté de pensée.

Elle était tombée, se disait-elle, au niveau de petitesse de la cuisinière et du jardinier, voilà pourquoi ils lui menaient la vie plus facile.

Ils avaient vu dans son regard, sans doute, ce qui lui manquait au retour de sa brève échappée.

Ils avaient vu l'absence de ce qui, auparavant, les avait exaspérés.

Ils ne cessaient de calculer, de combiner, d'escompter, contrairement à ses parents qui jamais ne prévoyaient quoi que ce fût et se montraient pourtant d'une parfaite délicatesse.

Ses parents, avait toujours pensé la Cheffe, étaient heureux d'être pauvres.

Ils estimaient, avait toujours pensé la Cheffe, ou

ressentaient plutôt, qu'ils auraient perdu beaucoup en sortant de cette pauvreté qui leur collait aux os.

Perdu quoi? Oh, ce qu'il y avait de meilleur en eux.

J'étais révolté par une telle façon de considérer sa propre misère, il y avait je ne sais quoi chez ces parents, ou dans la vision qu'avait la Cheffe de ces parents exemplaires, qui m'irritait sourdement quand j'étais jeune, qui sourdement m'écœurait aussi.

À présent que je comprends la Cheffe, je suis triste et navré de ne pouvoir le lui dire.

Mais les Clapeau également, sans en avoir conscience, lui manifestèrent que quelque chose en elle avait changé après qu'elle avait été touchée par le doute sur la route de Sainte-Bazeille, car ils s'adressèrent à elle avec plus de liberté et de sympathie.

De telle sorte que, tout compte fait, la Cheffe n'était pas loin de se sentir à son aise à Marmande, non pas heureuse car il lui semblait qu'elle ne le serait plus jamais après s'être autant éloignée de ses parents en esprit, mais assez contente, elle était curieuse, elle voulait apprendre.

Et puis, même si la soudaine cordialité des Clapeau la renvoyait à ce qu'elle considérait comme la ruine de son âme, le temps passant elle en apprécia néanmoins la douceur.

Elle était très jeune, oui. Vous savez, c'est elle qui s'est toujours jugée durement.

Elle n'a jamais jeté de pierres que sur sa propre personne, et même sur l'enfant qu'elle avait été mais il s'agissait encore d'elle.

Les Clapeau avaient une soixantaine d'années, quatre fils adultes qui venaient déjeuner chaque dimanche avec leurs familles respectives, et de nombreuses relations qu'ils invitaient souvent à dîner, justifiant ainsi l'emploi d'une cuisinière à demeure.

Ils n'osaient peut-être avouer qu'ils avaient eux-mêmes besoin de se faire préparer quotidiennement des plats savoureux car ils étaient d'une gourmandise fervente, intraitable, qui les dominait, les obligeait à placer la nourriture au premier plan de leurs pensées.

Ils en éprouvaient une légère angoisse.

Peut-être ne recevaient-ils autant que pour excuser à leurs propres yeux une telle préoccupation.

Car ils éprouvaient de l'angoisse à aimer manger comme ils aimaient manger.

Il faut bien accueillir et nourrir correctement ses invités, avaient-ils coutume d'affirmer puisqu'ils ne pouvaient dire : Nous invitons surtout pour nous procurer des occasions fréquentes de festins.

Est-ce que la Cheffe, à l'âge qu'elle avait alors, se rendait compte que les Clapeau n'aimaient pas tout à fait être comme ils étaient, qu'ils auraient préféré avoir pour la cuisine une passion plus raisonnable, qu'ils avaient l'impression, en quelque sorte, d'être possédés par l'acte de manger et le plaisir qu'ils en tiraient ?

Je ne sais pas. Je sais seulement qu'elle s'est toujours ingéniée à ce que les gens pour qui elle cuisinait ne se sentent jamais blâmables d'aimer ardemment qu'elle cuisine pour eux.

Oh oui, elle détestait qu'on éprouve de la culpabilité à cause d'elle, à cause du plaisir qu'elle pouvait donner, ce n'est pas rare, elle détestait cela.

Mais, chez les Clapeau, elle était sans doute trop jeune pour comprendre à quel point ces gens, par ailleurs plutôt aimables, peu compliqués, déploraient d'avoir cette faiblesse, l'obsession de l'excellente chère, et variée, surprenante, mémorable.

Eût-elle pu comprendre leur remords constant après chacune de leurs bombances que se fût éclaircie pour elle l'attitude singulière qu'ils avaient envers la cuisinière, qu'ils choyaient et tracassaient dans le même temps, qu'ils louaient avec un sincère enthousiasme devant les invités et tourmentaient de reproches infondés, étranges et confus quand ils se retrouvaient seuls avec elle, ce à quoi la cuisinière, sachant viscéralement à quoi s'en tenir, ayant parfaitement compris ce qu'elle aurait peiné à exprimer, opposait le front tranquille, impudent, lassé de celle à qui on ne la fait pas : Ouais, ouais, vous vous êtes quand même bien régalés, leur répondait-elle, à moins qu'elle ne prononçât pas de tels mots mais les fît simplement entendre — c'est pareil, je connais l'essentiel et non pas le détail, je connais l'esprit plus que la lettre, bien sûr, mais c'est ce qui compte, n'est-ce pas.

Quoi qu'il en soit, la Cheffe constata au bout de peu de temps que la cuisinière avait un formidable empire sur les Clapeau.

Quand ils s'étaient laissés aller à la tarabuster sous un prétexte vain et qu'ils n'assumaient d'ailleurs pas au moment même où ils le mettaient en avant (rougissant, bafouillant, baissant les yeux), ils ne manquaient pas de venir s'excuser peu après, soit l'un soit l'autre, et toute leur attitude était une supplication : Ne nous quittez pas, oubliez les bêtises que nous vous avons dites sous l'effet non de l'alcool, nous ne buvons malheureusement jamais assez pour sauter par-dessus notre stupide mauvaise conscience et nous nous empêtrons dedans au lieu de l'enjamber d'une joyeuse foulée enivrée, non, ce n'est pas sous l'effet d'un excès de notre cru bourgeois habituel que nous vous avons abreuvée de remontrances désordonnées mais seulement de notre incorrigible sensation de déroute et de faute après un repas exquis, tel était le vôtre encore ce soir, merci, merci, ne nous quittez pas s'il vous plaît.

Occupée à ranger la cuisine, à donner un coup de balai sur les tommettes toutes lustrées par le gras des cuissons, la Cheffe ne perdait rien de ce qui se passait entre la cuisinière goguenarde et les Clapeau grisés de résipiscence, je suis néanmoins certain qu'elle ne percevait pas la dimension érotique de leur échange et que, le sentiment revanchard, arrogant, de triomphe sexuel qu'éprouvait la cuisinière lorsqu'elle se tournait ensuite vers la Cheffe et s'écriait sans joie mais avec volupté : Je les ai encore bien eus, tu as vu comme ils me mangent dans la main !, la Cheffe ne pouvait le discerner.

Plus tard, bien sûr, elle en fut capable, elle haïssait cela, elle devait le haïr toute sa vie.

Quoi exactement ? Oh vous comprenez bien.

Cette façon qu'ont certains convives, hommes ou femmes, de se comporter vis-à-vis de celui ou celle qui cuisine comme avec un amant ou une maîtresse puisque, faute d'imagination, ils ne peuvent se fournir à eux-mêmes une autre image de celui, de celle qui a pourvu splendidement à leur jouissance, à leur bonheur.

Il y a alors des postures, des regards, même des mots prononcés pourtant sans intention ni sous-entendus, je dirais presque candidement, qui se rapportent si visiblement au plaisir sexuel que la Cheffe, qui exécrait les promiscuités, en était venue à redouter les remerciements et les hommages, comme je vous le disais plus haut, et elle n'aimait pas venir en salle, elle n'aimait pas rencontrer les mangeurs.

Elle n'aimait pas que sa chair soit près de leur chair ni voir leur langue, leurs lèvres, leur échauffement après le repas.

Oui, j'ai parlé de manque d'imagination, je n'aurais pas dû.

Non parce que c'est faux ou que je ne le pense pas vraiment, mais vous allez me demander ce que la Cheffe attendait alors comme type de reconnaissance, dans quel ordre d'idées ou de sensations elle voulait être félicitée.

Vous allez me le demander, oui?

Car même pour une femme aussi originale que la Cheffe, travailler et se démener et souffrir souvent, et immoler son repos et, pour ainsi dire, toute vie privée, familiale, sur l'autel de la cuisine admirable, aurait été difficilement supporté sans gratitude.

Elle ne voulait pas d'adoration à connotation érotique, ou qu'elle ressentait comme telle, ainsi que je vous l'ai dit.

Elle voulait que ce soit spirituel, elle voulait que le mangeur entre dans un état de contemplation sereine et modeste, elle voulait qu'il s'adresse ensuite à elle, s'il le désirait (mais elle préférait qu'il ne le désire pas), comme à l'officiante d'une cérémonie à la fois très simple dans sa présentation et sophistiquée dans son élaboration, et elle, la Cheffe, la célébrante, pouvait alors être complimentée pour avoir organisé

+ mains ordonnés pour cuisiner
cer.religieuse

au mieux les multiples étapes de l'office, elle pouvait être remerciée, louangée pour l'intelligence de sa pratique.

Cela, oui, c'était acceptable, c'était parfois agréable, c'était tolérable, oui.

C'est dans cet esprit qu'elle a exercé son art.

Sinon, aurait-elle dit, à quoi bon?

Elle ne courait ni après l'argent ni après les tracas, elle n'était pas cupide, elle n'avait pas le goût du confort ni le sens du patrimoine.

La cuisine était sacrée.

Autrement, à quoi bon tant d'efforts?

Non, bien sûr, du temps de Marmande et des Clapeau elle ne voyait pas les choses ainsi, elle ne voyait rien du tout, à peine si elle observait.

Mais elle ressentait, elle concentrait les rayons dans son petit foyer jamais au repos, elle absorbait et transformait secrètement tous les éléments que lui octroyait la part de son travail consacrée à aider la cuisinière, cette femme qui jamais ne devait être son amie.

Des tâches très simples, oui, éplucher, laver, couper.

Un petit-fils des Clapeau m'a très aimablement envoyé copie du livre de comptes de madame Clapeau durant cette période et j'ai pu constater que les achats de viande, de légumes, d'épicerie, de vin, correspondent fidèlement aux plats que la Cheffe se rappelait avoir vu préparer par la cuisinière et qu'elle tentait de me décrire avec précision quand je l'interrogeais sur son apprentissage informel chez les Clapeau, cela relevait du genre de souvenirs qu'elle adorait se remémorer, comme elle s'est moquée ensuite de la lourdeur de ces menus!

Les Clapeau ne pouvaient imaginer recevoir dignement, et même, d'une certaine façon, affectueusement, sans servir une entrée de charcuterie, une seconde entrée de poisson en sauce, un plat de viande rôtie ou mijotée accompagnée de plusieurs légumes, une salade verte systématiquement agrémentée de généreux croûtons, un vaste plateau de fromages, une tarte ou un gâteau, tout cela encore suivi de fruits, de chocolats, de friandises.

Ils aimaient la cochonnaille «habillée» ou garnie, le pâté en croûte, les friands, la galantine, les croissants au jambon, dont ils ne confiaient pas la fabrication à leur cuisinière mais faisaient venir d'une maison de Paris, j'ai oublié le nom, ils affirmaient qu'on y trouvait le meilleur en matière de cochon.

Les Clapeau avaient une vraie fureur pour la viande, et comme, étrangement, cette fureur leur paraissait aussi facilement avouable que malaisément confessable leur prédilection pour la cuisine, ils s'exclamaient parfois, avec un accent de fierté exagérée, saugrenue : Nous, ce qui nous intéresse, c'est la bidoche ! — espérant ainsi masquer qu'ils aimaient manger de tout, crèmes et flans, légumes au four, crottin de chèvre tiédi sur une biscotte, et qu'ils n'aimaient, au fond, que manger, mais les préparatifs de chaque dîner, l'élaboration des menus, la sélection des produits, les longues délibérations avec la cuisinière pour décider du choix de tel plat en fonction des préférences supposées de tel ou tel invité, tous ces préliminaires faussement soucieux, ostensiblement tendus (chacun devait croire que les Clapeau se soumettaient à un devoir et à une corvée en recevant aussi souvent) leur étaient source d'un immense plaisir, et si mal dissimulé du reste que la Cheffe l'avait très vite reconnu.

Oui, ce sont les Clapeau qui, les premiers, lui ont donné un exemple de la délectation que peuvent faire éprouver les mots de la cuisine, ils les prononçaient soigneusement, les répétaient sans nécessité, les gardaient en bouche autant que possible avant de passer au mot suivant.

Ils lui ont donné aussi un exemple d'égarement et de perdition, non parce qu'ils ne pensaient qu'à bien manger mais parce que leur propre nature les déconcertait et les scandalisait et qu'ils portaient sur eux-mêmes le regard réprobateur, inflexible qu'ils auraient adressé à tout être que son obsession gouvernait.

Ils méprisaient cela en eux, ils ne pouvaient même le comprendre, voilà pourquoi ils étaient perdus, peu estimables, on se fichait d'eux dans leur dos, à peine dans leur dos parfois.

C'est ce qui a convaincu la Cheffe qu'on devait donner le spectacle de ses manies uniquement si on en avait la fierté.

Leur aspect physique ?

Je ne sais que vous dire. Je n'ai vu aucune photo d'eux.

La Cheffe ne me les a jamais décrits, sinon pour me dire qu'ils n'avaient rien de particulier dans l'apparence.

Je ne suis pas certain, s'ils avaient été excessivement gros et gras, qu'elle me l'aurait dit, elle l'aurait peut-être consciencieusement caché au contraire, par délicatesse, par compassion, par respect pour ces gens qui, en définitive, l'avaient bien traitée.

On ne peut donc tirer aucune conclusion du fait qu'elle n'ait pas dit s'ils étaient monstrueusement corpulents ou non.

La Cheffe était la personne la plus loyale que j'aie jamais rencontrée, c'est en grande partie la raison de ses mystères.

Elle se taisait ou dissimulait par fidélité à la loyauté, si je puis dire.

Quant à moi, je dois tâcher à la fois d'être loyal et d'être précis, d'être fidèle à la loyauté et à l'exactitude, tout cela me tourmente beaucoup et j'ai, depuis que je m'entretiens avec vous, de fréquents accès de cafard, oui.

Je voudrais tracer une Vie de la Cheffe comme on écrit une Vie de Saint, mais ce n'est pas possible et la Cheffe elle-même l'aurait trouvé ridicule.

Alors je me donne comme mot d'ordre la seule honnêteté, mais j'entends parfois la voix claire, posée, légèrement vibrante d'une menace terrible pour moi, celle de me retirer sa confiance et son affection, j'entends parfois la voix de la Cheffe, elle me dit : Crois-tu avoir vraiment le droit de raconter toutes ces choses ? Si je ne l'ai pas fait, de quoi te mêles-tu ?

Oui, c'est très difficile pour moi d'accepter que je puisse être un jour, au détour d'un mot, infidèle à la loyauté, sans m'en apercevoir ou m'en apercevant trop tard, et je n'ignore pas que la vanité, c'est-à-dire en l'occurrence la tentation de briller en révélant certains secrets, me guette à chaque phrase que je prononce, je le sais bien, c'est très difficile pour moi.

J'avance cahin-caha, je ne suis certain de rien, je

veux que la Cheffe soit connue comme une femme admirable.

Mais est-ce qu'une telle entreprise ne lui aurait pas fait horreur?

Certainement, cependant elle aurait eu tort, voilà la conviction que j'ai forgée.

Je peux continuer à vous parler de la Cheffe aussi longtemps que je pense résolument, implacablement qu'elle aurait eu tort, face à ma décision, de faire ressurgir son vieux sentiment d'aversion devant l'intérêt qu'on pouvait porter à sa vie.

Car il m'est apparu que ce sentiment instinctif était devenu chez elle mécanique, il m'est apparu aussi qu'elle n'osait se demander s'il lui était réellement impossible de tirer le moindre plaisir, la moindre curiosité des sollicitations qu'elle recevait, à la fin, de journalistes désireux de la rencontrer.

Elle s'était persuadée qu'elle ne le devait pas, longtemps auparavant.

C'était comme un péché, pour elle, cette éventualité de se raconter, de se confier, mais un péché qu'elle aurait inventé sans le savoir.

Cette faute aurait perdu de sa gravité à ses propres yeux si la Cheffe s'était rendu compte qu'elle était seule à la voir, j'en suis presque sûr.

Elle était fière mais pas orgueilleuse.

Elle avouait ses erreurs d'appréciation, les illusions qu'échafaudait parfois son cœur sauvage, elle se savait butée, trop prompte à s'accuser et à se châtier, à se sentir coupable.

Moi, je me donne comme mot d'ordre l'honnêteté, puis l'amour que j'avais pour elle en second lieu seulement car je sais que la Cheffe attachait une plus grande valeur à l'honnêteté qu'à l'amour, il lui semblait qu'on pouvait se comporter très mal au nom de l'amour mais jamais au nom de l'honnêteté.

L'amour entre un homme et une femme ne l'a pas beaucoup intéressée.

Toutes ses facultés d'aimer, de se donner, de souffrir, d'espérer, la cuisine s'en était emparée bien avant que je la rencontre, la pratique mais surtout la pensée de la cuisine, et le peu de ces ressources d'amour qui parvenait à se détourner de la cuisine allait à sa fille, la fille de la Cheffe que vous avez déjà rencontrée peut-être, qui selon moi ne méritait pas cet amour.

Mais c'était un amour plein de désespoir, alors ce n'en était peut-être pas un, au bout du compte.

J'ai souvent pensé que mes sentiments pour la Cheffe m'avaient empêché de devenir un grand cuisinier, néanmoins je n'en éprouve pas de regret.

Je profite chaque jour de ce que mon amour a fait de moi et, si je peux vivre en bonne intelligence avec moi-même, c'est grâce à la façon dont mon amour exclusif, absolu, impérissable a transmué le garçon que j'étais avant, banalement désireux de réussir, commun, pragmatique, en jeune homme capable d'éblouissement et de renoncement.

Comment pourrais-je déplorer d'être devenu bien supérieur moralement et spirituellement à celui que j'aurais été si cet amour ne m'avait pas surpris?

Je ne peux pas le déplorer.

Tant pis pour mes rêves de cuisinier, je me serai contenté d'exercer convenablement mon métier et d'en vivre à la juste hauteur de mes besoins, qui sont très simples.

Je ne peux pas déplorer l'élargissement de mon

. Il dit que son amour lui rend a better person

courage, l'épanouissement de mon cœur étriqué, personne ne déplorerait cela, homme ou femme, personne.

Il faut simplement savoir la reconnaître en soi, cette élévation de sa propre conscience au détriment d'aspirations plus concrètes, alors on en éprouve de la gratitude, et la déception, la frustration se trouvent repoussées à jamais.

Voilà pourquoi je ne peux déplorer d'avoir employé mes talents à aimer et à servir la Cheffe plutôt que moi-même, je ne peux pas le déplorer.

À Lloret de Mar préparant nonchalamment ma terrasse pour l'apéritif de ce soir, dépliant les chaises de métal nettoyant la table balayant les pétales bleus mollement tombés du vieux jacaranda qui me préserve du soleil, je songe que les journées s'étirent si monocordes et semblables que mes amis et moi paraissons nous être soustraits ingénieusement au passage flétrissant des années, nous regardons les autres vieillir depuis notre havre temporel et nous nous regardons et constatons que nous ne changeons pas, même l'alcool ne rougit pas nos figures éternellement bronzées, nous nous trouvons beaux et chanceux, nous ne permettons jamais au doute à l'angoisse au chagrin existentiel de s'insinuer dans nos cœurs heureux, nos cœurs désinvoltes et refroidis, et nous nous contemplons réciproquement dans le miroir flatteur de nos visages inaltérés.

Comme je vous le disais, les Clapeau s'étaient mis dans l'idée, curieusement, que la glorification par leurs soins de leur goût effréné pour la viande faisait oublier leur manie de la nourriture en général, et c'est ainsi que la viande constituait l'ordinaire chez les Clapeau et qu'ils allaient jusqu'à vouloir considérer cette habitude comme une nécessité thérapeutique, affirmant que la viande les préservait de maux qu'ils ne manquaient pas d'attraper quand certaines circonstances les privaient de porc ou de bœuf à chaque repas.

Les plats que la Cheffe voyait préparer par la cuisinière, dans une grande pièce moderne et claire donnant sur le petit jardin de ville clos de murs hauts, abondamment planté de poiriers et de pêchers en espalier — et dont les Clapeau étaient si fiers qu'ils la montraient aux invités en proclamant d'une voix faussement ironique : La pièce la plus importante de la maison !, ils souhaitaient qu'on les croie caustiques, excédés par les ridicules prétentions d'on ne savait qui, la cuisinière elle-même peut-être, à ce que cette pièce fût considérée comme telle, mais tous leurs amis et parents savaient qu'en réalité il n'y avait qu'eux pour voir sérieusement et gravement dans la cuisine la pièce la plus importante de leur maison, la cuisinière s'en moquait bien, elle n'était pas chez elle et rien ne lui appartenait en ces lieux —, les plats que la Cheffe voyait préparer chaque jour devaient donc rester dans son souvenir composés de viandes exclusivement, les légumes n'étant ajoutés que pour le plaisir de l'œil et, en quelque sorte, par pénitence.

Il y avait le petit salé et son saucisson à cuire accompagnés de quelques très fines feuilles de chou blanc, le filet mignon pané et grillé sur lequel fondait ensuite du beurre d'anchois, il y avait les rognons de toutes les bêtes, systématiquement sautés dans le beurre et recouverts de sauce madère, le lapin aux échalotes et aux champignons, la langue de bœuf au gratin, les pigeons aux petits pois, il y avait les escalopes de veau à la crème poivrée, le gros boudin aux oignons ou à la viande servi sur des lamelles de pomme compotée, les croquettes de poulet frites, les côtelettes d'agneau à la Villeroy dont monsieur Clapeau était fou, il les appelait ses petites chéries, il les aimait avec une panure épaisse, bien rissolées, à peine cuites à l'intérieur, il voulait avoir le goût léger du sang.

Les Clapeau se fatiguaient vite même de ce qu'ils adoraient et leur habituelle frénésie de saveurs nouvelles s'intensifiait avec l'âge, comme s'ils avaient craint de mourir avant d'avoir exploré tous les goûts, toutes les combinaisons de consistances et d'aspects, de cuissons et d'assaisonnements, toutes les sensations que l'acte de manger prodiguait à leur cerveau très imaginatif.

Ils pressaient la cuisinière de leur faire découvrir ce qu'ils ne savaient pas nommer et, ne pouvant le nommer, ne pouvant le décrire, ils la plaçaient sans s'en rendre compte dans une situation désagréable, où elle se trouvait sommée de leur cuisiner ce dont ils n'avaient même pas l'idée.

Ils lui apportaient des recettes tirées de vieux livres étranges, écrites dans un langage qu'elle comprenait à peine, en lui disant de s'en inspirer seulement, d'y réfléchir et d'y songer, puis d'ouvrir à partir de ces recettes énigmatiques toutes les portes de sa fantaisie, très largement.

La cuisinière faisait tout juste semblant d'y jeter un coup d'œil.

Elle ne les méprisait jamais davantage, les Clapeau, que lorsqu'ils étaient ainsi devant elle : bouillonnants, pleins d'attente, anticipant néanmoins la déception, du coup à la fois suppliants et mécontents, vaincus, enragés, se haïssant.

La Cheffe voyait tout cela, je dirais qu'elle en prenait bonne note, sans juger, sans en penser quoi que ce fût car sa puissante intuition la renseignait déjà, lui disait qu'elle était trop jeune et trop dépourvue de connaissance humaine pour se permettre un avis sur des êtres qui, si peu expérimentés qu'aient pu lui sembler parfois les Clapeau, avaient vécu tellement plus qu'elle.

La Cheffe devait garder une fois adulte cette habitude de surseoir à son jugement sur le comportement des autres.

Elle voulait avoir compris tout ce qui motivait ce comportement avant d'exprimer quelque remarque que ce fût, moins par souci de justice que de justesse, elle redoutait de n'être pas toujours exacte.

D'où le reproche qu'on lui adressait parfois d'être trop circonspecte, de ne pas donner promptement et clairement son point de vue, de ménager la chèvre et le chou.

On ne pouvait se tromper plus radicalement à son sujet.

La Cheffe était d'une indifférence presque incompréhensible quant à ce qu'on pouvait penser de ce qu'elle pensait.

En revanche elle supportait mal l'éventualité de devoir répondre, dans le box des accusés de son petit tribunal intime où l'envoyait facilement sa propre rigueur, du crime de préjugé, d'égarement, de mauvaise interprétation et de vanité.

On s'étonnait sans doute d'autant plus de cette prudence qui, chez une autre, n'aurait peut-être même pas été remarquée, que la Cheffe avait une opinion rapide et tranchée sur les choses de la cuisine et qu'elle n'hésitait jamais à discuter d'un plat ou d'un produit, quitte à s'attirer l'animosité ou, presque pire pour elle, une excessive sympathie.

Les Clapeau ne se gênaient pas devant elle, ils oubliaient sa présence quand ils parlaient à la cuisinière.

Et de les voir ainsi ardents et implorants, sans espoir et pourtant tourmentés de désirs, l'amenait invariablement à cette interrogation perplexe : pourquoi ne cuisinaient-ils pas eux-mêmes ? Pourquoi confiaient-ils à cette cuisinière, dont la Cheffe découvrait par ailleurs l'assez médiocre talent, le pouvoir de les rendre malheureux ?

Ils en savaient tellement plus que cette femme morose et froide, ils avaient développé pour la gastronomie un intérêt tellement plus vaste et plus savant que le sien qu'ils auraient eu toutes les chances de s'approcher des mets inconnus auxquels ils rêvaient s'ils s'étaient attelés à la tâche, ils auraient tâtonné et expérimenté, sans nécessité d'expliquer et de dépeindre, de chercher vainement les mots capables de faire comprendre ce qu'ils ne connaissaient pas eux-mêmes à une cuisinière rétive et hostile a priori, pourquoi ne le faisaient-ils pas, se demandait la Cheffe que leur dévotion pathétique, forcée, à la cuisinière embarrassait beaucoup par son impudeur, son côté vicieux.

Il lui semblait qu'il n'y avait pas d'échappée convenable à une relation aussi confuse, il lui semblait que la cuisinière, si réticente fût-elle, n'avait pas tort de s'irriter des demandes aussi vagues qu'impérieuses ou suppliantes des Clapeau, pas tort non plus de n'avoir aucune déférence pour des gens qui montraient une telle honte de leurs appétits.

Mais les Clapeau n'avaient pas tort non plus, lui semblait-il, de critiquer le manque d'invention de cette femme amère et sombre qui cuisinait avec une morne fureur et l'ambition à peine secrète de ne jamais les satisfaire pleinement.

La Cheffe est restée longtemps sans me dire ce qu'elle savait concernant les Clapeau, ce qu'elle pensait de l'impossibilité absolue qu'il semblait y avoir pour eux de cuisiner.

Elle s'arrêtait là dans leur évocation, comme si certains termes venaient soudain à lui manquer.

Elle attendait de me connaître mieux.

Elle savait déjà, à l'époque où elle me racontait son éducation chez les Clapeau, que je ne ricanerais jamais de quoi que ce fût qu'elle pouvait me dire, que je n'étais pas du genre à ricaner, qu'on pouvait même tout supposer de ma part excepté le ricanement.

Elle le savait bien mais elle voulait peut-être encore s'assurer que je ne ricanerais pas ne serait-ce qu'intérieurement, que je prendrais tous ses propos au sérieux et à la lettre, en un mot que je la croirais totalement et immédiatement.

Si les Clapeau, m'expliqua-t-elle, ne se pensaient pas autorisés à cuisiner, c'est parce qu'on ne peut dialoguer avec l'objet de son culte que par l'entremise d'une personne innocemment ou sciemment destinée à cet office, ainsi en allait-il de la cuisinière qui, avec tous ses défauts, remplissait les obligations de cette charge particulière, qui ne se délègue pas.

Les Clapeau auraient cru commettre un irrémissible attentat contre les lois sacrées de la cuisine s'ils s'étaient résolus, par orgueil, à un commerce direct avec elle, et en quelque sorte à poser leurs mains dessus.

Personne ne les en aurait punis, disait la Cheffe, mais ils auraient su, eux, qu'ils agissaient mal, plus que mal, criminellement.

Et la cuisinière l'avait perçu sans doute, elle comprenait les Clapeau mieux qu'elle-même tout en se fermant, en se refusant à eux, et elle leur lançait parfois avec une cruauté voulue et pleine de malice : Tenez, prenez ma place pour une fois ! et elle riait méchamment de leur mouvement de recul outragé, se sachant toute-puissante dans la sphère de l'autel, peu importaient alors ses compétences limitées car elle était consacrée, ils ne l'étaient pas et, par terreur, ne le seraient jamais.

Pardon ? Je m'exalte, vous avez raison, non je sais bien que vous ne le dites pas mais vous avez raison quand même, je m'exalte ridiculement. À quoi bon ?

Mais il m'est difficile de garder mon air posé et ma voix raisonnable quand je parle de choses qui ont été si importantes pour la Cheffe, mon agitation d'alors me revient intacte et je me revois, jeune, ignorant de tout, seul avec la Cheffe dans la cuisine après le départ des autres employés, et l'écoutant avidement mais sans rien montrer de cette avidité, de cette soif que j'avais de tout connaître d'elle, me raconter ce que je vous rapporte aujourd'hui, de sa voix claire, nette, et son regard qui ne quittait pas le mien comme pour s'assurer qu'elle n'y lirait rien de gênant pour elle, ni ennui ni fatigue ni trouble de quelque ordre que ce soit.

Je le savais, si elle avait discerné dans mes yeux

l'ombre d'un intérêt plus grand que ce qu'elle estimait plausible pour ses histoires ou d'une émotion plus forte que ce qu'elle pensait pouvoir admettre, je le savais, elle aurait coupé court et, peut-être, ces heures nocturnes dans la cuisine nettoyée, rangée, désertée, je ne les aurais plus passées en sa compagnie, presque étourdi de fatigue, parfois tremblant de froid ou d'épuisement, mais seul dans mon studio de Mériadeck, sans dormir davantage et voyant comme si j'y étais la Cheffe qui ne se décidait pas à quitter la cuisine où il n'y avait pourtant plus rien à ranger ni à nettoyer, elle semblait redouter d'aller se coucher dans son appartement au-dessus du restaurant, elle remuait les lèvres en direction de la paillasse à laquelle je m'étais appuyé pour l'entendre, et je n'étais pas là, elle s'en rendait à peine compte.

Je savais, du fond de mon lit à Mériadeck, que je n'étais pas là et j'en souffrais atrocement pour elle même s'il était manifeste qu'elle n'était en aucun cas une femme qu'on pouvait prendre en pitié, et souffrir pour elle ne lui allait guère non plus.

Non, elle ne dormait jamais beaucoup.

Elle aurait aimé se contraindre à dormir exactement le nombre d'heures nécessaires pour récupérer toute sa force de travail mais cela ne lui était pas possible.

Elle tournait dans la cuisine vide et se répétait qu'elle devait maintenant monter et se mettre au lit, puis elle regardait la pendule et observait avec consternation qu'elle ne cessait de s'adjurer ainsi depuis une heure, depuis deux heures, et elle était toujours là, en bas, à marcher entre les plans de tra-

vail et les fourneaux sans même savoir à quoi elle
songeait.

Tout cela, les rapports des Clapeau avec la cuisinière, pour vous expliquer comment a pu s'insinuer
dans l'esprit de la Cheffe le ferment d'une conviction
qui ne l'a jamais quittée : on pose sur la cuisine des
mains autorisées, délicates, légères et conscientes de
ce qu'elles font.

Peu importe, en un sens, qu'elles soient malhabiles
si elles ont été ordonnées.

Par qui ? Oh par soi-même, il n'est pas question
de diplôme ni d'adoubement par un maître, non, on
doit sentir si le souffle de la cuisine a pénétré en soi.

Les Clapeau nourrissaient trop de peur et de sentiments équivoques pour que cet esprit puisse jamais
trouver le chemin de leur cœur embrouillé.

Ils avaient l'habitude de séjourner, l'été, dans leur
maison des Landes et d'y emmener la cuisinière
mais, l'été où le génie de la cuisine s'est installé dans
le cœur de la Cheffe, l'été de ses seize ans, la cuisinière avait refusé pour la première fois de les suivre,
elle voulait aller rendre visite à sa famille, passer du
temps avec ses enfants, elle apprenait à tout le monde
qu'elle avait des enfants en Champagne ou je ne sais
où, très loin de Marmande.

Les Clapeau la regardèrent préparer sa valise
sans penser un seul instant qu'ils la reverraient, les
enfants de Champagne leur semblaient être un prétexte pour les quitter sans le dire, et la cuisinière
éprouva un très vif plaisir à les voir ainsi désorien-
tés et tâchant vainement de cacher leur affolement à
la perspective de passer plusieurs semaines sans elle,
elle en éprouva du plaisir puisqu'elle blâmait féroce-

ment le besoin qu'ils avaient d'elle et elle ne dit pas un mot pour les rassurer sur son retour, elle savait qu'elle rentrerait, elle n'en dit rien, tant pis pour elle.

Arrive un moment, a toujours pensé la Cheffe comme je le pense moi-même, où un tel mépris pour autrui assorti d'une appréciation si exagérée de sa propre valeur ne doit plus être récompensé, un moment où cette attitude doit même être sanctionnée, que ce soit par une décision ou par les circonstances.

Alors tant pis pour elle, a toujours pensé la Cheffe comme je le pense moi-même, et je peux vous garantir que la Cheffe, éprise d'équilibre, de droiture et, par ailleurs, de compassion, et qui oubliait facilement et totalement les petites fautes des autres, n'a jamais pleuré sur le sort de la cuisinière, ne s'est jamais enquise de savoir ce que celle-ci était devenue ni ce qu'elle avait pensé de la nouvelle situation.

Puisque, à peine arrivés dans les Landes, les Clapeau reculèrent devant la tâche ardue de trouver là une cuisinière qui leur convienne, c'est-à-dire qui les connaisse et les comprenne.

La cuisinière les connaissait parfaitement et les comprenait parfaitement, même si, les haïssant, elle feignait souvent de ne pas les connaître ni les comprendre.

Les Clapeau, assis sur les fauteuils encore couverts de housses de la maison des Landes où ils ne mettaient jamais les pieds en dehors de la saison estivale, regardèrent autour d'eux et leurs yeux tombèrent alors sur la Cheffe, tout juste âgée de seize ans, qui s'occupait de déhousser les meubles nombreux, inutiles, insignifiants qui encombraient cette maison comme celle de Marmande.

Pour un temps vous allez remplacer la cuisinière, lui dirent-ils sur le ton de l'évidence, et cela aurait pu être le cas mais ce n'est pas ce ton qui persuada la Cheffe qu'elle était capable de ce travail.

La proposition ou l'injonction des Clapeau rencontra une sensation qu'elle avait probablement depuis quelque temps déjà lorsque, témoin des discussions sans issue entre les Clapeau et la cuisinière, elle s'imaginait à la place de cette dernière, songeait vaguement à ce qu'elle aurait dit, allait même jusqu'à conclure que, aurait-elle été à cette place-là, une telle discussion n'aurait tout simplement jamais eu lieu.

Car jamais, avait-elle songé à de nombreuses reprises, elle n'aurait travaillé dans une direction qui s'écartait juste assez de ce que désiraient les Clapeau pour que ceux-ci tentent d'exposer ce à quoi ils aspiraient, mais pas suffisamment pour qu'ils puissent se plaindre en toute légitimité de n'être pas entendus.

Elle aurait fait en sorte, avait-elle songé, non pas de combler leurs vœux du reste flous, contradictoires, irréalisables, mais de cuisiner dans un tel oubli des contingences de leurs situations respectives, une volonté si acharnée d'œuvrer vers une perfection qui outrepasserait leurs goûts fortuits à tous, les leurs comme les siens, que les Clapeau n'auraient pu que se rendre, et avec bonheur, avec gratitude.

Elle aurait cuisiné, avait-elle songé, de manière indiscutable.

Je lui ai demandé : Alors on n'aurait pas eu le droit de critiquer ?

Elle m'a répondu : Si, bien sûr, moi-même je critique tout ce qu'on me sert, comme tu le sais.

Seulement les Clapeau n'auraient pu remettre en

question la sincérité de son acheminement vers un idéal culinaire et ils l'auraient compris et admiré car ils étaient eux-mêmes en quête d'une gastronomie qui les soulève au-dessus de leur gourmandise, qui leur fasse se pardonner d'être ce qu'ils étaient.

Voilà pourquoi, sans pouvoir se l'exprimer mais en le ressentant de tout son être, la Cheffe avait toujours eu l'impression, lors des scènes entre les Clapeau et la cuisinière, que celle-ci n'était pas la personne qu'il fallait à ceux-là et que, même, comme dans les unions malheureuses, les défauts des uns, leur folie, exacerbaient ceux de l'autre.

Elle s'arrêta dans sa tâche, les mains encore au-dessus d'une housse qu'elles s'apprêtaient à ôter, elle retira ses mains et les croisa sur son ventre, elle répondit calmement : Oui, bien sûr, avec plaisir, et déjà son esprit travaillait à toute vitesse, s'emballait presque, parcouru d'images de plats qu'il avait formées le soir quand la Cheffe s'apprêtait à dormir et que, alors qu'elle ne voyait dans les premiers temps à Marmande que les figures de ses parents, elle récapitulait les erreurs qu'à son avis la cuisinière avait commises, les améliorations qu'on pouvait apporter à la terrine de porc et de foies de volaille que les Clapeau, avec raison, trouvaient un peu fade, la liste des ingrédients qu'il aurait été bon d'utiliser avec parcimonie, comme la farine et le bouillon pour les sauces, oui, la Cheffe n'aimait déjà pas beaucoup la farine en cuisine.

Est-ce qu'elle mangeait ou goûtait de tous les plats que préparait la cuisinière ?

Oui, je le pense, à l'exception peut-être des viandes grillées qu'on sert en tranches individuelles, l'entrecôte, le faux-filet, la côte de veau, de porc ou d'agneau, et encore je ne peux vous l'assurer car les Clapeau avaient cette grande qualité, ou était-ce un effet de leur mauvaise conscience, je ne sais pas trop, de vouloir que leurs domestiques mangent bien et abondamment, qu'ils mangent trop à défaut de trop boire, ils détestaient l'ivrognerie.

D'une manière générale ils ne regardaient jamais à la dépense quand il s'agissait de provisions, de sorte que la Cheffe, la cuisinière et le jardinier ne devaient jamais être de trop, je pense, pour finir ce que les Clapeau ne pouvaient décemment enfourner, mais il n'était même pas question de finir, je ne parle pas ici de restes mais de parts dévolues à chacun.

Les Clapeau n'auraient jamais eu l'idée d'exiger de la cuisinière qu'elle prépare des repas différents pour elle-même, la Cheffe et le jardinier, non, ils n'avaient pas de ces petitesses.

C'est ainsi que la Cheffe a pu développer son jugement sur les compétences de la cuisinière et, surtout, sur son inspiration, et selon elle les compétences étaient irréprochables mais l'inspiration quasi nulle.

Elle me disait : On avait l'impression de manger tout le temps la même chose, quelle que soit la variété des viandes ou des légumes ou des céréales employés, tout se ramenait à une poignée de saveurs, c'était lassant.

Quant aux sauces, il s'agissait toujours de béchamels différemment aromatisées selon les cas ou de liaisons à la crème ou au beurre, et les sauces étaient systématiques et trop abondantes, elles nappaient tout de la même façon, on ne distinguait plus le poisson de la viande ou des pommes de terre — ainsi avait pensé la Cheffe à maintes reprises, le soir, avant de s'endormir.

Des idées audacieuses lui étaient venues, qu'elle ne notait pas mais classait mentalement par catégories, par exemple celle des quatre-épices, et c'est ainsi qu'elle fixait dans sa mémoire : les ajouter aux vol-au-vent, au bouillon de bœuf, au rhum de macération pour les raisins secs et les fruits confits du cake.

Ou encore, concernant la crème fraîche : à supprimer, sauf dans la blanquette de veau.

Ces prescriptions étaient naïves et ne témoignaient pas tant d'une précocité particulière de la Cheffe en la matière que de l'étroitesse de son expérience puisqu'elle ne connaissait que les préparations de la cuisinière des Clapeau et rien d'autre que le goût des Clapeau.

Mais la Cheffe prit l'habitude, dès cet âge-là, de ne jamais s'endormir sans avoir fait une revue de tous les aliments consommés dans la journée, sans avoir évalué, analysé et jugé tout ce qu'elle avait eu en bouche comme tout ce qu'elle avait scruté de son regard qui voyait tout, l'arrangement des couleurs sur une assiette, la sévère beauté des cocottes de fonte dont elle avait senti déjà tout l'intérêt esthétique et appétissant de les apporter sur la table plutôt, comme le faisait la cuisinière, comme le faisait tout le monde à cette époque, que de transvaser ce qui y avait mijoté, potage, civet de lièvre, ragoût de joues de bœuf, dans une soupière décorée de fleurettes niaises, dans un plat d'argent dont le poli grisâtre rendait tristes, rébarbatives les viandes brunes, a-t-elle toujours pensé, et c'est la raison pour laquelle elle n'a jamais rien servi dans de l'argent une fois qu'elle eut son restaurant, pour laquelle également elle a toujours très soigneusement choisi la teinte de ses cocottes émaillées en fonction des nuances que prenaient les mets en fin de cuisson.

Ce matin où les Clapeau lui dirent qu'elle allait remplacer la cuisinière, ce matin où les petites mains fortes et carrées de la Cheffe comprirent qu'elles allaient enfin s'employer à ce pour quoi elles se sentaient faites, la Cheffe ne douta pas un instant qu'elle devait, pour le premier dîner, impressionner les Clapeau, les écraser sous le poids irréfutable de son talent, de son ingéniosité, de son charme.

Oui, à ce moment-là, elle ne voulait rien de moins que les ensorceler.

Et si sa façon de cuisiner nous a montré par la suite qu'elle se défiait plus que tout de la séduction, qu'elle fuyait tout moyen qui aurait pu laisser penser qu'elle cherchait à plaire, à flatter la gourmandise, ce jour-là, dans le salon de la maison des Landes où le grand soleil d'un matin d'été passait difficilement entre les pins, les vieux pins aux branches roussâtres qui tiraient du sable une vie rigoriste, minimale, la perspective de ravir les Clapeau excitait l'intelligence de la Cheffe, ses pensées roulaient si vite qu'elle craignait de ne plus pouvoir les ordonner, elle s'affolait.

Elle dit aux Clapeau qu'elle devait aller faire les courses immédiatement et jamais encore la Cheffe n'avait dit aux Clapeau ce qu'elle devait faire, seuls les Clapeau avaient eu le droit implicite de lui dire ce qu'elle devait faire, et voilà qu'en ce matin fondamental elle disait cela d'une voix impérieuse, son regard non pas posé sur les deux Clapeau avachis dans les fauteuils encore couverts d'une housse poussiéreuse mais sur les branches desséchées des pins si vieux que seule leur cime était verte, de sorte qu'on ne voyait des fenêtres de la maison que des arbres qui semblaient morts, des branches roussâtres et dénudées qui parfois pesaient contre les vitres.

C'était l'été, c'était la villégiature des Clapeau depuis toujours et les pins enfermaient la maison, elle était au centre d'une couronne roussâtre desséchée qui s'étendait jusqu'à l'océan dont la Cheffe entendait pour la première fois de sa vie la rumeur languide, c'était l'été et les Clapeau subissaient résignés cette période et cette maison, la prison des pins roussâtres, la sempiternelle rumeur de l'océan, la maison aux odeurs d'humidité, au confort chiche, ils subissaient cette obligation, imposée par une coutume qu'ils avaient eux-mêmes instituée, de passer de longues semaines loin de leur cher foyer de Marmande, seul endroit où ils se sentaient bien.

Évidemment, la cuisine n'est pas aussi équipée que celle de Marmande, elle est aussi beaucoup plus petite, dirent-ils à la Cheffe, presque humbles soudain comme si la Cheffe avait pu décider que, dans de telles conditions, elle ne remplacerait pas la cuisinière.

Ils se levèrent d'un coup pour lui montrer la cuisine et les ustensiles.

C'était une petite pièce à l'arrière de la maison, au carrelage couvert de sable et que le large tronc pelé d'un pin planté juste devant l'étroite fenêtre à barreaux rendait obscure à tout moment de la journée, et cependant la Cheffe éprouva en y pénétrant une sensation de bonheur toute neuve.

Elle eut l'impression, pour la première fois, d'entrer en un lieu qui serait le sien et rien que le sien.

Il y avait une gazinière récente et un vieux four-
neau à bois, des marmites nombreuses, des casseroles et des poêles de toutes les tailles, et tout un
fatras d'épices et de condiments périmés, pareils à
des cendres en pot, que la cuisinière avait accumulés
en prenant soin de n'écrire aucune indication, aucun
nom, jalouse de ses secrets pensa aussitôt la Cheffe
qui n'était cependant pas mécontente de ce qu'elle
découvrait puisqu'il s'avérait, table rase déjà faite du
passé de la cuisinière sur cette scène, qu'elle n'aurait
aucunement à marcher sur les brisées de celle-ci.

Elle n'en dit rien aux Clapeau, elle ne leur dit rien
de ce qu'elle éprouvait, elle ne leur avoua pas son
émotion de trouver dans cette petite pièce sévèrement gardée par un vieux pin planté tout devant les
éléments neufs d'une allégresse et d'une tension de
l'esprit qu'elle ressentait pour la première fois, dont
elle avait eu l'amorce lorsque, le soir dans son lit, elle
dressait mentalement des listes de menus, de plats
parfaits, de corrections à ceux dont elle avait mangé,
mais rien que l'amorce ou l'illusion, et voilà que la
réalité de cette allégresse, de cette tension de l'esprit,
voilà que leur plénitude se déployait dans tout son
jeune corps de seize ans avide, comme elle disait, de
s'y mettre enfin.

Aux Clapeau qui lui demandaient anxieusement si elle voyait bien les choses, qui annonçaient
qu'ils pouvaient, ce premier soir, aller au restaurant,
le temps qu'elle s'habitue à son nouveau rôle, elle
répondit, le front soucieux mais le cœur exultant,
qu'elle préparerait le dîner de ce premier jour s'ils
voulaient bien l'emmener acheter ce dont elle aurait
besoin, et tout en parlant elle regardait au fond des

placards, ouvrait en grand les tiroirs à couteaux, à spatules, elle se déplaçait vive et adroite sur le carrelage couvert d'un sable gris transporté par le vent et manifestait si clairement qu'elle possédait maintenant et d'un coup l'endroit et la chair affamée des Clapeau, que ces derniers reculaient, se tassaient sur le seuil, convaincus sans doute qu'ils ne s'étaient pas trompés en appelant cette fille à ce ministère crucial mais se sentant une fois de plus en dehors, jamais choisis, jamais élus, jamais dignes d'œuvrer.

Et cette fille si jeune et toute menue, cette fille qui avait encore des joues d'enfant et de longs cheveux mousseux et doux, cette fille qu'ils connaissaient mal, à laquelle ils ne s'étaient guère intéressés, les repoussait fermement vers le couloir de son regard qui avait pris possession d'eux comme de la petite cuisine, les Clapeau surent dès cet instant probablement qu'elle resterait leur cuisinière à Marmande, ils n'avaient rien mangé encore, rien qui fût sorti de ses mains, ils le surent cependant, ils voyaient ce qui était descendu sur elle, jamais descendu sur eux, ils savaient bien.

Ils ne lui demandèrent pas ce qu'elle prévoyait de cuisiner.

Sans rien dire, elle chassa de la main le sable qui s'était accumulé sur la table, un sable si fin qu'il s'insinuait par le cadre des fenêtres, sous les portes, elle arracha une feuille du bloc-notes pendu par une ficelle à un clou près de l'évier, puis s'assit pour écrire la liste des ingrédients qu'elle voulait, tournant le dos aux Clapeau pour qu'ils ne voient pas qu'elle écrivait avec peine, lentement, le crayon tenu très droit au-dessus du papier comme un outil destiné à percer, à meurtrir.

Elle n'avait pas besoin de ce pense-bête, ce n'était qu'une image de sa personne qu'elle croyait nécessaire de donner aux Clapeau dans les débuts.

La Cheffe a toujours consigné mentalement tout ce qu'il lui fallait pour son travail comme toutes les réflexions qui lui venaient au sujet de la cuisine, elle avait une mémoire considérable et extrêmement bien ordonnée, du reste ses difficultés de lecture et d'écriture rendaient vain pour elle le recours aux mots écrits qui, très concrètement, ne lui disaient rien, ne se reportaient dans son esprit à un objet ou à un autre qu'au prix d'un effort excessif et décourageant.

Oui, la Cheffe avait de prodigieuses capacités de mémoire.

Tous ceux qui, connaissant son illettrisme, la pensant à demi idiote, s'extasiaient de ce fait sur ses dons culinaires qui leur semblaient dévoiler une forme inattendue et passionnante d'intelligence primitive, ont toujours négligé ou ignoré sa mémoire exceptionnelle, grâce à laquelle la Cheffe se passait de recettes écrites ou de notes, toutes ses recettes étaient archivées très minutieusement dans sa tête, elle avait l'esprit le plus méthodique que j'ai jamais connu.

Impossible de se remémorer sur quelle terrasse a eu lieu telle ou telle fête, je dois souvent faire effort, quand je suis assis sur une chaise de métal ou debout devant la balustrade les avant-bras sur l'aluminium chaud les hanches en arrière les fesses pointant sous mon sempiternel bermuda, pour me rappeler si je suis chez moi ou chez André Florence Jacky Véro Dominique Manuel Sylvie, me rappeler si j'ai des devoirs d'hôte ou si c'est à l'un de ceux-là de me proposer un

énième verre une saucisse grillée un bol de taboulé, je
m'en sors en regardant si la piscine est loin au-dessous
ou non puisque de chez moi, seul à habiter au premier
étage, on pourrait sans risque enjamber la rambarde
sauter dans l'eau dorée scintillante, ne l'a-t-on pas déjà
fait, toutes ces scènes se confondent dans mon souvenir
et l'eau illuminée trop violemment finit par donner la
migraine, il faudrait s'en détourner mais une hébétude
rive mes avant-bras à l'aluminium de la balustrade et
mon regard brouillé papillotant à l'eau éblouissante,
de cette terrasse il faudrait bien se garder de plonger
dans la piscine loin tout en bas, est-on alors chez Jacky
chez Pascaline.

Et tandis que la grosse Citroën des Clapeau s'éloignait de la maison, s'engageait sur le chemin de sable
entre les pins si denses et si roux qu'ils occultaient la
brûlante lumière de midi, n'autorisaient à leur pied
qu'un halo roussâtre de clarté poudreuse, la Cheffe
ne songeait pas, étant encore trop ingénue pour voir
les choses ainsi, qu'elle occupait la vaste banquette
de cuir comme si c'était elle la patronne que les Clapeau étaient chargés de conduire où elle le désirait,
eux calés devant et impatients de savoir ce qu'elle
souhaitait, chez quel commerçant ils devaient l'amener une fois franchies les lignes denses, roussâtres,
innombrables des pins qui laissaient passer, du plein
soleil de juillet, ici et là de rares taches tremblantes
sur le sable gris.

Tout d'abord, un beau poulet, dit la Cheffe.
Ensuite il me faudra plusieurs variétés de poissons,
des poireaux, carottes, pommes de terre, et encore
d'autres choses que je vous dirai au fur et à mesure.

Les Clapeau parlementèrent.

Une nervosité inhabituelle rendait leur voix presque stridente alors qu'ils s'interrogeaient sur la meilleure marche à suivre pour trouver ces produits.

Monsieur Clapeau avait arrêté la voiture au bout du chemin, juste avant la grand-route, comme s'il hésitait à se lancer dans l'éclat vibrant de la lumière qui faisait ondoyer sur l'asphalte des mirages liquides.

Lorsque, une demi-heure plus tard, ils pénétrèrent dans la cour de la ferme Joda, le même embrasement blafard, mouvant, de l'atmosphère projetait sur la terre battue des flaques incontestables bien que chimériques — c'est pourquoi, j'en suis sûr, la Cheffe n'a jamais pu séparer l'exaltation culinaire, l'effervescence de la pensée tournée entièrement vers l'invention d'un repas, de la chaleur extrême et ingrate, de la clarté livide, fluide, chatoyante d'une fin de matinée d'été dans le sud-ouest de la France, elle fermait le restaurant les mois d'hiver, l'imagination lui manquait à cette période de l'année, elle était triste et dure.

Oui, elle pouvait être dure mais permettez-moi de penser que j'étais le seul à le sentir, à le savoir.

Elle n'en montrait rien à personne.

Mon cœur est une brique, me disait-elle quand je lui rendais visite dans son appartement au-dessus du restaurant fermé, que je m'asseyais dans mon fauteuil habituel et lui demandais pourquoi elle gardait ses épaisses tentures de velours bleu foncé à demi tirées au lieu de laisser entrer la pauvre lumière de janvier, elle secouait la tête avec lassitude, mon cœur est une brique, et cela devait expliquer tout, les rideaux à peine ouverts, son mutisme tandis que

73

je m'évertuais à la distraire avec des histoires que j'avais lues dans le journal local, son regard un peu fixe, sa réticence à fournir le moindre effort de politesse, elle qui avait généralement des manières parfaites.

Cela vient de là, de cette lumière blanche aveuglante sur la grand-route au sortir du couvert roussâtre des pins, cela vient de la chaleur qui faisait frémir une eau inexistante et pourtant incontestable sur la terre battue de la cour des Joda l'été où l'esprit de la cuisine a reconnu la Cheffe et où les Clapeau l'ont vu en elle, sur elle et jamais sur eux et qu'ils savaient néanmoins discerner, cela vient de là : la Cheffe s'est toujours dit que le ciel morose de l'hiver n'aurait pas permis une telle distinction, qu'elle serait restée, elle la Cheffe, invisible, méconnue d'elle-même également, touchée par rien si la lumière de l'été de ses seize ans n'avait pas été là pour dénoncer ce qui, en elle, aurait pu rester voilé interminablement.

Saviez-vous que les meilleures recettes de la Cheffe, celles qui ont eu le plus de succès mais aussi les plus chères à son cœur comme les petits vol-au-vent aux huîtres de Camargue, la soupe de praires et d'asperges vertes, le ris de veau flambé à l'armagnac, elle les a toujours conçues et élaborées dans le plein de l'été, quand on ne pouvait se tenir dans la cuisine du restaurant sans haleter ni sentir les creux de sa propre chair déborder d'une sueur huileuse, et la Cheffe était au sommet de sa force, de son astuce à cette période où nous dépérissions autour d'elle, où nous effectuions les gestes quotidiens par la seule énergie de l'habitude et sans qu'ils pussent être guidés par la moindre pensée, et la Cheffe était au sommet de son instinct durant ces semaines torrides et à l'apogée de sa joie aussi, sa peau ne ruisselait pas d'une sueur huileuse car la joie absorbait tout, l'épuisement, l'insupportable sensation de chaleur, l'air raréfié et lourd, la grâce joyeuse de la créativité absorbait tout, sa peau brillait d'un éclat mat, frais et contenu.

Elle n'en faisait pas étalage mais je savais, pour avoir longé les murs du restaurant ces nuits d'été où la touffeur me chassait de mon studio de Mériadeck et où je préférais encore déambuler dans les rues mortes et noires que rester à me tourner entre mes draps trempés, je savais qu'une grande partie de ces nuits se passait pour la Cheffe à expérimenter, seule dans la cuisine, ce dont son imagination lui avait donné l'idée.

Je voyais la forte lumière électrique qui depuis les trois fenêtres à barreaux en rez-de-chaussée jetait une lueur blanche et crue sur le trottoir et j'enviais alors cruellement la Cheffe qui travaillait là, dans la solitude inspirante de la nuit, dans les heures infinies, enivrées de la nuit, elle découpait, cuisait, testait, toute seule et souveraine dans le silence compact de la nuit, comme je l'enviais alors de n'être pas entravée par l'amour, de faire ce qu'elle aimait faire par-dessus tout sans que personne ni la pensée douloureuse de personne (à part sa fille mais était-ce de l'amour, n'était-ce pas un désespoir suffocant) ne vienne troubler la pure, la simple joie de l'activité préférée, de la création blottie sur elle-même et parfaitement heureuse que rien n'existe autour ni en dehors d'elle.

Comme je l'enviais, oui.

Mais je mentirais par omission si je ne précisais pas que j'étais pleinement heureux d'aimer la Cheffe comme je l'aimais.

Comment savoir ce qui est le mieux.

Les Joda proposèrent aux Clapeau un très gros poulet tué deux jours auparavant.

La Cheffe l'examina attentivement avant de donner son aval à l'achat et lorsque, plusieurs décennies plus tard, elle me décrirait avec quelle application elle avait pincé la peau bien jaune pour éprouver son épaisseur, tenté de briser un os pour vérifier sa robustesse, comment elle avait sérieusement inspecté le gésier et le foie pour s'assurer qu'ils semblaient sains et gras, elle ne pourrait retenir un petit rire de gêne et d'incrédulité amusée.

Quand je pense à ce que je voulais en faire, de ce magnifique poulet, disait-elle invariablement, quand je pense à la manière dont j'avais décidé très consciencieusement de massacrer cette belle viande !

Et, certes, elle tenait compte à la fois de son jeune âge à l'époque et de l'obligation dans laquelle elle s'était sentie de déployer devant les Clapeau tous les talents qu'elle était certaine d'avoir, ce qui ne peut aller, reconnaissait-elle, sans artifice ni affectation (du cabotinage, disait-elle), mais elle restait confondue de n'avoir pas compris dès ce fameux été, le doute ne l'avait même pas effleurée, elle n'avait pas eu à lutter contre sa sensibilité, pas compris que la seule et unique justification de la mise à mort d'une bête résidait dans la déférence, la courtoisie et la décence avec lesquelles on allait entreprendre de travailler sa chair, puis l'introduire en soi bouchée après bouchée. *manger on e*

Elle en était encore embarrassée quarante ans plus tard.

Car l'esprit de sa cuisine était si fondamentalement opposé à celui qui lui avait insufflé l'idée de ce premier dîner qu'elle avait peine à se figurer qu'elle avait été, un jour, cette jeune fille-là.

Toutes les préoccupations de la Cheffe devaient tendre ensuite vers les plus grands égards possibles vis-à-vis des produits qu'elle traitait, elle s'inclinait intérieurement devant eux, elle leur rendait hommage, elle leur avait de la gratitude et les honorait de son mieux, légumes, herbes, plantes, animaux, elle ne dédaignait, ne gaspillait ni n'abîmait rien, ne se comportait bassement avec aucun, n'avilissait nulle œuvre de la nature si modeste fût-elle, et cela valait pour les êtres humains bien qu'elle n'eût pas, eux, à les travailler, cela valait pour nous tous qu'elle n'a jamais humiliés.

classe

Pour la Cheffe, tout ce qui vivait était estimable, tout ce qui existait.

Elle n'a jamais flétri rien ni personne, jamais.

Sauf, peut-être, ce beau poulet de la ferme Joda, oui, en effet, elle ne s'en est jamais vraiment remise, ah ah.

Si on avait pu interroger les Clapeau à ce sujet, nul doute qu'ils auraient été d'un avis bien différent, nul doute qu'ils ont longtemps gardé de ce premier dîner dans les Landes un souvenir ravi, rapidement amplifié par le soin obstiné qu'ils apportaient souvent à rendre légendaire un repas qui leur avait beaucoup plu, mais cette appréciation des Clapeau n'aurait rien changé pour la Cheffe, elle savait qu'il n'y avait pas pour eux de morale en cuisine.

C'était une question qui dépassait simplement leurs facultés de compréhension, et leur entendement n'était pas fait pour l'étudier, pour la percevoir même.

La voiture des Clapeau quitta la ferme Joda, roula jusqu'à Vieux-Boucau dans la chaleur infernale de midi, toutes vitres baissées mais il semblait à la Cheffe éblouie que l'air brûlant n'en chauffait que plus ardemment le cuir de sa banquette et la peau suppliciée de son visage, de ses avant-bras nus et rosâtres, ils étaient seuls à rouler sur la route fumante à une heure pareille.

La Cheffe, pour la première fois de sa vie, se sentait favorisée, royale, même si, à cet instant, elle souffrait et, voyant le temps passer, commençait à s'inquiéter, se demandait si, ce défi essentiel, elle n'avait pas eu tort de le relever, ce défi qui consistait à préparer en quelques heures un repas tel qu'elle subjuguerait les Clapeau pour toujours.

Pour l'heure, ils avançaient vers Vieux-Boucau parce que la Cheffe voulait des poissons et des fruits de mer, elle qui n'avait jamais vu la mer et se souciait peu de la mer en ce moment, au point qu'elle détourna à peine son regard quand madame Clapeau signala l'océan sur la gauche, trop absorbée par ses cogitations sur la soupe qu'elle ambitionnait de servir en entrée.

La Cheffe ne connaissait pas les poissons, elle ne connaissait ni leurs noms ni leurs propriétés en cuisine.

Mais, pour avoir accompagné la cuisinière au marché de Marmande et pour avoir goûté la soupe que celle-ci préparait le vendredi, il lui paraissait que, si cette soupe hebdomadaire, inévitable, besogneuse, que les Clapeau avalaient par devoir et sans jamais en parler, était si plate, avait presque un arrière-goût de savon, cela devait tenir au fait que la cuisinière utilisait son bouillon de légumes très délayé dans lequel elle se contentait de jeter quelques filets de poissons blancs qui ne donnaient aucun goût, qui ne donnaient pas même leur goût propre, iodé et subtil, mais produisaient simplement une mousse blanchâtre dont l'odeur et l'aspect avaient toujours écœuré la Cheffe.

Il lui avait été pénible, à Marmande, de voir servie une telle soupe, il lui avait été pénible de penser que la soupe de poisson devait être considérée ainsi, nécessaire et triste, fatale et rebutante, alors qu'au cours de ses méditations du soir, lorsque, dans son lit, elle repassait les repas de la journée, elle arrivait à la conviction que peu de chose, peu d'effort pourrait rendre la soupe de poisson délectable, et de ce peu-là elle se sentait largement capable.

C'est pourquoi il lui avait semblé évident, tout à l'heure, pour faire des Clapeau ses captifs, de tenter de les conquérir avec une soupe dont le seul nom les avait toujours rendus moroses.

Et voici ce que la Cheffe entreprit de réaliser une fois qu'ils furent revenus dans la maison assombrie et veillée et intimidée par les vieux pins roussâtres, voici ce qu'elle conçut, confectionna au prix d'une détermination admirable, et non seulement, bien sûr, pour ces deux Clapeau de Marmande mais pour se donner à elle-même la preuve qu'elle pouvait tout simplement cuisiner.

79

Et si elle pouvait cuisiner, si elle savait cuisiner, elle n'avait plus qu'à lever les troupes de ses diverses qualités de vaillance, d'opiniâtreté, de célérité, d'invention et d'audace pour parvenir au résultat qu'elle voulait, et ce n'était rien pour elle que de mobiliser de telles troupes, elle avait déjà une volonté considérable et presque butée, elle ne redoutait aucun effort, elle serait morte à la tâche sans s'en rendre compte ni s'en soucier.

Voici comment elle travailla dans la maison des Landes, l'été de ses seize ans.

Classe

Elle commença par le beau, le splendide poulet de la ferme Joda dont elle dut sacrifier la chair tendre, pleine et jaune pour parvenir à ses fins qu'elle condamnerait par la suite comme je vous l'ai dit, mais elle n'en était pas encore là dans l'obscure petite cuisine ensablée et c'est dans la pure conscience d'agir comme il le fallait qu'elle hacha très finement toute la chair du poulet qu'elle avait préalablement découpée au plus près de la carcasse, elle passa au hachoir à viande cette chair onctueuse et dense dont la raison d'être réclamait pourtant qu'on la reçoive telle quelle en bouche, cuite avec simplicité et, surtout, dans son intégrité.

ne pas gaspiller

Elle mélangea à cette chair hachée cinq œufs, des herbes, de la mie de pain ramollie dans du lait, un peu de cumin et de girofle, puis elle réalisa un prodige de dextérité en recomposant la forme exacte du somptueux poulet des Joda : elle sculpta le hachis autour des os, le moula sur la carcasse de telle sorte qu'on pût croire que le poulet n'avait pas été touché, elle le recouvrit ensuite de sa belle peau couleur de maïs afin que l'illusion fût parfaite et que, ce poulet

monstrueusement reconstruit, rebâti d'agrégats qui
ne valaient pas la matière d'origine, on pût croire
qu'il sortait ainsi de la basse-cour, dans une ivresse
de faux-semblant que la Cheffe devait ensuite reje-
ter jusqu'à l'entêtement mais qui, cet après-midi-là,
lui apparaissait comme l'apogée de son art, comme
l'affirmation magistrale de sa supériorité sur la cuisinière de Marmande qui n'avait jamais été capable,
elle, de faire passer quoi que ce soit pour quelque
chose d'autre.

Comme la Cheffe haïrait le simulacre, plus tard.

Avec le surplus de farce, elle remplit l'intérieur de
la carcasse et le poulet eut l'air encore plus dodu,
il semblait prêt à éclater sous l'excès de sa propre
excellence.

C'était un miracle d'habileté, la Cheffe en convien-
drait tout de même, on ne pouvait deviner que la
bête avait été brutalisée, dépecée puis remodelée, en
une sorte de blague macabre.

Elle le mit au four, largement arrosé de beurre
fondu, elle l'entourerait une heure plus tard de
petites pommes de terre, de tronçons de carottes, de
navets, d'oignons rouges, de têtes d'ail entières.

Sa solitude, dans la petite cuisine enténébrée et
sinistrement défendue par le vieux tronc écorché
du pin qui bloquait la fenêtre, la comblait d'une
calme, d'une froide exultation dont elle allait toujours ensuite rechercher le plaisir pareil à nul autre
— et c'était la première fois qu'elle était seule dans
le travail et seule à décider de ce qu'elle devait faire,
seule, en conséquence, devant la déception toujours
possible ou l'éventuel éloge, et c'est bien cette eni-
vrante solitude de la création que je supposais chez

81

elle et lui enviais lorsque j'allais épier, comme je vous l'ai dit, les lumières de notre cuisine, certaines nuits étouffantes à Bordeaux, c'est bien cette solitude brûlante, tendue, à la fois réfléchie et hypnotisée dont la Cheffe me décrivait sans se lasser la saveur acide, que je n'ai jamais vraiment connue quant à moi, jamais connue dans cette plénitude et cette pureté car il m'a toujours manqué le tout-puissant détachement de tout ce qui, à ce moment-là, n'intéressait pas la cuisine, cet avaricieux repli sur soi hors duquel on ne peut sérieusement penser ni inventer et qui, je l'ai compris il y a longtemps, est un paradoxe de ce métier puisque ceux-là mêmes qu'on veut exaucer, fasciner et soumettre, les convives, l'esprit et la mémoire du cuisinier les ont complètement éliminés en ces instants pourtant consacrés à leur future délectation.

Je n'ai jamais réussi, moi, à oublier ceux pour qui je préparais à manger, j'ai toujours craint de ne pas leur plaire, j'ai tâché d'accorder ma pratique à ce que je me figurais de leurs goûts et de leurs souhaits, c'est pourquoi je suis resté quelconque, vertueux et cependant anxieux, c'est pourquoi je n'ai jamais régné sur quoi que ce soit, sans trouver nulle sérénité pourtant, le souci médiocre ne m'a jamais quitté, je n'ai jamais connu la paix ni cette calme, cette froide exultation de la solitude en train de créer.

Dans cette inconfortable petite cuisine au milieu des pins, la Cheffe se sentait non pas, peut-être, plus heureuse qu'elle ne l'avait jamais été (elle avait été heureuse chez ses parents, heureuse dans son enfance singulière et âpre) mais heureuse d'une façon qu'elle n'avait jamais connue, qui lui semblait d'une qualité et d'une envergure supérieures à toute autre forme de satisfaction qu'elle pouvait se représenter, heureuse pour des raisons qui ne tenaient qu'à elle-même, à son endurance, à sa hardiesse, à sa confiance en ses capacités, et non parce que quelqu'un, fût-ce même ses chers parents, désirait la rendre heureuse, ce dont toujours elle se méfia, ce qui ruina sans doute en elle toute possibilité d'apprécier, d'accepter l'amour d'un homme : elle ne voulait devoir qu'à elle-même ce sentiment et cette sensation d'être heureuse, et à force de le vouloir elle se rendit inapte à tirer le moindre profit, le moindre plaisir de l'aspiration d'un homme à lui apporter de la joie, elle s'ennuyait, tout le monde l'ennuyait à l'exception de sa fille qui s'acharnait à lui procurer exactement le contraire de toute joie, mais l'aimait-elle vraiment, était-ce encore de l'amour ou du désespoir plein de culpabilité, j'ai mon idée là-dessus, vous l'avez rencontrée, vous avez vu cette femme désagréable et stérile, arrogante et vaine et qui tente maintenant de vendre au monde entier de spécieuses anecdotes sur la Cheffe.

Je la hais, je l'avoue sans scrupule, je la hais et la méprise, elle n'a jamais mérité d'être la fille de la Cheffe.

Passons, la haine et le mépris ne nous grandissent pas quand, soi-même, on est peu de chose.

Ce que je tenais à vous faire comprendre, c'est que la Cheffe a goûté, dans cette cuisine rudimentaire asphyxiée par les pins, au fruit exquis de la vocation comprise et reconnue par chaque partie du corps.

Ainsi ses pieds allaient et venaient sur les carreaux de ciment avec la célérité et la légèreté de deux petites bêtes parfaitement dressées, réjouies dans le travail, connaissant intuitivement et merveilleusement les coins peu sûrs ou inutiles, les obstacles sournois de l'espace où on leur commande de se mouvoir, et c'est un fait que j'ai toujours vu à la Cheffe des gestes et des déplacements d'une précision enchantée même en des lieux étroits et encombrés, chaque fibre de son organisme répondait diligemment à toute injonction d'exactitude, de surcroît avec grâce, avec un radieux empressement qui donnait l'impression que chacun de ses mouvements dans la sphère rituelle de la cuisine s'accomplissait suivant les préceptes de la beauté et de la nécessité.

C'est peut-être arrivé, je ne prétends pas tout savoir, mais je n'ai jamais vu la Cheffe se blesser pendant le travail, je ne l'ai jamais vue trébucher ou se heurter à un meuble.

J'ai vu, en revanche, la virtuosité inouïe de ses petites mains carrées, puissantes, et comment il semblait inconcevable que ces mains n'obéissent pas toujours dans la plus grande justesse aux ordres qu'on leur donnait, j'ai vu également que les mains expertes de la Cheffe menaient leur vie propre en toute discrétion et pouvaient s'activer sur le plan de travail pendant que la Cheffe, par exemple, le téléphone logé entre son oreille et son épaule, parlait de quelque chose qui ne concernait pas du tout ce que faisaient ses mains, et les mains ne commettaient pas d'erreur, les doigts brefs savaient réfléchir et décider et ne se trompaient pas, les mains ne commettaient jamais d'erreur.

Et la Cheffe découvrit ceci dans la petite cuisine des Landes, elle fit connaissance avec son propre corps qu'elle avait utilisé jusqu'alors comme un tout, comme une brave machine qu'elle manœuvrait depuis son cœur : elle comprit dans l'émotion et la jubilation que son corps était composé en réalité de divers petits animaux qui avaient appris tout seuls à travailler impeccablement et qui, cet après-midi-là, contents, modestes, à la fois dociles et discrètement entreprenants, lui montraient l'étendue de leur savoir-faire et comment, accordés les uns aux autres en une association de laquelle la Cheffe, en quelque sorte, pour son bien était écartée, ils collaboraient en vue d'une efficacité que la Cheffe n'aurait pu atteindre si elle avait persisté à vouloir conduire cette machine qu'était son corps, avait-elle cru jusqu'à présent.

C'est ainsi qu'elle me parlerait de ses membres, de ses organes, comme d'êtres indépendants et malins et dévoués auxquels elle devait se garder de commander, ne les comprenant pas aussi bien qu'ils se comprenaient eux-mêmes et les uns les autres.

Elle me dirait parfois, candidement émerveillée, en donnant de petites tapes sur ses cuisses : Ces jambes-là sont infatigables, je peux tout leur demander.

Elle dirait aussi, en se pressant l'estomac : Il est capable de tout avaler, il n'est jamais malade ni trop rempli, le pauvre.

Et comme il lui semblait que ces petits animaux qui s'organisaient dans son corps, elle ne les menait pas, qu'elle n'avait pas d'emprise sur eux en dehors de l'amitié qu'ils lui portaient, elle ne tirait aucune fierté de la robustesse ni de l'exceptionnelle capacité de rendement de son anatomie, elle leur avait simplement de la gratitude, c'était un don de la nature à laquelle seule la modestie pouvait rendre grâce.

Quand elle en eut fini avec le poulet travesti au moyen de sa propre chair généreuse et innocente, elle mit à cuire un fumet de poisson en jetant dans une cocotte à demi remplie d'eau les deux kilos de fretin achetés chez un poissonnier de Vieux-Boucau, éperlans, loches, sprats, petites sardines, elle ajouta des carottes et du céleri en branche, des rondelles de poireau et des oignons, des clous de girofle et, à tout hasard, ce qui restait de safran fané, pâli, au fond du seul bocal porteur d'une étiquette qu'elle trouva dans le placard aux épices.

Solitaire, active, silencieuse dans la petite cuisine que la chaleur humide des cuissons transformait en étuve (et non parce qu'elle en souffrait, elle n'en souffrait pas, mais pour éviter qu'un excès de vapeur ne dénature sa perception du goût et de l'odeur des produits, elle avait ouvert l'étroite fenêtre que bouchait presque entièrement le gros vieux pin au tronc râpé, et c'est un air lourd de térébenthine et de sable sombre et chaud qui pénétra lentement dans la pièce, déconcertant si bien la Cheffe peu accoutumée à ces exhalaisons de pétrole qu'elle ne tarda pas à repousser le battant, elle se sentit alors fugacement séquestrée par les pins, leur austère, leur inquiétante mansuétude), la Cheffe n'entendait rien que les bruits furtifs des vaillants compagnons qui travaillaient en elle et des recommandations qu'elle-même se donnait à voix basse.

Mais si nulle manifestation d'une quelconque activité ne lui parvenait depuis les autres pièces de la maison, elle croyait entendre la respiration haletante des Clapeau juste derrière les murs de la cuisine, elle les voyait multipliés et impatients, abondants, anxieux, trop excités pour éprouver en ces instants leur honte habituelle à l'égard de la gourmandise et l'écoutant intensément, elle, avancer dans la fabrication de leur extase, songeant peut-être dans un frisson : Notre bonheur entre les mains de cette gamine, oui elle les voyait soudain nombreux et la surveillant avec le concours des pins espions, des dizaines de Clapeau non pas tant méfiants ou sceptiques quant à son talent que tremblant de terreur à l'idée qu'elle pût se révéler n'être pas du tout, du tout à la hauteur, et d'une certaine façon cette angoisse atroce ne la concernait pas précisément, elle protégeait même la Cheffe en tant qu'être particulier car les Clapeau ne lui en auraient pas voulu personnellement de les désappointer, ils n'auraient accusé qu'eux-mêmes, leur folie.

Elle croyait les entendre aller et venir le long du mur de la cuisine, à l'extérieur entre les pins froidement complices comme dans le couloir qui séparait la cuisine de la salle à manger.

Elle n'en était pas troublée.

Sans se le dire, sans presque en avoir conscience, elle comprenait profondément les Clapeau, elle les acceptait comme ils étaient, avec leur folie.

Elle acceptait, sans le trouver bon ni mauvais, que la perspective d'un dîner médiocre ou chiche les précipite dans une tristesse qui, pour elle, n'avait rien de futile ni de risible, rien de vénérable non plus.

Encore que... vous avez raison. Je fais sans doute erreur sur ce point.

Elle comprenait la détresse des Clapeau devant un piètre repas bien mieux qu'elle n'eût compris l'indifférence à ce propos, et l'appréhension épouvantée des Clapeau lui semblait digne du plus grand respect même si, leur folie, elle ne l'enviait pas.

Mais qu'ils aient augmenté par leur passion de la nourriture l'amplitude réduite de leur existence, qu'ils aient permis à une telle folie de structurer chaque moment de leurs journées, elle le comprenait, le respectait, sentant déjà en elle le germe d'une folie très semblable, plus souhaitable simplement parce qu'elle saurait en faire l'instrument de sa renommée, qu'elle se laisserait entraîner mais jamais dominer par cela, en tout cas jusque dans ses ultimes années d'exercice où cette folie l'a peut-être engloutie en effet.

Mais, de fait, imaginer qu'une multitude de Clapeau à l'affût tentaient de percevoir ce qu'elle préparait dans la petite cuisine, qu'ils avaient circonvenu les pins altiers, puritains, pour les doter de leur propre regard inquisiteur (elle ne pouvait oublier la présence dans son dos du vieux tronc devant la fenêtre, elle le sentait pantelant, tâchant vainement de s'immiscer dans la cuisine), cela ne la gênait pas, elle ne reprochait rien à personne, elle travaillait vite et l'esprit clair, gai, prévoyant.

Oui, c'est une particularité que je lui ai toujours connue, de ne rien reprocher à personne qu'à elle-même.

Elle ne se plaignait pas et elle ne critiquait pas les autres.

Si elle s'intéressait aux gens, comme vous dites?

Oh oui, elle observait en silence et sans en avoir l'air, avec ce visage légèrement distant qu'elle avait, peu mobile, parfois comme glacé dans une expression intentionnellement neutre qui déroutait ceux

qui s'avançaient vers elle avec chaleur et frater-
nité, et comme son œil ne devenait scrutateur qu'en
se posant sur un quartier de viande, un cageot de
légumes ou tout autre objet ou ingrédient nécessaire
à la cuisine, comme il semblait se voiler tout d'un
coup en passant d'un filet de poisson prestement
levé, au visage de l'apprenti qui venait d'effectuer ce
geste, on pouvait croire que seul le filet de poisson
la préoccupait et non pas l'apprenti en question, on
pouvait croire qu'elle estimait avoir davantage à étudier, à apprécier devant le filet de poisson parfaitement accompli dans sa forme simple qu'en portant
son regard vers le visage complexe et changeant de
son vis-à-vis, mais c'était une erreur et on le comprenait à une remarque discrètement glissée au sujet de
l'un ou de l'autre — car alors les épithètes choisies
vous saisissaient par leur véracité, comme autant de
traits atteignant le cœur du cœur de la cible.

On aurait été incapable soi-même de trouver de
tels mots, de penser qu'il pût y avoir des mots pour
toucher aussi précisément la vérité d'un visage, de
son expression, de la signification d'une attitude ou
d'un mouvement, et l'on ressentait aussitôt cependant que ces mots étaient implacablement justes
mais également les seuls appropriés en la circons-
tance, et la Cheffe avait su les trouver parce que,
malgré les apparences, malgré son air prudent et ses
yeux opaques, elle examinait et pénétrait les visages
plus complètement que nous autres qui opposions au
mystère d'une figure nos grands sourires de cordialité, notre propre figure écartelée de sympathie, dont
tout mystère était banni.

Certains disaient de la Cheffe qu'elle était fine

mouche mais je pense que cette expression mal choisie ne faisait qu'attester notre embarras à définir sa personnalité, elle était sagace sans être rusée, curieuse et pourtant lointaine, bien retranchée dans son quant-à-soi connu de personne, j'ose l'affirmer, si ce n'est peut-être de sa fille dont le caractère chancelant, ingrat, égoïste et méchant a forcé la Cheffe à dévoiler son unique faiblesse, ce n'est pas l'amour, non, qui l'a débusquée de son logis intime, c'est la peine, c'est le désespoir, c'est l'amère stupéfaction de voir ce qu'était devenue une petite fille adorable et chérie, ce n'est pas l'amour et moi-même n'y ai pas réussi puisque, ce que je sais de la Cheffe, ce que je vous confie maintenant, ce n'est pas ce qu'elle m'aurait révélé, c'est ce que je crois avoir compris par moi-même.

L'amour que je lui portais ou la grande affection qu'elle avait pour moi n'y auraient pas suffi.

Elle était parfois naïve, si étrangement !

Il lui est arrivé de s'étonner à voix haute du comportement de tel client ou de tel employé et quand, dans l'atmosphère détendue d'une fin de service, nous nous étonnions gaiement de son étonnement, disant qu'il nous avait à tous paru flagrant que telle personne ne pouvait que se conduire ainsi, elle secouait doucement la tête, interloquée, murmurait : Je n'avais pas vu du tout les choses de cette façon.

Puis, sur un ton plaisant qui masquait en réalité sa déconvenue de nous trouver, nous bien plus jeunes qu'elle, déjà si affreusement avertis, elle disait quelque chose comme : Mais comment avez-vous pu voir ce qui n'était visible que de gens ayant le même esprit vicieux que ce type ?

Et nous éclations de rire et elle riait aussi, nous étions ravis de l'amuser (nous croyions que nous l'amusions) et contents plus encore de lui apprendre la vie, d'avoir, fugitivement, cette petite supériorité sur elle qui, sortie de sa cuisine, ne connaissait rien du monde, pensions-nous, comme nous pensions que connaître le monde signifiait avant tout ne pas s'en laisser conter, tenir pour suspecte la gentillesse notoire, douter d'un visage honnête.

Alors, oui, elle se trompait parfois mais toujours dans le même sens, quand l'examen d'une physionomie lui avait donné à penser qu'elle avait affaire à une bonne personne et que ce n'était pas le cas.

Jamais, je crois, elle ne s'est méfiée de quelqu'un qui aurait finalement témoigné d'un cœur généreux.

Pourquoi il m'importe tellement de vous parler de cet aspect du caractère de la Cheffe, pourquoi je tremble à cet instant ?

Vous me dites que je tremble, c'est possible.

Trop de gens qui l'ont mal connue, qui l'ont à peine approchée parfois, l'ont décrite comme une femme peu sensible à la présence des autres, recluse dans l'univers étroit et fiévreux de sa passion et n'en émergeant de temps à autre, avec réticence, que pour donner cours à une sévérité, à une dureté que ces ignorants disaient seules capables de la tirer d'elle-même, oui, je sais, sa fille la première à qui elle a tout passé, tout pardonné avant de s'éloigner doucement de cette femme dangereuse, sans cesser pourtant de l'aimer de cet amour accablé qu'elle avait fini par lui inspirer, je l'ai vue lire avec atterrement, marmonnant des paroles de désespoir et d'incompréhension, un des courriels enragés dont sa fille la harcelait vers la fin, puis tourner vers moi un visage contrit comme si c'était elle qui avait mal agi et bredouiller des mots qui toujours excusaient sa fille inexcusable ou remémoraient l'enfant agréable qu'elle avait été comme si le souvenir de celle-ci devait atténuer la sottise et la cruauté de l'adulte, ou les faire considérer comme négligeables ou même pas tout à fait réelles.

Alors, moi qui ne me targue pour toute ma vie que d'une qualité, celle d'avoir connu la Cheffe mieux que quiconque, je peux affirmer qu'elle était aimante et compatissante et compréhensive au-delà parfois de ce qui aurait été bon pour elle, et preuve en est que pas un de ses employés n'a jamais déblatéré sur la Cheffe, ce n'est pourtant pas faute d'y avoir été invités par tous ceux qui trouvaient ennuyeux de n'avoir rien de défavorable à dire ou à écrire à son sujet, la Cheffe telle qu'elle avait été les ennuyait avec son cœur généreux, son cœur compatissant et compréhensif au-delà de ce qui aurait été bon pour elle.

Ainsi la Cheffe travaillait-elle dans la petite cuisine des Landes, à la fois pleine d'assurance et tendue comme elle aimerait toujours à l'être, de cette tension contrôlée, dynamique, galvanisante qui attirait les idées miraculeuses, les recevait sans triomphe, comme un dû et comme une évidence, et dont l'absence, une fois le travail fini, une fois considérée l'ampleur de ce qui avait été réalisé, causait un léger vertige, un épuisement, et une interrogation moins émerveillée qu'incrédule : Comment ai-je été capable d'une telle prouesse ?

Seule cette tension, a toujours dit la Cheffe, permettait de supporter le labeur impitoyable de la cuisine.

92

Quand on ne la sentait pas en soi ou quand on la sentait sans en éprouver de plaisir et que les yeux se posaient alors sur les cadavres d'animaux dépecés, les légumes encore terreux, tous les ingrédients fermés sur le secret de leur goût et attendant sans rien faciliter, sombrement, qu'on sache ce qu'on allait faire d'eux, un écœurement, une immense lassitude pouvaient vous donner envie de fuir les lieux, disait la Cheffe, et de ne plus jamais vous sentir uni à la chair morte, aux odeurs lourdes, aux entrailles et à la graisse, aux tourments divers et monotones, à l'inévitable saleté, et aux souffrances de ceux, bêtes et hommes, qui préludaient à l'arrivée sur la table de la cuisine des denrées taciturnes, obtuses, hurlements des bêtes, fatigue des hommes, vous aviez envie de vous sauver au plus loin quand cette misère répétitive vous sautait au visage, que la froide exaltation créatrice ne vous protégeait pas, disait la Cheffe avec son petit sourire oblique, je l'ai fait parfois et j'ai cru me rendre libre, je suis toujours revenue, bien sûr, disait la Cheffe, car me libérer des épreuves de la cuisine me rendait plus malheureuse encore que de les subir, et je les subissais rarement alors que, loin d'elles, je souffrais sans répit, c'est certain.

Hors de ma cuisine, je n'ai jamais pu être heureuse bien longtemps, me disait la Cheffe, puis elle ajoutait avec une hâte contrainte : Sauf avec ma fille, et nous savions tous les deux que ce n'était pas vrai, je le savais en tout cas comme je savais que la Cheffe se sentait obligée d'inventer et d'exhiber un bonheur maternel, non pour elle-même, non par amour-propre mais pour tâcher d'en persuader sa fille, où qu'elle fût, elle n'était jamais avec elle, et comme si de tels mots répétés au fil des années pouvaient finir par imprégner l'air que respirait sa fille quelque part dans le monde et désarmer son cœur oublieux mais rancunier, son cœur qui ne gardait pas le souvenir de l'amour reçu mais tenait le compte rigoureux de prétendues vexations.

Vous devez la rencontrer ?

Vous sentirez tout de suite que vous avez devant vous une créature sournoise, monstrueusement éprise d'elle-même, plutôt sotte au demeurant, ce qui la rend moins nuisible qu'elle ne souhaiterait l'être.

Je ne suis pas inquiet, vous le sentirez tout de suite, je n'éprouve nul besoin de me défendre de ma dureté, oh non je ne suis pas inquiet.

Si elle me déteste ? Oui, oui.

Si elle me hait ? Naturellement.

Essayez de vous mettre à sa place, comment pourrait-elle ne pas haïr la seule personne qui n'ait aucun doute sur la volonté qu'elle a toujours eue, elle n'en a d'ailleurs jamais eu aucune autre dans aucun domaine, de saper les forces morales et physiques de sa mère afin, l'ayant dévastée, anéantie, de la voir au niveau de médiocrité, de paresse, d'abandon complaisant et geignard où elle s'est toujours consciencieusement gardée elle-même ?

Je comprends qu'elle me haïsse.

Je ne suis jamais entré dans le jeu de la Cheffe qui consistait, lorsqu'elle évoquait sa merveilleuse fille, si douée et si aimable, à approuver gaiement, avec éventuellement un air d'envie ou de regret si l'on avait soi-même un enfant moins remarquable, et les autres se prêtaient généralement à cette comédie sans soupçonner que c'en était une, ils n'avaient pas un tel intérêt pour la vie et la fille de la Cheffe qu'il leur vienne à l'idée de se méfier de telles déclarations et ils acquiesçaient par politesse, avec indifférence.

Moi seul demeurais en retrait, n'approuvais pas, ne souriais pas.

Et la Cheffe a compris que je savais ce qu'elle-même s'efforçait vainement de ne pas savoir, c'est-à-dire que sa fille n'était nullement la personne posée et astucieuse qu'elle prétendait, qu'elle ne serait jamais ainsi, qu'elle employait même toutes les pauvres ressources de son intelligence très limitée à tenter de rendre sa mère coupable de ses échecs, que sa mère se sente coupable et le devienne puisque la fille la jetait dans des situations telles qu'elle était obligée de s'éloigner pour ne pas se noyer avec elle — elle se serait noyée pour de bon mais la fille, pour sa part, n'aurait pas été longue à remonter, j'en suis sûr, elle tient à la vie et à son petit confort malgré ses éternelles menaces d'en finir.

Non, la Cheffe ne m'en a jamais voulu de refuser d'être sa dupe quand elle se mettait à décrire une fille imaginaire.

C'était, tout près de son oreille, un battement d'ailes.

Oui.

Un frôlement délicat venu de mon esprit éperdu de sincérité, alors nos yeux se croisaient et elle prenait acte, peut-être avec soulagement ou gratitude, de ma réserve, de mon honnêteté oserai-je dire, de sorte qu'elle gardait sa raison et continuait à parler de sa fille formidable en ayant conscience qu'elle affabulait.

Sans toi je serais devenue folle, m'a-t-elle dit une

fois, comme en passant, et je n'ai pas éprouvé le besoin de lui demander ce qu'elle entendait par là ni de protester un peu bêtement, j'ai compris aussitôt ce qu'elle voulait dire : à force de présenter sa fille comme un être admirable, qui l'aimait et comblait tous ses vœux de mère, sans que quiconque ne la contredise fût-ce d'une caresse aérienne sur sa tempe, elle aurait cédé à la tentation d'y croire et aurait ainsi perdu une part importante de sa lucidité, ce qui ne l'aurait pas fait considérer comme une folle, personne ne s'en serait aperçu ni préoccupé, mais aurait rongé, pensait-elle, la charpente même de son engagement en cuisine qui lui semblait reposer sur la permanence d'un esprit sûr et pondéré, aussi serait-elle bien devenue folle au sens où elle l'entendait puisqu'elle aurait perdu sa vigilance à l'endroit de la vérité et de l'exactitude.

Voilà pourquoi elle m'était reconnaissante d'avoir tenu tête à la simple compassion, par exemple, ou à une forme de gêne ou de crainte qui aurait pu m'inciter à souscrire d'un mot décent à ce qu'elle racontait sur sa fille.

Je suis toujours demeuré farouchement dans ma réticence et mon effroi vis-à-vis de cette femme, je croisais les bras, reculais d'un pas, et je regardais la Cheffe et lui envoyais mes pensées loyales, douces et véridiques, et la Cheffe ne m'en a jamais tenu rigueur, au contraire, et elle a admis que je l'avais sauvée d'un péril plus grand que n'aurait été le plaisir de finir par croire aux qualités de cette fille lamentable en tout point.

Quand son bouillon de petits poissons fut suffisamment cuit, qu'elle eut vérifié qu'on ne pouvait plus distinguer les fragments de légumes des morceaux de fretin, la Cheffe entreprit d'en ôter les plus grosses arêtes, puis elle mixa le tout et s'estima satisfaite de la soupe épaisse et grumeleuse qu'elle obtint, puissamment dorée par le safran.

Elle plongea dedans un dos de cabillaud et un filet de lieu noir, les laissa cuire quelques minutes puis éteignit le feu.

Jamais elle n'avait cuisiné, jamais elle n'avait vu réaliser une soupe de poisson de cette manière, et elle n'avait encore rien lu, elle ne devait d'ailleurs jamais lire que fort peu, mal à l'aise pour déchiffrer.

Et cependant, comme elle me l'expliqua, tout ce qui manquait aux plats inexpressifs, moroses de la cuisinière de Marmande l'avait enseignée indirectement en l'invitant, le soir dans son lit, à tenter d'imaginer les moyens de rendre bien meilleur ce qu'elle avait goûté, de telle sorte, aimait-elle à dire dans un paradoxe peut-être empreint d'une légère coquetterie, qu'il lui semblait avoir appris davantage et beaucoup mieux exercé son esprit d'invention grâce aux mornes leçons involontaires de Marmande que si elle s'était entraînée aux côtés d'une cuisinière inspirée, elle en retirait en tout cas une paisible fierté, toujours étonnée, plusieurs décennies plus tard, d'avoir accompli un si beau travail dans la petite cuisine des Landes tandis que l'épiaient les pins enrôlés par les Clapeau, les Clapeau eux-mêmes, l'essaim de Clapeau fébriles, affolés de désir et d'incertitude, et encore les pins peu sûrs mais respectés, le vieux pin oppressant devant la fenêtre.

L'étonnement à son propre sujet, ou à propos de cette curieuse fille de seize ans qui se trouvait si étrangement avoir été elle, viendrait beaucoup plus tard.

Cette fille-là, dans le calme affairement, l'intense recueillement de la réflexion et du travail, ne s'étonnait de rien, et surtout pas de son ingéniosité.

Tout paraissait aller de soi, la rapidité d'exécution, les gestes méticuleux, la danse laconique de son petit corps bien ramassé, aux contours nets, dont elle avait une conscience paisiblement réjouie tandis qu'elle allait et venait sans gaspiller le moindre mouvement, se rappelant par intermittence, avec une sèche désapprobation esthétique, les déplacements brouillons, irrésolus et grincheux de la cuisinière de Marmande dans la grande pièce dont cette femme semblait avoir décidé hargneusement de ne jamais enregistrer les proportions particulières ni aucun des détails qui faisaient que cette cuisine était telle et pas autrement.

La cuisinière de Marmande avait toujours paru, aux yeux de la Cheffe, avoir été jetée le matin même dans un milieu revêche et sournois, auquel il y allait de sa dignité ou de sa sécurité de ne pas s'ajuster, alors que la Cheffe, plus futée, savait déjà tirer parti de sa propre harmonie, de son adaptation équilibrée, heureuse et belle à tout endroit où elle devait cuisiner, elle était en paix, concentrée, ravie, amie des pins scrutateurs, à la fois éveillée et très aiguisée quant à ce qui l'entourait, et ailleurs suprêmement.

Je suis certain, quand je ferme les yeux et la vois dans la petite cuisine des Landes, qu'elle possédait déjà cette faculté troublante et si désirable d'avoir l'air de pouvoir se contenter parfaitement d'elle-même, du commerce gracieux avec son corps libre et obligeant, avec son ambition très grande mais tenue sous contrôle, avec ses désirs peu exigeants et son cœur bien dominé, c'est ce que nous pensions d'elle, c'est ainsi que nous la considérions, au début, quand elle était notre patronne, croyant vaguement et respectueusement qu'elle n'avait besoin de rien car sa propre personne lui suffisait et que la cuisine même venait en plus, un défi, un divertissement supérieur pour une souveraine peu encline à l'oisiveté, croyant que, en définitive, elle aurait pu se passer de tout, de la cuisine comme de sa fille, de l'amour comme de nous tous, je sais maintenant que c'était faux, bien sûr, et que hors de la cuisine elle supportait mal sa propre compagnie, elle vivait moins bien avec sa personnalité ample et pleine que nous autres avec nos caractères étriqués.

Nous ?

Oh je parle de mes collègues d'alors, quand je travaillais pour la Cheffe et que, tout juste embauché comme commis, j'ai rejoint une équipe composée de garçons qui la côtoyaient depuis longtemps, aux opinions et sentiments desquels je me suis conformé, dans mon ignorance, avant de réaliser que je pensais bien différemment d'eux au sujet de la Cheffe, j'étais amoureux d'elle et je tâchais de la comprendre avec toute la subtilité dont j'étais capable, j'étais mal dégrossi, j'étais très jeune, ma volonté de perspicacité se dérobait parfois et je ne voyais plus rien mais j'ai tenu bon, je me suis surpassé grâce à l'amour, j'ai appris à connaître la Cheffe mieux que personne, je n'en doute pas un instant, qui l'a aimé autant que moi ?

Sa fille ? Vous plaisantez, je pense.

Cela m'ennuie de soupçonner qu'elle vous a peut-être déjà mystifiés, je me sens moins libre de vous parler avec sincérité.

Il me faut croire que vous êtes des gens estimables.

Comment peut-on l'être si on se laisse facilement tromper par une femme aussi grossière, aussi prévisible, aussi claire dans sa mesquinerie ?

Et comment puis-je vous parler avec sincérité, dans cet élan permanent de franchise auquel je ne suis pas du tout habitué, qui me bouleverse et dont le rappel m'éveille parfois la nuit en sursaut, j'ai peur alors d'avoir rempli impudemment les silences de la Cheffe et livré mes propres secrets, je suis en sueur et déprimé, dégoûté de moi-même et de vous d'une certaine façon, je ne me rendors pas, j'ai les yeux ouverts dans le noir et le sang cogne à mon cou — comment puis-je vous parler avec sincérité si je pense que mes paroles tombent dans le trou de scepticisme qu'aura forcément creusé en vous le moindre entretien avec la fille de la Cheffe ?

Car alors vous douterez de tout ce que je vous dis, vous le confronterez aux propos radicalement dissemblables de sa fille et vous souhaiterez tenir en balance nos deux points de vue, sans entrevoir que vous me ferez là une telle offense qu'il m'apparaît tout simplement grotesque que je souffre autant pour me garder au plus près de la vérité, si c'est pour être comparé à cette tocarde, à cette menteuse, et placé près d'elle à égalité de respect.

Tout devient absurde, vous comprenez ?

Il serait facile de porter sur mes amis de Lloret de Mar un regard plein de sarcasme, ils appartiennent candidement à un type de personnes qui semblent n'être là que pour donner existence à la raillerie mépri-

sante, avec leurs vêtements pratiques et colorés, leur
ostentatoire bonne humeur, leur absence de complexes
physiques et l'ingénu déploiement de chairs qui en
découle, cependant la stricte sélection qu'ils ont opé-
rée parmi les éléments de leur vie précédente pour se
retrouver gaiement réduits aux biens que contiennent
leurs soixante mètres carrés de Lloret de Mar m'ins-
pire un respect bienveillant.

La Cheffe devait toujours s'intéresser assez peu
aux desserts, tout en reconnaissant leurs bienfaits,
même leur nécessité, c'est-à-dire qu'ayant tourné
et retourné cette question dans son esprit, ayant
tenté des fins de repas qui ne s'apparentent pas à
des douceurs mais constituent l'épilogue très légèrement rugueux d'un périple parfaitement cadencé
(par exemple le sorbet d'olives vertes ou les dés de
concombre cuits dans le miel, qui suivaient la queue
de bœuf aux poireaux), elle avait admis qu'on courait le risque d'un défaut de courtoisie, d'une inélégance vaniteuse en supprimant hautainement la
traditionnelle conclusion sucrée, mélodieuse, sans
complication, le terme suave et consensuel d'un
exposé qui, toujours délectable, n'en était pas moins
un peu rêche parfois, la cuisine de la Cheffe pouvait
être abrupte, surtout les dernières années, dans sa
frugalité presque fanatique, oui, sa cuisine pouvait
être dure au premier abord, peu avenante et cependant, quand on avait appris à l'aimer, on n'éprouvait
plus que répugnance pour une gastronomie séduc-
trice et maniérée, onctueuse et molle, on se sentait
peu respecté par celle-ci comme quelqu'un de qui on
n'attend pas suffisamment ou dont on n'exige jamais
qu'il montre ce qu'il a de meilleur, sa bravoure, sa

curiosité, que sais-je encore, on ne se sent pas respecté comme client et comme mangeur, on a honte pour le cuisinier.

Mais la Cheffe n'a pas réussi, et elle a cessé d'y aspirer, à faire fi du vieux et profond désir pour un dénouement sucré, une morale de l'histoire, si j'ose dire, qui mette tout le monde d'accord et unisse les convives dans un joyeux, un distrait assentiment aux intentions du cuisinier, alors que la Cheffe tentait encore jusqu'au dernier instant, jusqu'à l'ultime bouchée, d'aiguillonner chez le mangeur non pas ses capacités d'étonnement, non pas sa résistance à la provocation, elle n'a jamais aimé provoquer même s'il faut reconnaître qu'elle l'a fait souvent, mais la quête d'une sobriété, d'une âpre pudeur qu'elle ambitionnait de rendre pour elle-même maîtresses de tous ses penchants.

Et ces qualités qu'elle avait à cœur de conquérir comme d'insuffler à ceux qui appréciaient sa cuisine lui semblaient introuvables dans l'habituelle tendresse facile d'un dessert.

Mais elle préféra se retirer juste au-delà du terrain de la lutte, elle choisit de ne plus en parler, de ne plus y penser, comme si la notion même de dessert n'avait jamais existé, et de servir pour terminer un repas quelque chose qui, par hasard, se trouvait être plus sucré que salé, plus doux qu'acide, et qu'on pouvait cependant difficilement se rappeler comme une pure douceur.

La première fois qu'on goûtait à la cuisine de la Cheffe et que, si on en ignorait tout, on escomptait qu'une récompense onctueuse couronne les efforts intimes qu'on avait fournis pour estimer à sa mesure

102

très exigeante chaque plat proposé, on pouvait voir arriver ce qui tenait lieu de dessert comme une mise à l'épreuve feutrée de son mérite, presque de sa grandeur d'âme car il faudrait encore, pour se régaler, mater son propre désir enfantin d'une friandise comme gratification, mais on se régalait assurément si on savait être brave et curieux, on se régalait en se sentant élevé et considéré, on repoussait sa chaise en adressant à la Cheffe cette pensée qui ferait de soi, dans l'allégresse, son obligé pour longtemps : Vous avez tiré de moi le meilleur.

Oui, on se régalait et cela, étrangement, réclamait son prix de résolution et d'ardeur, en échange de quoi on n'oubliait rien.

Et si on retournait aux desserts complaisants, ce n'était pas, je pense, sans une dégringolade intérieure, pas exactement ce que susciterait le retour à un faible ou à un travers mais au côté le plus insignifiant de soi-même, et certes cela s'effaçait avec le temps, avec la vie bien remplie et tous ses usages routiniers, j'aime à croire néanmoins qu'un regret demeurait tapi et qu'il surgissait en toute occasion où on savait avoir manqué de hardiesse, manqué de style, le regret était là et on ne se souvenait pas de son origine ni de ce qu'il voulait nous dire, pas plus qu'on ne peut se rappeler la cause lointaine de certaines tristesses qui nous prennent parfois à la vision d'un pan de mur fugace sous une lumière dorée, ou du chrome scintillant d'une calandre par une morte journée d'été, le regret était là, celui de n'avoir pas su ou suffisamment voulu se tenir au rang exceptionnel auquel la Cheffe, le temps d'un repas, nous avait promus par l'esprit de sa cuisine.

Je pleure ? Non, ce n'est qu'un peu d'eau qui coule de mes yeux, cela n'a pas de signification.

Je ne suis pas du genre à pleurer devant quelqu'un, vous savez, je n'ai pas été éduqué de cette manière et ma mère se serait moquée sans bienveillance.

Je n'ai pas connu mon père, en effet, mais évitons de parler de ma vie avant la Cheffe, c'est sans intérêt, car j'ai véritablement surgi au monde le jour où j'ai mis le pied dans son restaurant avec l'espoir d'être embauché.

J'ai très peu revu ma mère par la suite. Je n'avais pas beaucoup de temps.

C'est sans intérêt, je vous dis.

Cette réticence à préparer un dessert qui ne satisfasse que la recherche du plaisir, la Cheffe la découvrit en elle dès cet après-midi dans la petite cuisine des Landes, c'est le trait le plus ancien, le plus constant de sa personnalité de cuisinière, elle en fut presque embarrassée et resta quelques minutes immobile devant la table, les mains à plat sur le bois, se demandant si elle avait raison d'être ainsi et craignant déjà sans s'en rendre compte l'excès de ses intuitions, comprenant peut-être cependant qu'elle n'avait d'autre choix que de leur obéir si elle voulait garder vive et haute la flamme de sa mission.

Oui, la Cheffe était une illuminée paisible, une fanatique réservée, son incandescence était dissimulée et profonde, seul la connaissait le pin qui l'observait derrière la fenêtre et dont la propre ardeur ascétique était enfermée sous l'écorce, dans l'épais du tronc.

Ce qu'elle savait clairement, c'est qu'elle ne voulait en aucun cas imiter la cuisinière de Marmande qui confectionnait pour les Clapeau les desserts les plus à même de flatter leur incessante gourmandise comme leur honte tortueuse, misérable, de cette gourmandise.

Elle en éprouvait une inexprimable répugnance, sa propre répugnance la dégoûtait pourtant et elle ne voulait rien avoir à faire avec tout cela.

Simplement, quand, le soir dans son lit, elle avait analysé la fugitive impression de fourvoiement qu'avaient éveillée en elle un parfait au café, une crème aux œufs, un biscuit de Savoie ou des beignets soufflés, il lui était apparu que ce qui associait tous ces desserts dans son insatisfaction, son sentiment d'une erreur constamment répétée, venait de ce qu'ils étaient toujours très sucrés, très gras, très insipides, et qu'ils s'ajoutaient au repas de façon importune et grossière, ils n'étaient jamais, ressentait la Cheffe dans la solitude cogitante de son lit, l'aboutissement bien tenu, concis, discret du repas nécessairement plus important, plus grave, plus étincelant, ils n'étaient jamais à leur place exacte, ils n'étaient qu'une protubérance mal venue sur une forme intéressante et justement calculée.

Elle s'était parfois étonnée de l'empressement que mettait la cuisinière de Marmande à confectionner les desserts dont raffolaient les Clapeau et du soin qu'elle apportait, sur ce plan-là, à s'accorder à leurs prédilections, cette femme perpétuellement et aigrement courroucée qui ne pouvait travailler pour les Clapeau qu'à condition de savoir qu'elle ne les comblait pas, qui se gardait toujours précieusement au bord de l'accomplissement, et ainsi s'évacuait une part de son acrimonie et la cuisinière de Mar-

mande conservait intact ce qu'elle aimait sombrement à contempler, pensait la Cheffe, car elle n'en
ferait jamais don à personne, son trésor illusoire : sa
propre puissance de création.

Mais la cuisinière s'ingéniait à séduire les Clapeau
par ses desserts qui n'étaient que de monstrueuses
inutilités de sucre et de beurre, comme si, avait imaginé la Cheffe, elle s'autorisait à puiser dans ses ver-
tueuses ressources d'inventivité dès lors qu'elle y
voyait un moyen de dépraver les Clapeau qui non
seulement n'ignoraient pas que le sucre et le beurre
à profusion altéraient leur santé, je crois pourtant
qu'ils se moquaient de cela, ils préféraient la bom-
bance à la perspective de vivre vieux, mais surtout
avaient choisi de désigner le sucre et le beurre comme
agents principaux de leur faiblesse, ils vouaient à ces
ingrédients une haine ostentatoire, sachant ou ne
sachant pas, je ne suis certain de rien, qu'ils auraient
pu se passer de sucre et de beurre avec quelque
effort alors que, de viandes bien persillées, de terrines grasses et goûteuses, de lard parfumé, ils étaient
incapables de se priver, ne pouvant haïr cela qui leur
procurait tant de plaisir, haïssant le sucre et le beurre
qui leur étaient moins nécessaires.

Ils auraient pu y renoncer, ils étaient incapables
de s'y résoudre, leur haine affichée s'en prenait à ce
qui n'était nullement le fondement de leur désordre.

Et la cuisinière le sentait, elle qui connaissait les
Clapeau mieux qu'elle-même, qui les connaissait
comme on connaît ses enfants, ses animaux, tous les
bruits et craquements furtifs de sa maison, elle sentait que le sucre et le beurre étaient moins importants
pour eux que le reste, elle employait sa rage colos-

sale, illimitée, sans raison ni possibilité de se dénouer, à tenter de les leur rendre indispensables et, ces Clapeau qui percevaient encore vaguement le chemin, de les dévoyer pour toujours.

Comme je vous l'ai dit, la Cheffe ne voulait pas tremper là-dedans.

Elle voulait irradier les Clapeau du rayonnement froid, intense et inéluctable de sa maîtrise sans pénétrer dans leur cœur moite, sans avoir à effleurer jamais leur peau collante et chaude, sans exciter ni provoquer, sans condamner ni absoudre leurs émotions entortillées.

De telle sorte qu'elle confectionna un dessert sans penser à eux, sans penser non plus, à l'inverse du poulet dénaturé ou de la soupe de poisson, à les éblouir.

Son dessert devait être intransigeant, peu enjôleur, irréprochable toutefois dans le cadre sévère de son propos, seul ce dernier pourrait être critiqué ou moqué ou rejeté avec indignation, non ce qu'il aurait produit, d'une sèche perfection.

Elle fit rapidement, avec toute la dextérité qu'elle avait vue dans les gestes de la cuisinière de Marmande, une pâte à tarte dans laquelle elle ne mit pas de beurre mais simplement de la farine, deux œufs et de l'eau.

Elle disposa dessus des quartiers de pêche bien serrés, saupoudra d'une pincée de sucre, d'un peu de sel et, laconiquement, feignant de s'en apercevoir à peine, de verveine hachée menu, cueillie au pied du perron.

Elle n'était pas certaine qu'une telle tarte serait savoureuse ni que les Clapeau pourraient seulement en manger une part entière, tant la recette allait à l'encontre de leurs habitudes, elle n'était pas certaine non plus qu'elle aurait elle-même plaisir à manger de cette tarte, ou plutôt que le plaisir qu'elle en tirerait peut-être lui viendrait d'autre chose que de savoir qu'elle avait réalisé un mets rigoureusement juste, harmonieux et équilibré dans son austérité, un mets qui, selon l'expression que la Cheffe aimerait plus tard emprunter au vêtement, tombait à la perfection.

Elle n'était pas certaine du plaisir, elle l'était presque, en revanche, de la réussite synthétique, cela lui convenait, il était fondamental pour elle d'avoir raison, non de convaincre mais de savoir intimement qu'elle ne s'était pas trompée, que son intuition l'avait bien guidée et que, ce qu'elle avait eu en tête, ce qui avait flotté à l'orée de son esprit comme une image qu'on voit en rêve, précise, plus réelle que la réalité, évidente et implacable, peut-être laide mais d'une laideur pleine de dignité et d'assurance, elle avait su le matérialiser de la façon la plus pénétrante, délicate.

Ainsi, ayant eu la vision idéale et simple d'une tarte aux pêches, d'une nuance ambrée appuyée par quelque chose qu'elle imagina pouvoir être de la verveine, et tout juste dorée, de manière mate et sobre, par un soupçon de sucre caramélisé (la cuisinière de Marmande badigeonnait toujours les tartes d'un épais sirop de sucre et de confiture d'abricots, les tartes arrivaient sur la table brillantes, lustrées, glacées comme des ornements de pierre tombale, les Clapeau s'exclamaient : Comme c'est beau! Il ne faudrait pas y toucher! et la Cheffe, se rappelant cela, songeait sans inquiétude que les Clapeau préféreraient peut-être ne pas toucher à sa tarte tant ils la trouveraient disgracieuse, rébarbative, elle y songeait sans inquiétude, avec un rien de déception anticipée, elle détestait le gaspillage et savait qu'elle-même ne s'approcherait de son dessert que pour l'éprouver), elle fut satisfaite de constater, la tarte sortie du four, qu'il n'y avait aucune dissemblance entre l'objet et l'évocation prémonitoire qu'elle en avait eue, si bien qu'elle oublia celle-ci et put donner à sa tarte réelle le statut de point de repère idéal pour toutes les tartes qu'elle devrait faire à l'avenir.

Et elle pourrait aimer, de la sorte, préparer et offrir un dessert, elle le pourrait sans avoir l'impression de s'abaisser elle-même et de caresser le client, elle inventerait la probité et le respect de soi dans le dessert.

Le mets qui «tombait» parfaitement, oui?

Si la Cheffe avait d'autres expressions venues de la couture?

Non, je ne crois pas. Non, les vêtements ne l'intéressaient guère et la mode lui semblait futile, inutile.

Que voulez-vous savoir, au juste?

Je suppose que, dans la maison des Landes, cet été de ses seize ans où le génie de la cuisine dansa devant ses yeux bruns puis d'un coup fut en elle, elle portait l'une de ses deux jupes de coton, la gris pâle ou la bleu marine, qui lui prenait la taille assez haut et descendait en fronçant jusqu'au-dessous du genou, avec un chemisier beige à manches courtes boutonné sous le cou, ces vêtements très simples, dépourvus de tout ornement, avaient été cousus par une voisine de Sainte-Bazeille, la Cheffe tenait farouchement à ces tenues qui lui rappelaient Sainte-Bazeille et ses chers parents, qui relevaient également de l'uniforme dans leur rigueur impersonnelle et contentaient sans doute la Cheffe en ce qu'elles ne révélaient rien, ni coquetterie ni désir de plaire, pas plus qu'une éventuelle ombrageuse détermination à ne pas plaire, la coupe comme les tissus étaient francs et nus, innocents, ils ne voulaient rien dire, aspiraient à ne rien dire et, de fait, ne disaient rien.

Ces vêtements n'étaient que ce qu'ils étaient, de bonnes étoffes habilement taillées, bien adaptées à l'emploi qu'on voulait en avoir : rien d'autre que la protection d'un corps par ailleurs tout aussi innocent et muet et dépourvu d'intentions, le corps menu de la Cheffe dans la maison des Landes, son jeune corps de seize ans compact et petit, discret et robuste, que la Cheffe traitait avec des égards raisonnables, sensés, comme un outil indispensable pour le travail et qu'on n'aurait aucun intérêt à endommager, mais pour lequel elle n'éprouvait ni affection ni antipathie, qu'elle ne regardait pas, dont elle n'était pas jalouse, qui ne l'étonnait pas et dont elle n'aurait su dire s'il était remarquable ou très imparfait, ce corps valeureux qui n'allait pratiquement pas changer au fil des années, comme préservé par l'indifférence même que la Cheffe avait pour lui, figé dans une jouvence éternelle et détachée.

La Cheffe avait deux autres jupes pour les jours froids, coupées sur le même patron que les jupes d'été, l'une en lainage écossais, l'autre en jersey de laine marron, et deux chemisiers de flanelle beige, elle avait cessé de grandir dès l'âge de treize ans, les mêmes vêtements lui allaient encore trois ans plus tard et lui iraient encore longtemps, elle imaginait vaguement les garder pour toujours, elle qui n'usait pas beaucoup, comme elle disait, elle aimait cette perspective de porter pour toujours ces tenues de Sainte-Bazeille, de se vêtir chaque matin et à jamais du souvenir de Sainte-Bazeille — de se couvrir de cette pureté de Sainte-Bazeille.

Bien plus tard, quand la Cheffe a ouvert son établissement, elle s'est procuré plusieurs tenues de travail identiques qu'elle portait sous son grand tablier blanc et qui n'étaient pas sans rappeler les vêtements de Sainte-Bazeille, à ceci près que les jupes ont été remplacées par des pantalons droits, noirs ou gris foncé, qui pareillement se boutonnaient assez haut sur la taille et emprisonnaient le bas d'un chemisier couleur sable au col pointu et court, toujours fermé jusqu'au dernier bouton.

La Cheffe semblait si bien faite pour de tels vêtements, et si exclusivement faite pour cette sobriété sans ostentation ni étalage de modestie, pour ce dépouillement volontairement dénué de signification, que le jour où, traversant la place de la Victoire un samedi après-midi, je tombai sur la Cheffe qui marchait de son pas rapide, je restai quelques secondes sans être certain qu'il s'agissait bien d'elle, cette femme qui avait le visage de la Cheffe, son regard obscur, songeur et calme mais qui m'apparaissait vêtue d'une façon que je n'avais jamais vue à la Cheffe, que je ne lui aurais jamais imaginée, qui, pensais-je, lui aurait fait horreur si on la lui avait proposée, comme d'enfiler à même sa peau la peau d'un étranger avec ses suintements et ses humeurs.

La Cheffe me reconnut, elle s'arrêta, sans plaisir.

Elle m'adressa quelques paroles d'une voix maussade, lointaine, et ses yeux quittèrent aussitôt les miens pour flotter au-delà de mon épaule, je compris qu'elle était embarrassée et contrariée de se montrer ainsi, dans la peau d'une étrangère qui ne lui plaisait en rien, qui la dégoûtait même considérablement.

Elle se rendait à la cérémonie de mariage de l'une de ses nièces, elle avait cru bon, pour ne pas sembler hautaine et méprisante à sa famille qu'elle aimait loyalement, inconditionnellement et tristement et qui n'aurait pas apprécié de la voir arriver à cette fête d'importance en tailleur-pantalon sombre et chemisier de coton écru, ils auraient pensé qu'elle ne voulait pas faire de frais, qu'elle avait trop de dédain pour cela (et je crois qu'il n'y avait que sa famille pourtant tenue à l'écart dont elle redoutait le juge-ment, elle le redoutait dans un sentiment de fatalité mélancolique, inconsolable), elle avait cru bon de s'habiller comme le seraient les autres femmes invi-tées au mariage, avec un souci d'élégance ostensible et tragique — et elle portait ainsi une robe de satin fuchsia assez courte et vaguement moulante, cein-turée d'un cordonnet de cuir noir, une petite veste noire cintrée, un collant de dentelle noire et des escarpins échancrés à talons hauts, tout cela voulant faire sexy dans un désenchantement et un effort dont le spectacle me désolait.

La Cheffe voulait plaire à Sainte-Bazeille, où était la limpidité de Sainte-Bazeille?

L'intemporelle fraîcheur de Sainte-Bazeille?

Elle savait qu'il n'y avait plus rien de tout cela, elle ne voulait plus que rassurer Sainte-Bazeille, acheter l'approbation triviale de Sainte-Bazeille, j'étais navré et ravi tandis que son regard allait d'un côté à l'autre de mon épaule et qu'elle tripotait les franges de la fine ceinture de cuir qui sanglait sa taille peu marquée, honteuse, irritée contre moi qui avais eu l'idée de passer par la place de la Victoire au même moment qu'elle, elle ne pouvait me regarder et s'offrait à mon jugement, à ma stupéfaction, avec un stoïcisme renfrogné, une boudeuse acceptation des pensées accablées ou railleuses qui devaient, se disait-elle, se bousculer dans mon esprit en cet instant.

Et comme le soleil donnait sur son visage désarmé, sur son visage que le regard, occupé ailleurs, ne défendait plus, je vis luire le bizarre orangé d'un fond de teint, le rose pâle d'un brillant à lèvres appliqué avec une maladresse pleine de colère, pensai-je, et comme si la Cheffe s'était évertuée à ne montrer surtout aucune habileté en un domaine qui l'exaspérait.

Pourquoi j'étais ravi?

Oh je peux bien vous le dire, j'ai résisté à l'envie, au besoin terrible de m'agenouiller devant la Cheffe et d'entourer de mes bras ses jambes gainées de dentelle noire, oui, c'est exactement ce que je brûlais de faire, place de la Victoire au milieu du flot des voitures, tomber aux pieds de la Cheffe et l'étreindre en la remerciant de se montrer ainsi à moi, j'étais bouleversé et absurdement reconnaissant puisque la Cheffe n'avait pas souhaité que je la voie ainsi et qu'elle imputait à la seule malchance que je me sois trouvé sur son chemin cet après-midi où elle marchait vers l'église, la nièce se mariait à l'église, la Cheffe ne comprenait pas ces affectations de religiosité et peut-être les désapprouvait-elle secrètement, elle dont les parents s'étaient toujours comportés comme s'ils ignoraient qu'il existât des religions et avaient toujours agi cependant dans le souci d'une morale portée au plus haut niveau d'exigence, mais la nièce se mariait à l'église et la Cheffe s'y rendait avec obéissance, de même qu'elle obéissait à l'injonction tacite d'y paraître «bien habillée» selon le code en vigueur dans sa fratrie, elle obéissait pour leur montrer qu'elle les aimait et les respectait jusque dans ce qu'ils avaient de moins respectable, elle s'inclinait devant eux, elle s'inclinait devant eux seuls, par impuissance, par nostalgie.

Il lui semblait qu'ils étaient Sainte-Bazeille mais où était, chez eux, l'innocence de Sainte-Bazeille?

Cette robe de satin aux reflets durs, sans nuances, la façon dont la robe exhibait les atouts d'une féminité conventionnelle en clamant d'une voix fuchsia criarde : Voyez un peu ce qu'il y a là-dessous!

Et il y avait là-dessous le petit corps sobre et ramassé de la Cheffe, son petit corps compétent, puissant, bien tenu, qu'on pouvait songer à désirer et aimer passionnément, comme je le faisais dans mon studio de Mériadeck, dans la mesure où on aimait la Cheffe avant tout.

Car ce corps fier et efficace n'avait nulle raison d'être exposé dans une robe aux scintillations brutales, il était beau et digne dans ce qu'on supposait de sa vitalité, de son courage, de sa perfection animale, et le satin ajusté ne montrait rien de cela, le satin collant montrait au contraire, méchamment et bêtement, que le corps n'était pas assez joli pour lui, que le corps vaillant et trapu ne lui faisait pas honneur, cet affreux satin chatoyant qui ne flattait que les jeunes silhouettes oisives et longues.

Les sœurs et belles-sœurs de la Cheffe seraient emballées, je le savais, dans un satin semblable ou un jersey féroce, ma propre mère s'habillait ainsi les jours de fête, elle avait une chair serrée et musclée comme celle de la Cheffe et les étoffes fluides, légères, moirées, les étoffes frivoles se moquaient d'elle, de cette musculature laborieuse qui saillait virilement sous la sotte brillance, j'étais accablé et rempli de pitié hargneuse quand ma mère se faisait belle de cette façon maladroite, déchirante.

Alors, n'est-ce pas, où était là-dedans la splendeur particulière de Sainte-Bazeille ?

Les parents de la Cheffe étaient morts depuis longtemps quand je la rencontrai place de la Victoire.

Leurs enfants n'avaient rien conservé de cette sauvage grandeur qui les avait distingués, qui aurait détourné la mère de la Cheffe, me disais-je, de l'idée même de se montrer à une cérémonie de mariage vêtue d'une robe de satin courte et rose, elle y serait allée, me disais-je, dans une robe que la couturière de Sainte-Bazeille aurait taillée à son image, parfaite et sans éclat, sombrement majestueuse.

Les frères et sœurs de la Cheffe semblaient n'avoir rien hérité de cet esprit.

J'en voulais à leurs parents qui avaient échoué à se rendre imitables, édifiants.

Comment était-il possible, me demandais-je souvent, que seule la Cheffe semblât avoir eu conscience de l'admirable originalité de ses parents, une conscience éplorée et coupable puisqu'elle estimait que son choix de la cuisine l'avait entraînée vers des compromissions et des calculs auxquels ses parents n'avaient jamais eu recours (satisfaits de leur pauvreté, rappelez-vous), et que ses frères et sœurs, eux, tous les cinq, n'aient jamais manifesté de volonté plus affirmée que celle, pantelante, pathétique, infructueuse, de s'éloigner radicalement de Sainte-Bazeille, du tranquille et serein dénuement de Sainte-Bazeille?

Comment était-il possible que ces parents adorés par la Cheffe soient apparus aux yeux de leurs autres enfants comme des exemples repoussants, inquiétants, pitoyables?

Et qu'ils n'aient pu empêcher l'église et les robes fuchsia pas plus que le suicide des deux plus jeunes?

Et j'en voulais aux parents de la Cheffe d'être morts avant d'avoir pu constater, me semblait-il, leur échec à transmettre la clarté de Sainte-Bazeille, d'être morts dans l'illusion, pensais-je, qu'ils avaient élevé leurs enfants comme ils le devaient, alors que la silhouette de la Cheffe dramatiquement moulée dans le satin et l'acharnement forcené des autres à vivre et à se comporter comme les censeurs les plus sévères des mœurs de leurs parents me paraissaient montrer tristement qu'ils avaient fait de leurs enfants leurs ennemis, même si on pouvait encore trouver là de l'amour, de la tendresse, de l'attachement irréductible, sous la forme consternée, désolée que prenaient ces sentiments dans les relations que la Cheffe elle-même entretenait avec sa fille.

Car les frères et sœurs de la Cheffe devaient dans le même temps chérir le souvenir de leurs parents et détester tout ce qu'avaient été ces parents dans leur humble isolement de Sainte-Bazeille, me disais-je tout en regardant s'éloigner la Cheffe sur ses talons chancelants, cet après-midi où nos chemins s'étaient croisés et où je m'étais vu, avec autant de précision que si je l'avais fait réellement, m'agenouiller devant la Cheffe, presser ses cuisses contre mon visage, lui dire à la fois que je l'aimais irrévocablement et que j'étais heureux de la voir ainsi vulnérable et embarrassée dans son déguisement de satin, presque aussi heureux et ému que si j'avais pu prendre dans mes bras son corps nu, confiant, plein de désir pour moi, comme j'en rêvais dans mon studio de Mériadeck le soir (alors ne pensant pas au restaurant ni à la manière d'améliorer tel ou tel plat, ne pensant qu'à la Cheffe qui par miracle m'aimerait et me désirerait et me rejoindrait dans ce studio où, en vérité, elle n'était jamais venue, où il ne lui aurait jamais traversé l'esprit de venir, voilà pourquoi je ne pouvais pas être un grand cuisinier, l'amour, le désir et les chimères m'importunaient).

Après m'avoir dit quelques mots que j'ai oubliés, la Cheffe se hâta de traverser la place, peu à l'aise dans ces escarpins et cette robe qui la transformaient en infirme, mon regard l'humiliait sans doute, et, sans le vouloir vraiment, elle jeta un coup d'œil par-dessus son épaule pour voir si je l'observais.

Et, puisque je n'étais pas tombé à ses pieds, que je n'avais pas étreint ses jambes, je tâchai de mettre dans mes yeux toute la tendresse, toute la compréhension et la gratitude que j'éprouvais pour elle, dont je voulais éperdument qu'elle ait la connaissance et la certitude avant que le flux de la circulation ne nous sépare et que, le soir même, en cuisine, la pudeur ne nous interdise d'évoquer ce moment où je l'avais vue si différente d'elle-même, si démunie et docile.

Elle se troubla, surprise peut-être.

Si elle avait su, avant, à quel point je l'aimais ?

Non, c'est une question qui ne l'avait jamais effleurée, qui ne pouvait pas l'avoir intéressée, je comptais trop peu à ses yeux.

Elle m'aimait bien, oui, et elle était contente de mon travail, mais je n'étais qu'un jeune employé très discret dont la vie privée et le fardeau des sentiments n'avaient pu jusqu'alors éveiller son attention et c'est ce qui la remua à cet instant, de se découvrir idolâtrée dans mes yeux alors même qu'elle se sentait amoindrie et saugrenue sous le satin et la résille, c'est ce qui la remua, bien que je ne fusse pas quelqu'un d'important, quelqu'un à qui elle aurait apprécié de plaire, j'étais aussi trop jeune, pas impressionnant du tout.

Mais elle serait obligée, à présent, de poser sur moi un regard averti, me dis-je en regardant son dos vacillant disparaître parmi la foule de la place de la Victoire.

J'espérais simplement, avec ferveur et angoisse, que sa découverte étonnée de mon amour pour elle ne changerait rien à la façon dont elle se comportait avec moi en cuisine, et voilà bien le signe que je la connaissais encore mal à cette époque puisqu'il m'a semblé évident par la suite qu'une révélation de ce genre ne pouvait nullement influer sur les qualités de la Cheffe au travail, elle se conduisait toujours selon ce que le travail exigeait et elle n'aurait jamais permis à de quelconques émotions de s'immiscer entre l'attitude précise imposée par le travail et le travail lui-même, elle n'aurait jamais permis à l'embarras, au plaisir ou au déplaisir de modifier tant soit peu l'impeccable relation professionnelle que nous avions édifiée, même si cela n'avait été visible de personne, même si cela n'avait pas nui au travail. Seule sa fille, vous le savez peut-être, a eu le pouvoir d'ébranler sa carrière, comme je vous le raconterai bientôt.

Nous aimons aussi le bref hiver de Lloret de Mar même si nous affectons de soupirer après l'été les terrasses brûlantes la piscine mordorée embrasée et notre joyeux constant enivrement, nous sommes plus sobres l'hiver à Lloret de Mar, nous roulons dans la campagne banale couverte de maisons, nous prenons des leçons d'espagnol, nous réunissons notre club de lecture délaissé aux beaux jours. Nous sommes entre Français et délivrés de l'épreuve fastidieuse de rencontrer des inconnus dans une langue mal maîtrisée, cela ne nous gêne pas, rien ne nous gêne et nous ne faisons de mal à personne, nous circulons sur les routes bordées d'affreux pavillons, nous chantons dans la voiture de Michèle de Christine de Martin, oubliés du temps qui gâte les traits et le corps des autres, l'hiver grisâtre pluvieux est si court à Lloret de Mar.

Les parents de Sainte-Bazeille ? Comment ils sont morts ?

Je n'avais pas encore rencontré la Cheffe lorsque c'est arrivé, on m'en a parlé.

Au restaurant, des collègues, à demi-mot.

Je n'aime pas répéter cette histoire, elle établit entre la Cheffe et cette mort violente un lien fatidique alors qu'il n'était que fortuit, c'est ainsi que se construisent les méchantes rumeurs, la Cheffe a dû souffrir suffisamment de ce hasard affreux pour qu'on n'aille pas, en plus, fouir dans une plaie que je me figure toujours à vif, où que soit la Cheffe aujourd'hui.

Ses parents sont morts tous les deux ensemble dans une voiture que le père conduisait et que la Cheffe leur avait achetée une semaine plus tôt.

Inexplicablement le père a brûlé un stop. Une voiture qui arrivait à grande vitesse sur la route principale les a percutés de côté.

Le père, bien qu'ayant passé son permis au service militaire, n'avait jamais eu de voiture avant cette Fiat toute neuve que la Cheffe leur avait offerte, elle avait voulu leur offrir tant de choses et, en premier lieu, une maison afin qu'ils ne fussent plus contraints de vivre dans la bicoque de Sainte-Bazeille, mais les parents avaient tout refusé, aussi bien la maison que les meubles ou les articles d'électroménager, ils avaient tout refusé avec, je suppose, la même expression affable, délicate, irréductible et peu intéressée que prenait leur visage quand un enseignant les convoquait, et la Cheffe comme l'enseignant autrefois comprenait qu'on ne pouvait rien contre ce refus très doux, informulé, parfaitement clair, et qu'à une résistance aussi incorruptible on ne pouvait faire l'insulte d'une traîtrise : jamais la Cheffe n'aurait osé les obliger à recevoir quelque chose qu'elle aurait apporté ou fait livrer sous le prétexte d'un cadeau-surprise.

Je sais que la Cheffe avait été malheureuse de cet entêtement, même si ce trait presque inouï de leur caractère participait de l'adoration qu'elle leur vouait.

Mais ce caractère devenait effrayant et regrettable à ses yeux dès lors qu'il ne la distinguait pas, elle, leur fille, avec son amour immense et respectueux, de tous ceux qui avaient tenté de faire pression sur leur volonté.

Car elle ne voulait rien obtenir d'eux, elle voulait simplement qu'ils acceptent l'idée d'une vieillesse confortable, d'une pauvreté relative, et peut-être souhaitait-elle aussi, mais très modestement et fugitivement, se sentir aimée en retour, et c'est ainsi qu'ils auraient montré leur propre amour, pensait-elle, en renonçant pour une fois à cette fin de non-recevoir qu'ils opposaient depuis toujours et tranquillement à l'adversité — et n'était-elle pas, elle, leur amie, leur plus grande et loyale amie sans doute?

Comment pouvaient-ils supposer qu'elle ne se sentirait pas blessée, même offensée lorsque, devenue riche, il lui faudrait continuer de rendre visite à ses parents dans la masure malsaine de Sainte-Bazeille?

Était-ce là vraiment l'esprit bienheureux de Sainte-Bazeille, cette inaptitude à consentir? À reconnaître l'offrande lorsqu'elle est chargée de tendresse, à l'introduire chez soi avec grâce?

Tout cela, c'est moi qui le dis.

La Cheffe ne voyait pas d'offense là-dedans, elle ne voyait que ses parents dont la santé se dégradait entre les murs pourris d'humidité de cette maison qu'ils s'obstinaient à ne pas vouloir quitter, ils ne le disaient pas mais ils songeaient peut-être : Nous sommes très bien ainsi, nous ne demandons rien à personne, pourquoi nous tracasse-t-elle avec ses inquiétudes et son envie de nous installer mieux que nous ne le sommes, nous qui n'avons jamais convoité le meilleur, qui avons même toujours fui le meilleur en sentant obscurément qu'il nous serait nuisible?

Mais je me sentais offensé pour la Cheffe quand elle me raconta cette vaine lutte, d'une voix artificiellement enjouée pour me faire croire que tout cela

121

avait été sans conséquence, et ses parents m'irritaient une fois de plus, ces deux excellentes personnes au cœur bien clos, incapables de renoncer à leur liberté pour accueillir un geste de pure affection, d'attachement éperdu et qui demandait si peu.

La Cheffe n'alla pas plus loin dans ce récit.

La suite, que j'ai à la fois devinée et reconstituée en discutant avec une sœur de la Cheffe, m'a toujours paru typique des décisions malheureuses que finissent par prendre un certain genre de personnes butées, dans un mouvement soudain bizarrement hardi, une désastreuse manière de jouer sa dernière carte sur une table qui n'est pas celle de la partie entamée, jetant l'entourage dans la confusion et une sorte d'ivresse qui efface pour un temps toute capacité de réflexion, et c'est ainsi que les parents, ayant une nouvelle fois décliné la suggestion de la Cheffe de leur acheter une jolie maison à Sainte-Bazeille, lancèrent tout à trac que la seule chose qui leur ferait plaisir, c'était une voiture, et je ne sais s'ils étaient réellement tentés par une voiture ou s'ils avaient trouvé ce moyen d'assouvir la Cheffe, de calmer le besoin qu'elle avait d'entourer ses parents de bienfaits, je l'ignore mais ils ont peut-être entrevu là-dedans une solution pour qu'on les laissât tranquilles sans qu'ils fussent obligés d'abdiquer leur résolution de vivre à leur guise, puisqu'une voiture serait un cadeau d'envergure, aberrant et pour eux dénué d'importance.

La joie de les entendre enfin lui demander quelque chose aveugla complètement la Cheffe.

Si réfléchie d'habitude, comment pouvait-elle envisager de laisser conduire son père qui ne l'avait pour ainsi dire jamais fait?

Sa sœur, que j'interrogeai, ne sut que me répondre, elle haussa les épaules puis émit l'hypothèse que ni les parents ni la Cheffe n'avaient peut-être sérieusement imaginé que cette voiture serait conduite par qui que ce fût, qu'il avait peut-être suffi à tous trois, implicitement, de savoir que le véhicule qui occupait une bonne partie de la cour devant la maison était un témoignage de la sollicitude de la Cheffe et de la reconnaissance de son amour par les parents au cœur courtois et fermé, ajoutai-je en pensée de mon côté, et il n'est pas exclu, dit encore la sœur, que les parents aient vaguement songé qu'ils finiraient par donner la voiture à l'un ou l'autre de leurs enfants qui pourrait en avoir besoin, lorsque se serait écoulée une période de temps convenable vis-à-vis de la Cheffe, ce n'est pas exclu mais, hélas, dit la sœur, il en est allé autrement et notre père s'est mis au volant contre toute attente et contre toute raison et vous savez comment ça s'est terminé, il n'y a pas d'explication à une telle attitude.

La sœur me raconta encore que, durant les obsèques à Sainte-Bazeille, la Cheffe avait poussé une sorte de lamentation rauque et glaçante avant de s'évanouir.

La Cheffe ne me parla jamais de cela et quand elle évoquait ses parents lors de nos conversations dans la cuisine déserte, certaines nuits, c'était en des termes tels et en usant si méthodiquement du présent que je devais croire qu'ils étaient encore vivants, que je l'aurais cru si mes collègues ne m'avaient pas renseigné dès le début, un peu par hasard probablement et puis, avais-je pensé, pas du tout par hasard mais avec un empressement excité et le désir de me

123

montrer qu'ils connaissaient certains secrets de la Cheffe, qu'ils avaient le pouvoir de la mettre à nu, éventuellement de la blesser à l'extrême, elle qui ne se laissait guère approcher — Ne me touchez pas, semblaient dire son regard tourné vers l'intérieur, son corps entièrement dédié aux injonctions du travail, son sourire affable et bref qui jamais ne badinait, qui protégeait pourtant un autre sourire que je pense être l'une des rares personnes à avoir vu : large et doux, tendre, confiant.

Oui ? Oh, la fille de la Cheffe, encore enfant, a dû voir se pencher vers elle ce sourire précieux mais il ne fait aucun doute pour moi que la suspicion, la peine et la déception l'ont occulté dès l'adolescence de la fille vers laquelle, plus tard, la Cheffe ne parvenait à faire plus que d'étirer sans joie ses lèvres soudain amincies, qu'elle fût devant elle ou qu'un courriel extravagant et agressif de la part de sa fille la forçât de penser à elle, elle essayait de ne plus jamais penser à elle, vous savez, mais elle ne pouvait se résoudre à ignorer les courriels que sa fille lui adressait et quand j'étais à ses côtés, ce qui était toujours le cas vers la fin, je voyais comment sa bouche se distendait en un affreux sourire gauchi et désolé devant l'écran de l'ordinateur, je savais alors qu'elle venait d'avoir des nouvelles de sa fille et je posais mes mains sur ses épaules, très légèrement.

Elle murmurait : C'est encore ma fille, et je répondais dans un souffle : Ne vous en faites pas, je suis là.

Mes mains pesaient à peine, je sentais la chaleur de sa peau, je me persuadais qu'elle se détendait, qu'elle m'aimait, qu'elle avait besoin de moi, qu'elle m'aimait.

Non, je ne sais pas si les Clapeau ont connu le véritable sourire de la Cheffe.

Je ne le pense pas.

Lorsque, presque anéantis d'énervement et d'anxiété, s'étant, de ce fait, involontairement composé un visage de catastrophe, effondré, solennel, curieusement pieux, ils dressèrent la table dans la salle à manger, ils semblaient tendre l'oreille non plus vers la cuisine où travaillait depuis des heures leur jeune employée, leur petite bonne de seize ans dont la promotion au poste de cuisinière leur apparaissait soudain comme une extravagance et les inquiétait à leur propre sujet, ils ne se reconnaissaient pas dans un tel emballement, ils s'en voulaient peut-être d'avoir impétueusement chargé cette fille d'une si lourde responsabilité et lui en voulaient un peu à elle de l'avoir endossée si imprudemment — non plus vers la cuisine mais vers les pins qui gardaient et encerclaient la maison, qui voyaient et savaient tout, les pins ne disaient rien.

Les Clapeau s'assirent l'un en face de l'autre à la table mise pour deux. Ils attendirent en silence, graves et perdus.

Puis la porte de la cuisine s'ouvrit, la petite silhouette décidée de la Cheffe parut devant eux et la mystérieuse, l'intime croyance dans son aptitude qu'ils avaient eue subitement, le matin même, leur revint d'un coup, ils virent le profond enchantement de son regard sombre, ils ressentirent sans en avoir conscience la véhémence de sa tension parfaitement contenue dans le visage calme, dans l'étroite poitrine où rien ne battait de visible, parfaitement contenue et s'exhalant à peine peut-être sous la forme de minuscules gouttes de sueur en lisière de son front.

Ils sentirent que la fille exultait mais que le début d'une souffrance s'insinuait dans son cœur bien dompté car elle n'avait pas appris encore à gouverner jusqu'au bout sa miraculeuse contention d'esprit, de telle sorte que celle-ci lui permette d'affronter dans un détachement calculé la terrible espérance des Clapeau puis leur réaction face à ce qu'elle leur présenterait, ce n'était pas encore le moment de trembler, elle luttait pour y résister, c'était dur, un début de souffrance s'insinuait.

Elle se montra aux Clapeau puis rentra dans la cuisine en laissant la porte ouverte.

Elle n'avait pas parlé, eux non plus.

Comme elle n'avait trouvé qu'une soupière ornée de roses peintes qui lui semblaient ne pas s'accorder du tout avec le poisson, elle apporta la soupe directement dans l'austère cocotte de fonte érodée, la posa sur la table, ôta le lourd couvercle d'un geste net.

Elle savait qu'elle heurtait la sensibilité conventionnelle des Clapeau en les condamnant à poser leurs yeux sur l'affreuse cocotte, ainsi devaient-ils la considérer, et qu'ils pourraient même s'en sentir offusqués comme d'une impulsion obscène de sa part, elle escomptait cependant que la violente, l'âpre majesté qui se dégagerait du voisinage de la cocotte vilaine, irréprochable et fière et de la nappe de lin brodée, des couverts d'argent apportés de Marmande, ôterait impérieusement aux Clapeau toute velléité de protester, étoufferait même dans l'œuf leur impression d'une inélégance, non que leur point de vue sur ce qui méritait d'être posé sur la table en serait tout à coup changé mais parce que la puissance de la cocotte (autoritairement décrétée par la cocotte même) les intimiderait en les prenant par surprise.

La Cheffe plongea délicatement la louche de service dans la soupe, alors elle recula d'un pas et retourna vers la cuisine, elle avait planifié de laisser les Clapeau se servir, il lui importait qu'ils voient la totalité du potage ocre entre les parois noires de la cocotte puis qu'ils prennent la mesure palpable de la consistance pleine et riche de cette soupe si différente de l'avare bouillon de mortification auquel les avait soumis la cuisinière de Marmande, elle tenait à leur en imposer et à se les rallier absolument, me rappela-t-elle sur un ton d'excuse et pour justifier ce qu'elle regardait, bien plus tard, comme de l'infatuation, cette volonté d'obliger les convives à admirer son travail avant de se mettre à manger.

Elle s'attacherait, ensuite, à ne rien présenter d'admirable dans la forme, rien qui puisse pousser à s'extasier mais, au contraire, des agencements de plats ou d'assiettes d'une beauté si délicate, si sobre, si rigoureuse qu'elle ne frappait le regard que si celui-ci était ouvert et préparé à un tel ravissement, s'il le désirait.

Et s'il ne le désirait pas, s'il ne remarquait pas cette beauté tenue en retrait, la Cheffe estimait que cela n'avait pas d'importance, que ce qui avait échappé au regard n'empêcherait nullement le mangeur d'apprécier son repas, de même qu'elle n'avait rien contre ceux qui engloutissaient comme s'ils ingurgitaient une nourriture de cantine, elle ne pensait pas qu'ils savouraient moindrement.

Il lui a toujours semblé que les plats d'apparence

spectaculaire dissimulaient quelque chose, et ce quelque chose ne lui plaisait pas — un orgueil inutile ou mal placé, un cri puéril, ou encore une tentative pour détourner l'attention de l'intervention première du cuisinier qui, en définitive, n'aura pas su, n'aura pas trouvé nécessaire d'essayer d'accommoder la denrée principale avec le brio qu'il tâche de jeter tout entier et vaniteusement dans un feuilletage en forme de cygne ou une stupéfiante gondole de nougatine.

La Cheffe détestait la pensée même d'en mettre plein la vue, là prenait source sa délicatesse.

Et la splendeur qu'elle composait en toute humilité sur une assiette demeurait, ai-je toujours pensé, dans les songes de ceux-là mêmes qui ignoraient l'avoir remarquée, éveillant leur âme à des harmonies d'un autre ordre, et c'était un supplément de perception et de sensibilité et la Cheffe n'en savait rien, n'en pouvait rien savoir ni ne devait un seul instant l'envisager, un prodige la traversait inconnu d'elle, elle ne devait rien savoir, rien comprendre.

Mais, lors de ce premier dîner dans la maison des Landes, elle prit soin de ne pas verser elle-même la soupe de poisson dans l'assiette des Clapeau afin qu'en se penchant au-dessus de la cocotte ils fussent forcés de constater le rude et plaisant équilibre des matières et des couleurs, le dos de cabillaud au reflet rose encore intact dans le potage lustré, les bords grenus de la cocotte ouvrière qui, dans sa féroce dignité, n'était pas honorée de contenir et de présenter la soupe raffinée, elle n'était pas gratifiée, elle acceptait d'offrir à la soupe, avec une grâce un peu rêche, la faveur de son propre et indiscutable raffinement.

La Cheffe espérait que l'assurance souveraine de

la cocotte ferait oublier aux Clapeau la soupière aux petites roses peintes, leur ferait même oublier qu'il existât des soupières aux petites roses.

Et la Cheffe espérait faire entendre aux Clapeau qu'elle n'avait nullement projeté de les offusquer, tout au contraire elle leur exprimait, en osant les mettre en présence de la cocotte, de sa puissance presque alarmante, à quel point elle avait confiance en leur discernement, ce qui n'était pas entièrement exact, la Cheffe ne comptait sur la clairvoyance des Clapeau que dans la mesure où ils arrivaient à table déjà subjugués par les pins, soumis à la nécessité de remplacer par tout moyen leur cuisinière habituelle, et usés, laminés par les pins qui les connaissaient et ne leur parlaient pas, qui savaient leurs faiblesses et leurs défauts et ne frayaient pas avec eux.

La Cheffe aurait voulu leur dire : N'ayez pas peur de la cocotte, pressentant que la cocotte n'avait tout de même pas un empire tel qu'elle puisse contrarier ou ébranler le petit monde des Clapeau, elle aurait presque voulu, d'une caresse de sa main sûre à leur front inquiet, les rassurer, les apaiser, elle aimait les voir contents.

Elle se retira dans la cuisine et s'occupa de sortir le poulet du four, tout en écoutant les menus bruits venant de la salle à manger.

Elle n'entendait rien d'autre que le tintement des cuillères sur la porcelaine des assiettes, elle savait que les Clapeau n'aimaient guère bavarder à table, qu'ils rassemblaient leur vigilance autour des sensations que leur donnaient les aliments et que, même quand ils recevaient, ils se gardaient scrupuleusement de

faire la conversation, indifférents à ce qu'en pense-
raient leurs invités.

Il sembla à la Cheffe qu'ils n'échangèrent pas un
mot lorsque, à ce qu'elle perçut, ils en eurent fini avec
la soupe. Elle en fut vaguement troublée.

Mais c'est, pourtant, figée dans cette quiétude
travaillée et protectrice qui la faisait agir imperceptiblement à l'écart d'elle-même, comme si elle
avait contrôlé et commandé son propre esprit à une
légère distance, qu'elle alla enlever les assiettes, puis
la cocotte, évitant de regarder trop directement les
Clapeau, ne pouvant s'empêcher néanmoins, à un
moment, d'effleurer du regard les yeux de madame
Clapeau qui s'étaient comme timidement levés vers
elle et qui se baissèrent aussitôt en laissant dans leur
sillage un éclat d'effarement, et la Cheffe put constater que les assiettes avaient été vidées et qu'il ne restait qu'un fond de soupe dans la cocotte, ce qui la
rassura mais la rendit plus perplexe au sujet de cette
lueur jaillie des yeux de madame Clapeau et qu'il
lui paraissait voir briller faiblement encore entre elle
et sa patronne, cet effroi ne faisait-il pas d'elle, la
Cheffe, une jeteuse de sorts ?

Elle apporta dans son plat de cuisson (une fonte
émaillée rouge sang) l'énorme poulet saccagé puis
ressuscité à la manière d'une blague sauvage, entouré
des petits légumes encore tout crépitants dans la
graisse peu considérable, dorée, parfumée, qu'avait
sécrétée avec conscience, avec honneur l'admirable
poulet des Joda.

Gardant le plat entre ses mains, elle offrit brièvement à la contemplation la peau cuivrée luisante,
tendue à craquer sur les filets gonflés par la farce, sur

les membres anormalement enflés, elle voulait que les Clapeau croient s'assurer qu'il s'agissait d'une simple volaille au four afin de donner tout son relief à la mystification, tout son lustre à sa propre virtuosité de magicienne, m'avouerait la Cheffe avec effort, avec une honte que je lui ai rarement vue quand elle me racontait une histoire.

Puisque, après avoir remporté le poulet à la cuisine pour le découper, dresser chaque morceau sur un grand plat de faïence verte, une fois qu'elle l'eut posé sur la table, monsieur Clapeau s'écria à la seule vue de l'étrange chair débordante : Elle a fait un cromesquis du poulet tout entier ! et madame Clapeau émit avec la gorge un bruit qui fut loin de rasséréner la Cheffe, qui faillit même entamer son sang-froid et qui immédiatement lui apparut comme la réplique sonore de la mince flamme d'épouvante qu'elle se figurait voir brûler encore vive et agitée entre le visage de madame Clapeau et son visage, la désignant comme une petite sorcière sans moralité, non parce qu'elle avait humilié le beau poulet des Joda mais parce que, ressentit confusément la Cheffe, elle se permettait d'exhiber l'emprise qu'elle pensait avoir sur les Clapeau, qu'elle avait sans conteste à présent, que madame Clapeau ne disputait pas plus qu'elle ne luttait contre l'ascendant glacial des pins, qu'elle aurait préféré cependant, madame Clapeau, sentir flottante et tacite autour d'eux, pas exposée crûment sur un plat de faïence verte, dans une cocotte impudente, alors une prison se refermait sur eux et madame Clapeau, rompue, frissonnait.

La Cheffe songea rapidement : Je suis allée trop loin, mais elle n'était pas allée trop loin, elle était allée jusqu'au point au-delà duquel les Clapeau ne pourraient se libérer d'elle.

Il fallait seulement à madame Clapeau un temps d'adaptation.

D'un air indécis monsieur Clapeau fixa le visage penché et sans joie de sa femme, puis il murmura vers la Cheffe : C'est très bien, c'est très bien, et lui à qui le nouvel aplomb de la Cheffe n'avait pas encore suggéré quelle influence cette fille de seize ans aurait désormais dans leur vie, l'effroi de madame Clapeau le lui fit entrevoir, mais il était vaincu déjà, ils étaient vaincus tous les deux et, dans une sorte de dégoût, de rancune, ils étaient asservis, ils étaient consentants.

Mal à l'aise mais bonhomme il ajouta : Vous saviez donc que j'adore les cromesquis ?

Madame Clapeau lui lança un regard de surprise légèrement écœurée, sembla-t-il à la Cheffe, empreinte aussi d'une pitié distante, ils étaient captifs, il essayait de composer avec la fille, allait-il s'arranger avec les pins, avec la fille, avec ces forces envoûteuses ?

La fille avait vécu chez eux, près d'eux, maintenant elle était en eux.

Il leur fallait y acquiescer avec un minimum de dignité.

La Cheffe épargna à monsieur Clapeau la gêne d'une réponse, elle fila souplement vers la cuisine où, secouée, ravie d'une façon qu'elle n'avait jamais éprouvée, impitoyable, presque cruelle, elle ouvrit la petite fenêtre et, allongeant le cou, pressa son front contre l'écorce du gros pin, le pin se taisait mais la Cheffe n'attendait rien de lui, il ne pouvait rien lui apprendre, songeait-elle avec une froide hardiesse,

132

qu'elle ne sût déjà, quoi qu'elle pensât le pin se taisait, l'écorce lui meurtrissait le front.

Vous me demandez ce que buvaient les Clapeau ?

Certainement, oui, ils avaient apporté leur vin de
Marmande. Ils ne buvaient que du rouge, et toujours
le même, château-léhoul, un graves, ils prétendaient
que le blanc leur faisait faire des rêves désagréables.

Je crois qu'ils avaient craint d'ajouter une autre
passion à celle qu'ils avaient pour la cuisine et que,
se connaissant, se réfrénant sur ce plan car ils n'en
concevaient pas de trop grande frustration, ils
avaient résolu depuis longtemps de ne plus penser au
vin, de ne surtout pas se laisser envahir par la curiosité et le goût du vin, ils avaient arrêté leur choix sur
ce bon léhoul et oublié tous les autres.

La suite et la fin de ce premier dîner dans la maison des Landes, bien que la Cheffe me les eût relatées
assez succinctement car elle n'y voyait rien de saillant
(mais j'avais appris à me méfier d'une désinvolture
trop ostensible chez elle quand elle voulait dévier
mon intérêt d'un point précis sans renoncer pour
autant, par honnêteté, à raconter, comme je connaissais bien chaque oscillation de son cher visage !), me
paraissent s'être distinguées par la détermination
instinctive dont firent preuve les Clapeau pour s'oc-
troyer une certaine liberté entre les bornes de leur
soumission et, ce faisant, pour sortir de l'état de stupeur, que l'appréhension faiblement atténuait, où
les avaient précipités la révélation et l'acceptation
contrainte, éblouie de l'autorité de la fille, de son
élection, ils avaient souhaité cela et l'avaient redouté
sans le savoir, comment aspirer à se sentir soudain
petit et trop aimant ?

Oui, oui, ce n'est rien de dire que la soupe et le poulet leur avaient plu.

Mais, sidérés, enchantés, ils n'avaient pu vraiment juger et déguster, les forces leur avaient manqué, l'application s'était dissoute, ils avaient mangé comme ils détestaient le faire, entraînés par un plaisir que leur esprit désorienté ne canalisait pas, c'est ce qui leur causait toujours de tels remords après, ils désiraient parfois pouvoir se dégoûter à jamais de la nourriture.

Cette latitude dans leur cage, la tarte aux pêches leur permit de la conquérir modestement, c'est pourquoi la Cheffe, en toute sincérité, ne garda pas le souvenir d'avoir échoué avec sa tarte aux pêches, elle avait compris spontanément le besoin viscéral des Clapeau de se mouvoir de nouveau, fût-ce dans un espace réduit et sous l'œil supérieur de la fille, et que la tarte aux pêches leur en fournît l'occasion lui semblait tolérable, peu important, ce n'était qu'un dessert.

Ainsi laissa-t-elle les Clapeau traiter comme une bizarre plaisanterie la tarte aux pêches et verveine à peine sucrée.

Ils auraient ensuite une délectation particulière, frénétique, à décrire à leur entourage leur ébahissement devant cette tarte absurde, ils raconteraient de manière à rendre comique ce qu'ils présenteraient comme leur consternation, croyant dissimuler ce qui s'était emparé d'eux par ailleurs, le pouvoir de la fille, ce qui les assujettissait.

Mais leurs éclats sonneraient faux, leur récit ne ferait pas rire, les Clapeau n'étaient, au fond, que d'innocentes personnes, d'assez bonnes personnes, ils n'étaient pas habiles à tromper leur monde, leurs éclats sonneraient faux.

Ne serait flagrante que l'étendue de leur propre incompréhension devant ce qu'il était advenu d'eux, à quel point ils ne se retrouvaient pas en ce qu'ils étaient, tout en y consentant.

Après s'être étonnés franchement de son aspect, ils avalèrent quelques bouchées réticentes de tarte aux pêches, puis, une fois la Cheffe revenue près de la table, ils grimacèrent complaisamment, repoussèrent leur assiette, manifestant un tel soulagement de ne plus se sentir terrifiés et stupides qu'ils avaient l'air soudain grisés, quoique timidement, prêts à regagner leur mutisme craintif si la Cheffe semblait s'irriter de leur réaction (tant ils craignaient déjà qu'elle ne veuille plus cuisiner), et la Cheffe en fut émue, elle eut envie de les serrer contre son cœur.

C'est un drôle de dessert que vous nous avez fait là, dit monsieur Clapeau, prenant de l'assurance.

Il rit pour bien montrer qu'il ne s'agissait pas d'un reproche, il rit encore pour que la fille fût certaine qu'un reproche ne franchirait jamais ses lèvres.

Quoi qu'elle eût voulu signifier avec son immangeable tarte aux pêches, il ne se permettrait pas de le critiquer, et s'il s'autorisait à rire, c'était en supposant qu'elle avait peut-être tenté une bizarre plaisanterie, il n'irait en tout cas jamais plus loin dans l'expression de sa confusion, voire de sa déception quand il s'avérait qu'il n'y avait pas d'autre dessert.

Alors la Cheffe rit aussi, elle désirait qu'ils sachent qu'elle avait de l'affection pour eux, pas le moindre mépris, qu'elle n'était pas du côté des pins obscurs et taiseux, elle aimait parfois presque tendrement les Clapeau, dans leur faiblesse.

Alors elle rit avec eux.

Elle goûta la tarte aux pêches et la trouva parfaite, elle prétendit que ce n'était pas encore tout à fait cela.

La bouche pleine, elle riait, sachant qu'au-dehors les pins la désapprouvaient, eux qui n'avaient pas tant de bonté.

Oui, je lui ai posé la question et, à de légères modifications près, il s'agit bien de la tarte aux pêches qui est aussi réputée, parmi les plats les plus connus de la Cheffe, que le gigot en habit vert ou le foie gras sur radis noir et betterave rouge, et la Cheffe a toujours éprouvé un plaisir spécial à confectionner et à voir réclamer cette tarte aux pêches qui avait été l'occasion, dans la maison des Landes, d'une hilarité bienvenue avec les Clapeau, elle avait même de la gratitude pour la tarte aux pêches qui avait accordé aux Clapeau la mince émancipation sans laquelle ils n'auraient peut-être pas résisté, les années suivantes, à une telle dépendance vis-à-vis de la fille, oui, il s'agit bien de cette tarte aux pêches renommée, oh les Clapeau seraient peut-être devenus tout à fait fous, la Cheffe n'en était pas entièrement consciente.

La tarte aux pêches que nous connaissons s'est enrichie de fines tranches de melon d'Espagne cru et la Cheffe est passée à une pâte feuilletée, cependant c'était pour elle la tarte de la maison des Landes, le seul dessert que je l'aie vue manger avec appétit, par ailleurs la Cheffe n'avait pas un tempérament nostalgique.

C'était une manière intime, secrète, d'adresser aux Clapeau un salut affectueux au-dessus de la mort qui les séparait, voilà un signe qu'elle pouvait leur faire tandis que sa main ne se levait jamais vers ses parents, ne s'agitait jamais doucement vers les deux petites âmes jointes de ses parents, c'était trop de souffrance, en effet.

Les deux mois d'été dans la maison des Landes furent employés, pour la Cheffe, à cuisiner au plus haut degré de ses capacités afin, pensait-elle, de consolider sa position dans l'esprit des Clapeau, bien que ce fût superflu en vérité, et pour les Clapeau à conduire la fille chez tous les commerçants, dans toutes les fermes des environs, puis à attendre dans la maison dont le cœur battait dans la seule cuisine, la maison repliée et inutile et délaissée, que la fille annonçât le repas.

Et alors que les Clapeau s'étaient trouvé, les étés précédents, de vagues occupations et qu'ils avaient tenu à faire venir leurs enfants pour quelques semaines, leur nouvelle dévotion à la fille semblait avoir tracé un cercle brûlant autour de la maison, ils n'en franchissaient plus le seuil que pour monter en voiture avec la fille et, par ailleurs, quand leurs enfants annoncèrent leur arrivée, les Clapeau furent saisis d'une panique singulière, d'une lassitude invincible, ils repoussèrent toute visite au prétexte d'un imaginaire dégât des eaux dans les chambres à coucher, ils voulaient farouchement être seuls et farouchement s'adonner à la connaissance, à la compréhension de cette cuisine, inhabituelle pour eux, que leur inventait la fille.

Quand nous en parlions, la Cheffe avouait qu'ils s'étaient retrouvés pris tous les trois, même si elle dans une moindre mesure car le labeur lui gardait son équilibre, dans un tourbillon d'exaltation qui les soulevait au-dessus d'eux-mêmes sans jamais les faire redescendre, les épuisant sans qu'ils s'en rendent compte, et la conscience des devoirs inouïs de sa fonction vis-à-vis d'eux comme la conscience qu'avaient les Clapeau de la vénération qu'ils lui devaient auraient fini par les anéantir, reconnaissait la Cheffe, si le séjour dans les Landes avait duré plus longtemps, s'ils étaient demeurés dans cette violente, cette fanatique solitude à trois, leur cœur dévoré par celui de la maison qui battait dans la seule cuisine.

Entraînée à un niveau plus modéré de la turbulence, il n'en semblait pas moins à la Cheffe, le soir, dans son lit, que ses efforts pour servir chaque jour aux Clapeau des plats qui surpassent ceux de la veille en inspiration et en saveur étaient de nature à lui faire perdre temporairement la raison, l'avait-elle encore tout entière lorsque des visions d'aliments et de vaisselle envahissaient maintenant ses rêves et qu'elle se réveillait en sursaut, anxieuse car une voix digne de foi lui avait soufflé que la sauce à l'ail, crème et jaunes d'œuf était en train de bouillir?

Elle se levait pourtant le matin dans un état d'impatience paisible, de tranquille allégresse à la perspective de se mettre au travail, les carreaux de ciment étaient tièdes et râpeux sous ses pieds nus et les pins à présent familiers n'étaient pas mécontents de l'accueillir, elle parlait à mi-voix, elle était bien, les pins étaient bien eux aussi.

C'est au cours des heures qui suivaient, quand les Clapeau se levaient à leur tour et qu'elle leur apportait le café et tout le nécessaire depuis cette petite cuisine où ils n'osaient pas pénétrer, qu'elle sentait peu à peu la tourmente la hausser de nouveau, elle devait alors résister à l'excitation intense, préjudiciable que répandaient innocemment les Clapeau égarés, ils n'étaient parfois que des enfants, songeait-elle, dont elle avait à prendre soin, et c'était la juste contrepartie de leur renonciation à eux-mêmes, et elle était responsable des Clapeau comme on l'est des animaux dont on est le maître, des enfants dont on a la charge, elle serait comptable de leurs dérèglements et de leurs fautes, de leurs peines, de leur vertige s'ils ne se possédaient plus.

Qu'elle ait pu penser devoir affermir sa position auprès des Clapeau lui apparaissait alors comme une sottise. N'était-ce pas eux, bien plutôt, qui devaient affermir leur position auprès d'elle, qui devaient s'employer à ne pas lui déplaire, n'était-ce pas eux qui éprouvaient le besoin le plus grand, qui vivaient dans une espérance perpétuellement à reconduire?

C'est quand nous nous trouvions tous les deux dans la cuisine remise en ordre, bien après minuit, et que la tête me tournait d'une bonne fatigue, que j'aimais demander à la Cheffe de se rappeler quels plats elle avait préparés dans la maison des Landes, et j'emportais ensuite leurs noms et leurs descriptions jusque dans mon studio de Mériadeck où ils consolaient avec amitié les minutes toujours cafardeuses de mon endormissement.

La Cheffe le savait certainement, elle prenait alors une voix plus douce et plus basse, presque chantonnante, pour égrener la liste, comme si elle souhaitait que je retienne avec les noms les vertus apaisantes de son intonation et qu'ainsi ce soit elle qui me berce près de mon lit, elle veillait si bien sur moi que j'ai eu souvent la tentation de croire qu'il s'agissait d'amour, d'un amour entre un homme et une femme et non pas d'une mère envers un jeune garçon, puis j'ai cessé d'y croire ou de me le demander pour me contenter de l'espérer, j'ai attendu le cœur patient et loyal qu'elle m'envoie un signe limpide, il n'est pas venu, ou peut-être si mais au moment où ma loyauté avait fléchi, ce que je ne me pardonne toujours pas, et je n'ai pas su le recevoir.

Mais, face à mon regard curieux et inoffensif dans la cuisine au repos, la Cheffe prenait plaisir à me contenter, et c'est dans un ordre à chaque fois différent qu'elle me disait avoir cuisiné pour les Clapeau de la cane rôtie au jus de myrtilles, des raviolis de saumon frais, du lapin de garenne confit, de la fricassée de fenouil et de carottes au miel de lavande, une dorade royale farcie d'aubergines et de pistaches, des beignets de chou-fleur à la sauce piquante, des pigeons à la pomme et au chou rouge, des maquereaux à l'ail, du foie gras en escalope sur une compotée de figues blanches, des champignons à la farce de joue de bœuf, des ris d'agneau à l'oseille, des crevettes sautées au poivre et au genièvre, une salade de pourpier et de foies de poulet, une crème d'amandes amères, des œufs au lait de chèvre, tous plats qu'elle préparait pour le dîner et dont elle accommodait les restes au déjeuner du lendemain, étant convenue avec les Clapeau qu'elle n'élaborerait pas deux repas dans la journée.

Cet arrangement avait été décidé pour lui permettre, disaient les Clapeau, de souffler un peu, en vérité elle ne soufflait aucunement, me confiait la Cheffe dans un petit rire, tant elle s'ingéniait à transformer les restes en plats surprenants, à leur donner l'air d'avoir été préparés tout exprès pour ce qu'ils devenaient, ainsi des maquereaux dont elle faisait une terrine aux herbes fines, des pigeons utilisés pour un feuilleté, du lapin de garenne passé dans une gelée aux petits pois, et ce travail de chaque matin, non, ne la délassait en rien, lui demandait même plus de fantaisie encore, me disait la Cheffe à qui l'énergique créativité de cette fille de seize ans en imposait toujours plusieurs décennies plus tard, dans la cuisine qui reposait dans la nuit et où, tous les deux, nous parlions intimement, et son esprit comme le mien se trouvaient tout autant dans la petite cuisine des Landes que j'ai connue par la suite, où je me suis introduit autrement qu'en pensée, sans jamais le lui dire.

Mes amis de Lloret de Mar ont plaisir à consacrer une grande part de leur temps infini à cuisiner des plats compliqués et comme j'ai pris soin de ne dire à personne quel était mon métier je leur apparais comme un de ces hommes incapables de faire cuire quoi que ce soit et habitués à manger n'importe quelle cochonnerie, je crois que j'ai laissé entendre que j'avais été libraire, je ne me rappelle plus très bien. Ils me regardent manger leurs préparations sophistiquées avec un air d'attente condescendant, ne croyant pas que j'aie le palais assez subtil pour savourer ces mets au niveau qu'ils pensent mériter, de fait je me contente de « hummm ! » réjouis, je ne commente jamais, il me serait trop douloureux de parler cuisine à Lloret de Mar, mes amis ne me connaissent pas.

Car le jour où j'ai roulé jusqu'à Sainte-Bazeille pour essayer de repérer la maison où la Cheffe avait vécu, j'allai également jusque dans les Landes, cet après-midi d'été, et je garai ma voiture au bord de la route, à l'entrée du long chemin de sable qui menait à la maison entre les troncs écaillés des pins très hauts, ces pins-là, me disais-je avec émotion, ceux-là mêmes qui avaient vu la Cheffe naître à la cuisine, ces pins redoutables.

Je marchai jusqu'à la maison puis, m'interdisant de réfléchir pour ne pas me priver de l'audace nécessaire, j'appuyai sur la poignée de la porte et la porte s'ouvrit et j'entrai, sans savoir si les vacanciers, probablement, qui l'habitaient étaient là en ce moment, je me dirigeai vers la petite cuisine d'un pas aussi assuré que si j'étais déjà venu dans cette maison, ce qui était le cas en un sens, je la connaissais si bien que je m'étais amusé à la dessiner dans mon cahier de recettes et voilà que je découvrais mon modèle, rien ne me surprenait.

Le sol carrelé de la cuisine était couvert de sable, la vieille table sale et poussiéreuse. L'énorme pin devant la fenêtre ne laissait passer qu'une lumière cendreuse, alors le pin s'adressa à moi et je compris, jetant mes yeux affolés vers les murs aux étagères arrachées, vers le plafond d'où pendait une ampoule brisée, que personne n'avait cuisiné ici depuis bien longtemps, que la maison était morte, c'est ce que le pin me souffla dans un chuchotement tout à fait dénué de gentillesse et qui, par ailleurs, me recommandait de décamper.

Je me hâtai de sortir, courus sur le chemin, tous les pins susurraient maintenant mais je m'obligeai à ne pas tenter de les comprendre car ils ne me voulaient aucun bien, de cela j'étais sûr et je le rapportai au sentiment de trahison que j'éprouvais soudain, qu'à vrai dire j'avais déjà éprouvé la veille en pen-

sant à la démarche que j'avais décidé de faire secrètement, j'avais chassé cette impression et elle me
revenait comme je courais vers ma voiture, et j'en
aurais pleuré de honte.

La Cheffe aurait été horrifiée d'apprendre que
j'étais allé rôder sur les lieux de son histoire, je le
savais depuis le début et c'est pourquoi je ne lui en
avais pas parlé, mais les pins m'accusaient légitimement, comment peut-on prétendre aimer et trahir
par indiscrétion, n'étais-je pas un homme qu'elle
croyait fiable ?

Une fois à l'abri de ma voiture, il m'apparut
évident que les pins ne m'avaient pas traité trop
rudement et que j'aurais pu trouver la porte incor-
ruptiblement fermée pour moi à l'instant de sortir, et
toutes les fenêtres bloquées par des pins courroucés :
Eh bien, cuisine maintenant !

Et il n'aurait plus été question de faire le malin,
et fini pour toi les petites manigances de détective,
me dis-je en reprenant la route, encore sous le coup
d'une telle frayeur que ma honte et mes remords s'en
accroissaient d'autant, je sentais néanmoins, comme
les pins fuyaient puis disparaissaient dans mon rétro-
viseur, que mon sang-froid recouvré ranimerait très
vite mon lancinant, mon épuisant désir de connaître
toute la vie et toutes les stations de la Cheffe, de
connaître d'elle plus et mieux qu'elle-même, je son-
dais mes sentiments pour m'assurer de la parfaite
probité de ce désir qui accaparait une part si large
de mes pensées, je voulais paraître, malgré d'inévitables cachotteries, dans toute mon honnêteté devant
la Cheffe, c'était ardu, c'était torturant — dans la
vérité de mon être tout entier devant la Cheffe, oui.

143

Le retour à Marmande, en septembre, signa le terme de cette période de claustration dans la petite maison des Landes et dans l'obsession culinaire, et la Cheffe s'en trouva soulagée, non parce qu'elle était exténuée, elle n'a jamais pris garde à sa fatigue, mais parce qu'elle commençait à ressentir avec répugnance ce à quoi elle a toujours tenté de se dérober, la menace d'une atmosphère sensuelle autour d'une cuisine riche et succulente, qui flottait autour des Clapeau sans qu'ils en fussent conscients ni responsables, comme, au-dessus de la tête d'un enfant ou d'un jeune animal, une nuée de désirs troubles, inévitables, gênants quoique irrépréhensibles et profondément innocents.

Il semblait à la Cheffe que l'oxygène de la petite maison était peu à peu pompé par les émanations érotiques que son travail suscitait et entretenait malgré elle, elle en était excitée et démoralisée, il lui tardait d'en finir, les Clapeau étaient étourdis, amoindris, il lui tardait d'en finir avec leur inconséquence.

Les quelques obligations sociales que les Clapeau avaient à Marmande les éveillèrent de leur enchantement sans leur faire oublier ce qu'ils devaient à la fille ni combien elle leur était à présent indispensable.

Et quoique ce fût une grande épreuve pour eux, ils lui conseillèrent d'aller se reposer deux ou trois jours chez ses parents, en perspective de quoi la Cheffe leur prépara plusieurs repas qu'ils n'auraient plus qu'à réchauffer, et les Clapeau la pressèrent de tripler les quantités afin qu'elle pût emporter une partie de tous les plats à Sainte-Bazeille et monsieur Clapeau la conduisit là-bas en voiture avec les casseroles et les cocottes bien fermées dans le coffre, les Clapeau étaient fiers d'elle comme de leur propre fille, ils avaient envie qu'on admirât ses talents, et les parents de Sainte-Bazeille en premier lieu.

La Cheffe apportait des paupiettes de bœuf farcies de poireaux et d'épinards, une terrine de canard aux amandes, un bouillon de poule aux boulettes de fromage et aux boulettes de pintadeau, et, pour ses jeunes frères et sœurs, trois dizaines de beignets de maquereau fumé, quel festin, dis-je un peu sottement et avec une involontaire condescendance, et la Cheffe eut son petit sourire oblique, hésita, me raconta enfin qu'elle n'avait pas eu à Sainte-Bazeille le succès espéré, que ses parents, sans le dire, auraient préféré qu'elle arrivât les mains vides et non pas chargée de mets qu'ils trouvèrent sans doute excessivement raffinés et, de façon obscure, inquiétants.

Eux-mêmes avaient préparé en l'honneur de sa venue les plats simples qu'elle avait aimés et aimait encore, une soupe de légumes, de la semoule aux raisins secs, un civet de lapin au sang et aux lardons, l'élégante excentricité de ce qui entrait chez eux les déconcertait, l'effort leur semblait gaspillé, extravagant, le travail de leur fille profondément inutile.

Ils n'eurent pas un mot indélicat mais la prudence de leurs commentaires ou, inversement, l'excès de leurs éloges sur des aspects mineurs, comme l'émail bien poli des cocottes de Marmande, marquèrent assez clairement leur désapprobation embarrassée, je ne sais s'ils désapprouvaient précisément, ce n'était pas dans leur caractère, mais ils ne pouvaient approuver ni comprendre d'aussi vaines performances et cela les tracassait.

Et la Cheffe qui avait eu l'impression, quelques mois auparavant sur la route de Marmande, de ternir le cœur de ses parents par la seule sophistication de ses pensées, n'avait pas imaginé un instant qu'elle pourrait se sentir subtilement corrompue en venant leur montrer ce qu'il y avait de meilleur en elle, elle le voyait ainsi, ce qu'il y avait de plus sincère, de plus fécond, de plus généreux.

Elle en fut abasourdie. Quel bizarre, quel inexact reflet d'elle-même dans le regard un peu fuyant de ses parents !

Ses frères et sœurs n'apprécièrent pas les beignets de maquereau fumé, l'ensemble des plats fut goûté avec contrainte puis ignoré dans une atmosphère de désarroi affligé et c'est presque intacts qu'ils réintégrèrent le coffre de monsieur Clapeau deux jours plus tard, la Cheffe s'en allait soulagée, triste cependant mais pas abattue, elle savait que l'erreur était de la croire dévoyée, l'erreur n'était pas de son côté.

Je vois l'indice de la maturité nouvelle de la Cheffe dans sa muette assurance face à ses parents qui avaient encore, à l'époque et sur d'autres plans, le pouvoir de la dévaster d'un simple regard surpris ou gêné, leur perplexité devant sa cuisine ne pouvait plus l'atteindre ni leur incomparable ingénuité lui apparaître comme l'unique façon de mener une vie droite.

Sans leur retirer quoi que ce fût, elle jugea qu'elle ne leur cédait en rien, cette découverte d'abord lui blessa les yeux puis la pénétra, l'illumina doucement de l'intérieur.

Les Clapeau lui apprirent qu'en son absence l'ancienne cuisinière était revenue, comme si de rien n'était, dans l'intention de reprendre sa place et qu'ils avaient dû la mettre au courant de la situation, si étonnés de la revoir qu'ils s'étaient empêtrés au début dans leurs explications mais, très vite, la solidité de leur engagement vis-à-vis de la Cheffe avait amené à leurs lèvres des mots définitifs, ils avaient cessé d'expliquer quoi que ce fût, se contentant de dire que la fille avait la place maintenant, et cette phrase avait pour eux valeur de diktat, il leur semblait qu'ils auraient diminué la fille, qu'ils l'auraient rendue ordinaire s'ils s'étaient lancés dans la justification de ce nouvel état de fait, la fille a la place maintenant.

La cuisinière s'était fâchée, elle n'avait pas osé insulter les Clapeau mais elle avait jeté un terrible anathème sur la fille, ce qui n'impressionna guère les Clapeau.

En revanche cela affecta la Cheffe que jamais personne n'avait maudite, elle en devint, disait-elle, imperceptiblement plus dure, comme pour se garder des effets éventuels de cette imprécation et pour que les mots tournés contre elle butent sur le roc très fin qui protégerait son courage et sa volonté dorénavant, quelque chose de têtu, d'abrupt s'incarna en elle, elle se ramassa comme un petit taureau sur son corps dense, opaque et résolu.

Puis commença la seconde période de sa vie à Marmande.

Les Clapeau embauchèrent pour l'épauler en cuisine une de leurs parentes âgées, légèrement dérangée mentalement mais qui s'acquittait fort bien du travail que la Cheffe avait effectué elle-même auprès de l'ancienne cuisinière, laver, éplucher, trancher les légumes, découper la viande, écailler et vider les poissons, nettoyer et sécher au fur et à mesure les ustensiles, suivant avec une application touchante les recommandations de la Cheffe qu'elle entoura aussitôt de toute sa piété démesurée, ardente de femme désaxée et solitaire, et la Cheffe apprit à donner des ordres et à s'exprimer très clairement car la compréhension de mots élémentaires réclamait déjà un effort à son assistante, la Cheffe assimila cela et ne l'oublia jamais — des consignes limpides, ne pas crier ni terroriser, ne s'en prendre qu'à soi quand la directive est mal comprise, la femme avait l'esprit trop simple pour faire preuve d'initiative, alors exiger de quelqu'un uniquement ce qui est à sa mesure, et la Cheffe l'apprit dans sa cuisine de Marmande et n'y contrevint jamais, elle était sèche parfois, jamais en furie ni hors d'elle-même.

L'un de ses plus vifs plaisirs était d'aller en ville pour choisir les meilleures denrées et elle acquit bientôt un œil aigu pour juger du caractère et de la valeur de ce dont elle avait besoin, elle savait demander ce qu'elle voulait au boucher, d'abord en lui décrivant la forme, la consistance et la saveur des morceaux, ensuite elle retint leurs noms, elle apprenait vite et oubliait peu et elle se formait ainsi en travaillant, en expérimentant, en se trompant de temps à autre, ce que les Clapeau hypnotisés ne lui reprochèrent jamais quand ils s'en rendaient compte, pas davantage qu'ils ne se lassaient ou s'impatientaient de retrouver au menu plusieurs jours d'affilée une même recette que la Cheffe s'acharnait à vouloir réussir, elle restait apparemment flegmatique devant l'échec ou le demi-succès, elle se montrait en réalité d'une ténacité intransigeante, d'une détermination glaciale et forcenée là où, parfois, il aurait été plus judicieux de laisser de côté la préparation récalcitrante, soit pour y revenir dans une intention légèrement modifiée et prendre par surprise sa propre sagacité enrayée, soit pour se donner le temps de comprendre que l'idée n'était pas bonne, la Cheffe n'était pas forte à ce jeu.

Quand je crus pouvoir penser que nous étions amis, il m'arriva, devant l'affolante obstination de la Cheffe à venir à bout d'une recette qu'elle avait imaginée et qui ne la satisfaisait pas, de suggérer qu'il valait peut-être mieux renoncer que d'essayer de mater des éléments aussi rétifs (car je pensais que le refus d'obéissance des ingrédients contenait la réponse à la question sur le bien-fondé d'une recette) mais la Cheffe n'en tint jamais compte, elle m'écoutait sans rien dire, déterminée à poursuivre, à recommencer indéfiniment s'il le fallait, jusqu'à avoir raison devant elle-même.

L'unique concession qu'elle ait faite à mon opinion fut de reconnaître que ces plats conquis dans l'entêtement et le dogmatisme, dans l'épuisement de la matière, ne comptaient pas parmi ses meilleurs, elle leur conservait d'ailleurs une sorte d'étrange rancune et n'aimait guère les préparer, elle aurait aimé encore moins cependant se rappeler qu'elle n'avait pas vaincu leur résistance, la Cheffe était ainsi, non point belliqueuse mais, si combat il y avait, ne lâchant jamais prise.

Elle servit trois fois de suite aux Clapeau des pieds de porc en gratin avant de réussir la sauce exacte selon son hypothèse, une réduction au vin blanc liquoreux et à la crème dans laquelle elle mixa quelques feuilles de laurier fraîches, après quoi il ne fut plus question de cette sauce et très peu de pieds de porc, sauf lorsque monsieur Clapeau, qui avait adoré le plat, de temps en temps le lui demandait.

La Cheffe préférait cuisiner selon ses propres plans mais elle ne renâclait pas devant les souhaits timidement exprimés des Clapeau, elle aimait leur faire plaisir, qu'ils s'endorment contents tandis que, dans sa petite chambre au-dessus de la leur, elle réfléchissait à son travail, si excitée parfois qu'elle ressortait de son lit, descendait à la cuisine et marchait à travers la grande pièce en se représentant concrètement ce qu'elle allait exécuter le lendemain puis, plus vaguement, tous les jours à venir et toutes les années encore après, il lui paraissait, dans un vertige presque pénible, qu'elle n'aurait jamais assez de toute sa vie pour réaliser la cuisine infiniment variée, énigmatique, fertile qu'elle avait en tête, et il existait tant de produits qu'elle ne connaissait pas encore, et sa pensée abondante concevait des images abstraites et belles de structures accomplies auxquelles elle voulait, elle le sentait, que sa cuisine s'apparente, mais elle ne comprenait pas elle-même ce que cela signifiait, il était trop tôt dans sa vie et dans son expérience pour mettre le doigt dessus, elle y songeait sans cesse, il était trop tôt cependant et elle s'agaçait d'être si jeune, si novice encore, elle craignait sans raison qu'il ne fût éternellement trop tôt.

Ce que je voyais, me dit-elle un jour, j'avais peur de ne pas réussir à l'atteindre.

Et quand je lui demandais à quoi ressemblait ce qu'elle voyait, elle esquissait des formes sibyllines dans l'espace, m'expliquant sans beaucoup de net-

ambitieuse

teté qu'elle était en quête de compositions idéales telles qu'elle en serait elle-même ébahie, comme si une autre plus douée et en tout point supérieure les avait créées, et ne saurait dire que : C'est exactement ça — sans pouvoir éclaircir quel était le ça dont il s'agissait car même le terme de perfection semblerait réduire la portée de l'émotion éprouvée, voilà ce à quoi aspirait la Cheffe, au point d'en suffoquer d'impatience, d'espoir et de crainte dans la cuisine de Marmande, et à quoi la Cheffe aspirait encore et toujours dans la cuisine de son restaurant, bien plus tard, quand elle dessinait de ses mains sûres je ne sais quelles sphères dans l'espace, alors elle ne suffoquait plus mais son regard se chargeait de douleur, j'avais envie de la toucher, je n'en faisais rien, je le fis à la fin seulement puisque, quoi qu'on en ait dit, quelque désolation que j'aie ressentie moi-même, elle trouva ce qu'elle avait poursuivi durant toute son existence, je pouvais alors poser doucement ma main sur son épaule sans avoir l'air de vouloir sottement la consoler.

Cette douleur n'était pas de celles qui se laissent consoler et pourtant la Cheffe ne se montrait pas réticente à me parler de ce qu'elle recherchait depuis si longtemps, tandis qu'elle demeurait fermée ou très évasive sur des sujets ne relevant, au bout du compte, que de l'information.

C'est ainsi que je ne pus savoir à quel âge exactement elle quitta la maison des Clapeau pour aller vivre dans un petit appartement de Marmande ni si elle épousa l'homme qui l'avait mise enceinte de sa fille, ni quel était cet homme, bien que j'aie mon idée là-dessus, ce n'est qu'une conjecture et, comme vous le voyez, je suis prudent mais ma conviction est établie.

Quand je demandai à la Cheffe si cela n'avait pas été trop difficile de quitter la maison des Clapeau, elle haussa les épaules.

J'en avais assez de ma petite chambre, tu sais, répondit-elle.

Je m'enhardis à lui demander si, tout de même, il n'avait pas été délicat pour elle à l'époque, la toute fin des années soixante, de mettre au monde un enfant qui n'avait pas de père officiel, je sentis que je la contrariais et, avant d'entonner sa morne et factice rengaine sur ses joies de mère, sur la chance qui était la sienne d'avoir pour fille une personne exceptionnelle, elle me lança d'un air mécontent : Qu'est-ce que tu en sais, que je n'étais pas mariée ?

Connaissant le dédain de la Cheffe pour l'opinion d'autrui à son propos, j'ai toujours pensé qu'elle voulait, au fond, non pas faire croire qu'elle avait été mariée, non pas donner ainsi une image de respectabilité qui lui était indifférente mais au contraire dissimuler qu'elle avait bien été mariée ou, tout au moins, laisser dans le flou cette faiblesse peu gratifiante qu'elle avait eue d'épouser le père de son enfant, un homme qu'elle n'avait jamais aimé, jamais estimé, le jardinier des Clapeau, oui, sans doute éprouvait-elle tant d'humiliation à l'idée qu'elle avait permis à ce sale type de la toucher et de la pénétrer, voire qu'elle l'avait peut-être désiré, encouragé, qu'elle ne pouvait l'avouer même à quelqu'un qui, comme moi, ne savait rien de cet homme et n'avait donc aucun motif d'être choqué ou dégoûté à cette idée.

Ce sont précisément ses omissions et son embarras

qui m'ont mis sur la piste du jardinier, après quoi j'ai correspondu avec un parent des Clapeau qui m'a dit se rappeler que le jardinier s'était marié l'année de la naissance de la fille de la Cheffe, sans qu'il pût assurer cependant que c'était bien la Cheffe qu'il avait épousée.

Quant à la fille, elle prétend toujours être née de père inconnu mais, venant d'un être si avide de légendes, si préoccupé de passer pour un enfant auquel sa mère n'avait cessé de nuire depuis sa naissance, une telle allégation ne signifie absolument rien et je crois que je suis plus sérieux, avec mes supputations, avec mes discrètes et tendres enquêtes, que cette cinglée censée connaître mieux que moi sa propre vie, je suis autrement fiable que cette femme capable, si elle sait qui est son père, de soutenir que sa mère l'a obligée à grandir dans l'ignorance d'un fait aussi considérable, c'est qu'elle la hait et la jalouse encore aujourd'hui à un point que vous ne pouvez imaginer.

Pourquoi je révèle tout cela? Pourquoi, alors que la Cheffe ne souhaitait évoquer ni le jardinier ni son éventuel mariage, je choisis de la trahir délibérément, sans pouvoir cette fois, en effet, me réfugier derrière la conviction que la Cheffe avait tort de cacher cet événement, elle n'avait ni tort ni raison, elle en avait simplement le droit? Et de quelle façon, à défaut de me rehausser moi-même, je rehausse ce faisant le portrait de la Cheffe?

Je ne sais pas.

Je me jette dans cette divulgation après m'être persuadé que je ne le ferais pas, et voilà que c'est dit et que je ne peux l'effacer, et cela ne m'a pas échappé, c'est sorti de ma bouche avec mon assentiment et l'impression arbitraire qu'il était bien que je le dise, non pour moi mais pour elle, on pensera peut-être que je ne suis qu'un minable et un fraudeur mais on ne parlera pas en mal de la Cheffe parce qu'elle a peut-être épousé le jardinier des Clapeau, qu'elle a eu un enfant de lui, qu'elle l'a serré dans ses bras sans amour mais avec plaisir, on ne la jugera pas en mauvaise part parce que son corps de jeune fille en pleine santé s'est pressé vorace et curieux contre celui du premier homme, peut-être, qu'elle intéressait de cette manière, il s'est trouvé être là au moment où sa chair réclamait d'être instruite et connue de quelqu'un d'autre qu'elle-même, où son corps implorait qu'on lui parle de lui, qu'on l'initie à ses propres mystérieuses compétences, on ne blâmera pas la Cheffe d'avoir ainsi traversé l'expérience commune et j'espère même qu'elle en semblera plus fraternelle, plus digne d'être aimée, tant pis si je passe pour un félon.

Je ne sais si mes raisons sont excellentes.

Je m'interroge, un certain tourment ne me quitte plus, parfois je ne suis plus sûr de rien sauf de mes manquements impardonnables au souvenir de la Cheffe, alors je parlemente avec elle des nuits entières et ce que je lui demande, ce n'est pas de me pardonner mais de me témoigner son approbation.

J'essaye de me la rappeler exactement telle qu'elle était au cours de nos discussions et, quand je lui présente mes arguments, d'obtenir de cette image d'elle la plus juste réponse, pas celle qui m'arrangerait mais la réponse que la Cheffe m'aurait faite très probablement, avec ce petit sourire enfantin qui déformait un peu sa bouche ou, à l'inverse, cette expression

154

morose, bougonne et froide par quoi se traduisait
son déplaisir, et c'est bien parce que j'ai cru voir un
pudique sourire d'enfant distordre les lèvres de ma
chère apparition que je ne regrette pas d'avoir men-
tionné le jardinier.

Il m'importe également de combattre les men-
songes de sa fille qui clame partout où elle le peut
qu'elle ignore l'identité de son père, que sa mère n'a
jamais rien voulu lui dire à ce sujet, et la Cheffe fait
figure de mère détraquée et funeste, oh c'est une si
injuste réputation, je ne lutterai jamais trop pour
tenter de contrecarrer l'ingratitude malade de cette
femme, et que lui restera-t-il quand elle ne pourra
plus salir la Cheffe ni forcer à compatir à ses misères
fantaisistes, que lui restera-t-il quand elle se retrouvera seule avec son âme infecte, qui aura pitié d'elle,
personne, personne, alors la véritable pitié lui fera
horriblement défaut et elle pleurera après le temps
passé à solliciter l'apitoiement. *He is so hateful.*

La Cheffe emménagea donc dans un petit appartement de Marmande et elle donna naissance à son
enfant avec, je présume, des sentiments mêlés de
fierté, d'étonnement et de déception car son ambition n'avait pas prévu l'arrivée d'un petit être aussi
exigeant et aux besoins indiscutables, son ambition
n'avait pas prévu l'intrusion de qui que ce fût dans
son existence qui était précisément en train de s'augmenter, de se déplier jour après jour, repas après
repas, tout au long de connaissances approfondies,
d'exercices mieux maîtrisés, de réflexions plus finement conduites.

Je ne sais si le jardinier vint vivre avec elle, je sais
en revanche qu'elle sombra dans un sentiment de

solitude qui s'intensifiait de ce qu'elle n'était plus jamais seule en réalité.

Elle avait l'enfant avec elle, elle avait auprès d'elle d'autres mères de famille, quelques parentes ou connaissances de Sainte-Bazeille qui passaient gentiment la saluer afin de s'assurer que tout allait bien et qui, croyant agir au mieux, l'enserraient dans le filet de relations, d'obligations, de discussions toutes en rapport avec la maternité, parmi lesquelles la cuisine n'apparaissait jamais comme l'objet d'une quête, d'une pensée, d'une morale ou d'une espérance, comme un sujet dont on pourrait même se contenter de parler, à l'infini et sous tous ses aspects, ou sur lequel, une fois le mot prononcé, on pourrait simplement faire tomber un silence empli des ondulations sonores de ce mot adoré, mais uniquement comme l'énième et pénible contrainte de journées encombrées de responsabilités, ce qui décourageait la Cheffe par-dessus tout.

Elle avait une telle nostalgie de ces heures solitaires dans la petite chambre chez les Clapeau, de ces moments de transport et d'intense, fructueuse méditation qui la faisaient s'endormir avec la certitude impatiente qu'elle aurait progressé le lendemain, peut-être même découvert ou inventé une combinaison d'ingrédients, qu'elle s'y voyait souvent en rêve et, au matin, hésitait avant de reprendre le cours de sa vie réelle, de poser ses pieds sur le plancher d'une chambre où ne la visitait nulle espèce de fièvre créatrice, une chambre qui n'était que ce qu'elle était et plus le vaste contenant vivant et complice de son cerveau démesuré, de son intuition foisonnante.

Elle tentait encore, chaque soir, de réfléchir à des

156

associations d'épices et de poissons, de fruits et de viandes, à d'harmonieuses ou déconcertantes proximités de couleurs sur une assiette mais, sachant qu'elle ne pourrait rien mettre en œuvre le lendemain, il lui semblait que l'esprit de la cuisine se lassait d'elle, peu à peu la désertait, qu'elle l'avait déçu en lui préférant, de fait, l'enfant, en lui soustrayant une grande partie de ses pensées, et qu'il s'en allait peut-être élire un cœur plus méritant, plus masculin et plus brave où descendre et prospérer, elle se sentait sèche, fausse, privée de grâce, elle ne regrettait pas l'enfant pourtant, m'a-t-elle toujours assuré, et je ne sais si c'était vrai, je ne sais si elle s'était convaincue qu'elle devait présenter et ressentir les choses ainsi, l'enfant plus important que le reste, elle avait, sur ce seul plan-là, une sorte de veulerie, une peureuse ou superstitieuse obéissance à la position commune, elle se sentait inutile cependant.

Les Clapeau vinrent la voir, offrirent un petit chien de laine noire que la Cheffe a toujours conservé, elle me l'a montré un jour, avec son ruban de satin rouge autour du cou.

Les Clapeau admirèrent le bébé très aimablement et très longuement et la Cheffe comprit avec douleur qu'ils espéraient dissimuler ainsi, penchés sur le berceau, répétant des platitudes, leur désarroi devant les impressions nouvelles que suscitait en eux la Cheffe en jeune mère, séparée de sa cuisine et de sa vibrante solitude, assise, mains croisées, près de l'enfant dont elle guettait le moindre appel, un peu perdue, n'ayant rien à dire, et les Clapeau n'auraient pu affirmer qu'ils avaient jamais eu, avant, de conversation avec la Cheffe mais ils étaient certains qu'alors une si lyrique vitalité avait irradié de son corps preste et jubilant qu'ils n'avaient pas eu conscience de son mutisme, seulement de son calme immense et concentré, et certes les Clapeau ne rejetaient pas ce qui, en eux, s'était humblement incliné devant la Cheffe, ce qui s'était soumis à sa force et à son pouvoir de comprendre leur dévotion au festin, mais ils ne reconnaissaient pas leur célébrante dans cette jeune femme apathique, celle dont le prestige autorisé et le rayonnement dévorant dans l'espace de la cuisine les avaient frappés de l'interdiction d'en franchir le seuil, avec quelle ardente modestie ils avaient approuvé cela !

Non, les Clapeau ne reniaient rien.

Mais la Cheffe voyait leur confusion et peut-être même leur peine, elle voyait leurs coups d'œil vers son corps tassé sur une chaise, banal, passif, pesant, elle voyait s'échapper de ce corps frustrant l'inflexible génie qui, un temps, l'avait honoré de sa présence et de son amour, elle ne doutait pas que les Clapeau le voyaient aussi danser dans l'appartement où la despotique existence du minuscule enfant semblait raréfier l'air et accaparer chaque recoin, alors l'esprit ne scintilla plus nulle part, il était parti, la Cheffe en éprouva tant de honte qu'elle eut un sanglot brusque et sec.

Et comme elle n'avait jamais su parler aux Clapeau, sa détresse prit la forme d'une distance morne, ennuyée, presque inamicale.

Toute espèce de charme l'avait quittée tandis que, devant eux, elle effectuait muettement et lourdement les gestes que réclamaient les soins à sa fille, paraissant ne plus se rendre compte que les Clapeau étaient là, en vérité consciente à un point intolérable de leur confusion et de leur impuissance, elle avait été en eux, elle l'était encore, leur sang circulait dans son cœur plus naturellement que ne l'avait fait le sien vers le cœur de l'enfant.

Les Clapeau lui dirent qu'ils avaient engagé une cuisinière, le temps que la Cheffe s'occupe de son bébé puis trouve à le faire garder dans la journée, si elle voulait bien revenir chez eux. Ils évoquèrent à peine la nouvelle femme, signifiant d'un geste qu'il était exclu de la comparer le moindrement à la Cheffe et, ne souhaitant pas la presser, gênés peut-être de l'inciter à confier son enfant, ils ne s'appesantirent pas sur leur abattement.

Mais qu'elle leur manquait affreusement, la Cheffe le savait bien, elle en avait la confirmation dans une nervosité particulière qui faisait tressauter leurs jambes alors qu'ils se tenaient assis ou briller leurs yeux d'un éclat mouillé, comme s'ils étaient à la fois épuisés et surexcités, et ils attendaient une réponse en espérant ne pas en avoir l'air, qu'elle les assure de son retour et leur donne une date, cette fille maussade, éteinte qu'ils avaient l'impression de n'avoir jamais eue chez eux, et ils s'accrochaient à elle pourtant, ne sachant que faire d'autre, ne pouvant envisager encore qu'ils avaient peut-être perdu leur Cheffe.

Elle ne répondait rien, elle se rassit après avoir recouché l'enfant, inerte, inaccessible.

Elle était si bien persuadée, me raconta la Cheffe avec une fugace expression de souffrance, qu'ils avaient vu distinctement onduler loin d'elle ce qui, seul, avait justifié son empire et sa préséance absolue dans leur cuisine, qu'il lui paraissait vain, cruel de feindre que ce n'était pas le cas, que la situation n'était pas aussi désespérée qu'ils le savaient tous trois, elle était exténuée et n'avait qu'une envie, qu'ils s'en aillent, la laissent dormir, elle était vide et dérisoire et jamais plus, elle en était sûre, elle n'oserait paraître devant les Clapeau.

Ils la quittèrent enfin, non moins effondrés qu'elle, tâchant de se rassurer l'un l'autre en se disant que l'arrivée de l'enfant l'avait perturbée et qu'elle allait se ressaisir, sentant bien toutefois, car ils connaissaient intimement la Cheffe à leur façon, que quelque chose d'essentiel s'était détourné d'elle, qui n'avait pas de rapport direct avec l'enfant, quelque chose qui avait permis à la Cheffe d'être le parfait véhicule entre les Clapeau et la splendeur, alors ils avaient cessé de haïr ce qu'ils étaient.

La cuisine de la Cheffe et le don heureux qu'elle faisait de toute son âme les avaient lavés de leur hypocrisie douloureuse et ils étaient devenus meilleurs, et ils avaient voulu chaque jour en être dignes, chaque jour ils s'étaient efforcés de ne rien commettre de mal et de penser avec décence, et la mauvaise honte les avait abandonnés.

Ils mangeaient maintenant avec une sorte de hargne désolée la nourriture correcte que leur préparait la remplaçante, ils mangeaient beaucoup, avec un plaisir quelconque qui les rabaissait dans leur propre esprit, ils se regardaient déchoir, lâches, consternés, ils n'étaient pas assez forts pour demeurer sans la Cheffe au niveau de spiritualité, de mystère accepté, joyeux, où elle les avait amenés naturellement.

La Cheffe m'avoua qu'elle avait plaint les Clapeau.

Car ce qui s'était retiré d'elle en la laissant si triste,
si fatiguée, si complètement privée de tout désir de
vivre, avait renvoyé les Clapeau là où, eux non plus,
n'avaient plus envie de vivre, dans l'univers pragmatique et démoralisant de leur obsession non transfi-
gurée.

La Cheffe me décrivit cette période, que j'inter-
prète aussi justement que je le peux, avec beaucoup
de tergiversations et la volonté manifeste que je ne
tire pas certaines conclusions qu'elle aurait trouvées
fâcheuses, ainsi ne cessait-elle de répéter combien,
dès sa naissance, elle avait aimé le bébé, combien elle
éprouvait de joie à s'occuper de lui, etc., ce que je
ne conteste pas, comment le pourrais-je, mais que je
dois pourtant mettre en regard de la désespérance
léthargique dans laquelle elle s'abîma après le passage des Clapeau et dont la Cheffe ne pouvait s'empêcher de me dépeindre les plus menus symptômes,
elle ne le voulait pas vraiment et le faisait quand
même, avec un étonnement affligé et une émotion
qui semblait attendre de mon amitié, trente ans plus
tard, un franc témoignage de sympathie, comme si
elle devait cela à la toute jeune femme qui s'était sentie si seule, si profondément désertée dans son appartement de Marmande, bien qu'elle ne fût jamais
véritablement seule et qu'elle dût endurer ce châti-
ment-là également, de n'être plus jamais visitée par
l'unique principe qui comptait à ses yeux mais par
des gens auxquels elle n'avait rien à dire.

Je ne ménageais pas ma compréhension à la
Cheffe, j'en profitais pour lui dire implicitement,

161

d'une pression de mes doigts sur son poignet, d'un regard appuyé, que ce n'était pas à mon amitié qu'elle pouvait tout demander mais à mon amour, et la Cheffe le percevait nécessairement et je songeais que l'amour patient, tenace, insistant ne pouvait que venir à bout des piètres raisons de le repousser, les âges trop différents, le manque de temps et de désir, elle savait par ailleurs que mon amour n'exigeait nul tribut et surtout pas celui d'un dévouement moindre à la cuisine.

Je crois pouvoir avancer que je suis, d'une certaine façon, parvenu à mes fins, la Cheffe accueillit mon amour, l'accepta et le rendit quand elle put le transformer en quelque chose qui était plus grand que nous, quand elle sentit, en somme, que l'esprit de l'amour l'avait envahie.

De notre petit groupe de Lloret de Mar je suis le seul à qui nul parent venu de France n'ait encore rendu visite. Mes amis reçoivent régulièrement leurs enfants, leurs petits-enfants, un frère ou une sœur, alors les soirées sur les terrasses sont moins faciles moins familières moins fantasques et par un curieux renversement c'est comme si la folle jeunesse accueillait l'âge mûr et qu'elle n'osait se montrer dans la crudité de sa liberté, ensuite nous en rions, leurs enfants seraient choqués de nous voir tels que nous sommes à Lloret de Mar. J'ai dit à mes amis que ma fille allait venir me voir. Ils ont applaudi et lancé les youyous par lesquels nous exprimons notre gaieté à Lloret de Mar. Je suis inquiet, je n'ai pas envie qu'elle vienne et je ne peux cependant la repousser, sous quel prétexte? Mais je n'ai pas du tout envie qu'elle voie Lloret de Mar.

Elle me raconta donc qu'elle était sortie de moins

en moins se promener avec l'enfant dans les rues de Marmande, puis qu'elle y avait complètement renoncé et qu'elle finit par éprouver une absurde mais irréductible horreur à l'idée de quitter l'appartement qui, pourtant, lui semblait-il, ne l'aimait pas, ne lui voulait aucun bien, complotait même avec le monde alentour pour aggraver son chagrin et son malaise.

Quand je lui demandai qui, alors, s'occupait des courses, elle répondit laconiquement que le père de l'enfant leur apportait à peu près ce qu'il fallait, sans que je pusse déterminer s'il s'était installé avec elle ou s'il repartait après être venu la voir.

Elle passait la journée assise sur une chaise près du berceau, ne se levant que pour nourrir le bébé et le changer, et bien qu'elle m'eût affirmé qu'elle était toujours restée suffisamment lucide pour se consacrer à la petite et veiller sur elle, il me parut clair qu'elle n'avait plus eu la force de la distraire et de lui sourire, de la prendre contre elle autrement que pour les soins, en un mot de l'aimer d'une manière que l'enfant pût ressentir car le minimum d'énergie nécessaire aux gestes de tendresse lui avait fait alors entièrement défaut.

Vous pensez certainement que cette inattention secrète dans laquelle la Cheffe s'était cloîtrée a façonné pour une part le caractère de l'enfant et qu'il faut tout simplement voir dans l'animosité que cette dernière montra ensuite envers sa mère, dans sa plaintive assiduité à lui causer du tort, la conséquence de ce qu'elle éprouva, âgée de quelques mois, à cette époque où sa mère assise auprès d'elle était en réalité absente, où les mains de sa mère entraient en

163

contact avec sa peau sans paraître avoir, de celle-ci, le moindre souvenir, où les yeux de sa mère glissaient impersonnels et lointains sur son visage anxieusement tendu vers elle ou à l'inverse le fixaient longuement sans le voir, à peine troublés d'une vague et froide perplexité, jusqu'à ce que l'enfant se mît à crier et que, se rappelant mécaniquement que les sons en provenance de cet objet devant elle signifiaient qu'elle devait accomplir telle et telle tâche, elle lui présentât un biberon, ou peut-être son sein, elle ne me le dit pas, ou changeât la couche une nouvelle fois alors même qu'elle venait de le faire et que c'était inutile, elle ne savait plus juger de rien, elle agissait pourtant, gardant, là où elle dérivait, un sens très ténu, machinalement exercé, de ses obligations.

Vous pensez certainement ainsi et la Cheffe n'a pas échappé non plus à cette façon rudimentaire de considérer la personnalité comme un enchaînement de causes et d'effets, elle s'en voulut toute sa vie de s'être dérobée à l'amour maternel pendant quelques semaines ou quelques mois, je ne sais au juste, et son erreur, à mon avis, fut de ne rien laisser ignorer à sa fille du sentiment pénible qui la rongeait de lui avoir manqué gravement, si elle ne lui précisa jamais de quelle manière, je pense être le seul à qui elle le raconta.

Mais elle laissa entendre à sa fille qu'elle n'avait pas toujours été la meilleure mère lorsqu'elle était très jeune et bien que tout son comportement envers elle, par la suite, ait tenté avec ferveur, avec abnégation, de racheter cette défaillance, par amour plus encore que pour se laver elle-même de sa faute (quoique difficilement, elle pouvait vivre avec sa faute mais non se passer de prouver son amour à sa fille), bien qu'elle ait fait pour elle infiniment plus que beaucoup de parents dont les enfants, pourtant, ne songeraient à leur reprocher quoi que ce soit, sa fille s'agrippa férocement à cette demi-confession, vit là un moyen de justifier sa fatuité et son défaut de bravoure et s'installa avec un aigre bonheur dans les puants replis de l'attendrissement sur soi, nul doute qu'elle aurait été contrainte de se montrer plus vaillante si la Cheffe s'était contentée de l'aimer en oubliant de se sentir coupable, elle s'est trompée, hélas, sur ce point, elle s'est trompée lourdement.

Alors, certes, ce dont elle ne pouvait se souvenir, ce sombre intervalle dans leur vie à toutes deux, a influé d'une manière ou d'une autre sur le caractère de sa fille mais pourquoi davantage ou sur un mode plus décisif que la sollicitude dont la Cheffe l'a enveloppée pendant la majeure partie de son existence ?

Vous devriez considérer les choses autrement, lui dis-je, et mettre de côté le peu de mal que vous avez fait à cet enfant bien involontairement, à un âge où vous étiez vous-même tout juste adulte, pour vous rappeler surtout le bien que vous lui avez toujours voulu avec excès et sa conséquence, l'effacement de la personne exceptionnelle que vous êtes au profit de la mise en valeur de cette femme sans intérêt.

J'étais en colère alors, la situation du restaurant se détériorait, j'arrivais en colère et repartais de même, voilà ce que je dis à la Cheffe qui s'accusait encore d'avoir contrarié le bon développement de sa fille trente ans auparavant sans vouloir comprendre que des questions plus urgentes auraient dû agiter son esprit.

Mes amis me pressent de leur préciser quand ma fille va venir à Lloret de Mar et, quoique je fasse mon possible pour ne jamais leur apparaître comme un type étrange, je n'arrive pas à répondre avec légèreté, je grimace un sourire rapide, je suis certain que ma fille est agréable et je ne suis pas fier de moi. Mais à la perspective qu'elle trouble tant soit peu mon précieux repos secret de Lloret de Mar, j'ai presque envie, absurdement, de fuir Lloret de Mar, d'en finir avec tout cela.

À l'époque de Marmande, la Cheffe se tira d'affaire toute seule.

Une fin d'après-midi de printemps où elle avait ouvert la fenêtre pour pendre un peu de layette au fil à linge, dans cet engourdissement de toutes ses émotions qu'elle croyait vaguement, à présent, être un état normal et plus ou moins satisfaisant, l'air léger, mobile poussa jusqu'à ses narines une odeur de pâté de viande en train de cuire au four, et la Cheffe la reconnut, elle la huma avidement.

Une sensation violente lui étreignit le ventre, ce n'était pas la faim mais l'envie soudaine, oubliée puis retrouvée là, brusquement, dans le fumet tentateur, de confectionner elle-même la plus aromatique et la plus moelleuse des terrines ou, plus précisément, d'être de nouveau cette jeune femme dont le souvenir ressurgissait tout d'un coup, qu'elle voyait clairement dans la cuisine des Clapeau concentrée sur un mélange de chairs de porc, de veau, d'oignons et de fines herbes en quantité, et les gestes de cette femme qui avait été elle lui inspiraient une étrange jalousie, elle désira fiévreusement se couler dans ce corps et reprendre ces gestes, recouvrer les pensées qui faisaient se mouvoir les mains habiles, les mains

166

industrieuses et justes et qui se rappelaient tout, elle voulait rentrer en possession de ce qui lui avait appartenu, qu'elle avait gagné, mérité, l'immense et calme plaisir de ces gestes, l'intelligence des mains scrupuleuses, cette vision aimable et enviable d'elle-même en jeune femme capable de se suffire, ouvrière de sa joie, de sa tranquille fierté.

Et le corps qu'elle habitait en ce moment, avec sa pesanteur amorphe, ses mains bornées, lui inspira de l'indignation, elle regretta fortement d'avoir laissé s'abîmer et se perdre l'instrument fidèle qu'elle revoyait avec une telle netteté, surtout la compagnie de sa passion lui manqua brutalement, sa propre petite âme affranchie, allégée, bien consciente, et la solitude profonde et douce qu'elle avait su rejoindre même lorsqu'elle n'était pas seule dans la cuisine et à laquelle, maintenant, que l'enfant fût là ou non, elle n'avait plus accès, captive d'une hébétude qui la maintenait en dehors de tout commerce avec elle-même, elle éprouva du chagrin également.

Elle respira encore les effluves du pâté avec la convoitise d'une affamée. Elle referma la fenêtre, tomba sur une chaise et se mit à pleurer à gros sanglots qui effrayèrent le bébé.

Oh, vous avez pleuré, répétai-je sottement quand la Cheffe fit une pause dans son récit, cela m'échappa car je n'avais jamais vu pleurer la Cheffe, même au plus fort des ennuis.

Oui, oui, dit-elle avec cette impatience contenue, soudain distante, que prenait sa voix quand je réagissais bêtement, et elle me regardait alors d'un œil évaluateur, sceptique, comme si elle se demandait dans quelle mesure elle pouvait se permettre de faire confiance à un aussi stupide personnage, et quoique ce regard m'emplît de confusion je ne détestais pas quand elle me jaugeait ainsi, je sentais entre nous une intimité bourrue qui me convenait assez bien.

Le lendemain du jour où elle pleura, la Cheffe se sentit revenir à la vie, autrement dit elle revint à elle.

Cette résurrection prit la forme d'une telle impétuosité que la Cheffe, craignant d'être débordée par l'exaltation épuisante et stérile, se demanda si elle reconquerrait jamais la dense quiétude qui avait enrobé, apaisé, dans la cuisine des Clapeau, la fébrilité propre au travail.

Pour la première fois depuis longtemps, elle sortit promener l'enfant, et le printemps l'étonna, elle sentait frissonner légèrement la peau de ses avant-bras nus, elle sentait se hérisser le duvet pâle qu'elle avait là, le printemps l'étonnait, elle avait les yeux pleins de larmes et son corps se réveillait, décidé à lui appartenir de nouveau, ses mains posées sur la barre du landau frémissaient de vitalité réprimée.

Les jours qui suivirent, elle emballa ses affaires et celles du bébé, nettoya à fond le petit appartement puis exigea du père de sa fille, qui était peut-être son mari, qu'il la conduise à Sainte-Bazeille, cet homme dont je n'ai pu me forger aucune image bien définie sinon celle, car c'est ainsi que la Cheffe souhaitait le montrer les rares fois où elle l'évoquait, d'un compagnon à éclipses qui ne faisait irruption que pour rendre divers services, sans que la Cheffe parût d'ailleurs lui en avoir la moindre gratitude, ce qui me conforte dans mon idée qu'elle ne l'aimait pas, qu'elle ne l'estimait guère et qu'elle le tenait sourdement pour responsable d'une situation qu'elle n'avait pas voulue.

Elle confia l'enfant à ses parents. Oui, oui, elle la laissa à Sainte-Bazeille avec l'intention très arrêtée de la reprendre aussitôt qu'elle le pourrait.

Elle monta ensuite dans le train pour Bordeaux où elle n'était encore jamais allée de sa vie.

Comme je lui demandais pourquoi elle n'était pas, tout simplement, retournée chez les Clapeau, elle mit un temps avant de me répondre, non par embarras mais parce qu'elle cherchait les mots les plus justes, je voyais son attention dévier de mon visage pour descendre en elle-même, prudemment, comme si elle avait craint d'effaroucher la vérité blottie là, qui ne tenait pas toujours à se voir débusquée.

Elle me dit enfin, reportant les yeux sur moi, me fixant avec une curieuse vigilance (à tel point que, grelottant de fatigue dans la cuisine rangée pour la nuit, j'eus envie au-delà de toute raison de perdre connaissance pour échapper à la tyrannie de son regard, ne pas risquer de la décevoir par un bâillement ou une expression ahurie, elle qui éprouvait si peu la nécessité de dormir et n'en avait jamais le désir), elle me dit alors que le sacrifice auquel elle s'était résolue en remettant l'enfant à ses parents lui avait imposé un enjeu plus considérable qu'un retour à la cuisine des Clapeau, elle me dit que, pour tolérer ce qu'elle voyait comme une défection, fût-elle provisoire, et la pensée de la détresse de l'enfant, fût-elle passagère elle aussi, elle avait dû rien de moins qu'engager sa propre sécurité, sa propre tranquillité, car il n'eût pas été envisageable qu'elle aille se mettre à couvert chez les Clapeau comme seul prix du délaissement de l'enfant.

N'exagérons rien, vous ne l'avez tout de même pas abandonnée, me retenais-je de dire, pris de mauvaise humeur, et la Cheffe, comme si elle l'avait deviné, ajouta : La petite et moi, on avait été tout le temps ensemble, tu comprends.

Mais non, je ne voulais pas le comprendre.

Il me déplaisait fortement d'entendre que la Cheffe n'imputait pas à sa légitime ambition la décision d'aller à Bordeaux mais à un besoin confus de souffrir, d'en baver autant que l'enfant allait en baver, prétendument, à Sainte-Bazeille où je ne doutais pas, moi, qu'elle s'était rapidement trouvée très bien, je n'aimais pas que la Cheffe se flatte ou se rabaisse ainsi, je ne savais exactement, en tout cas je n'aimais pas que sa volonté âpre et têtue de devenir une véritable cuisinière, une artiste de la gastronomie dont les aspirations ne pouvaient se contenter d'une clientèle aussi restreinte que celle des Clapeau, se réduise, dans sa bouche, à une obscure, à une banale mauvaise conscience vis-à-vis de l'enfant, je n'aimais pas, en somme, qu'elle trouve encore difficile, trente ans plus tard, d'avouer qu'elle n'aurait laissé rien ni personne barrer son chemin vers la grande ville, vers l'exploration et la reconnaissance de ses qualités, dès lors que le souffle de la cuisine avait bien voulu la visiter de nouveau.

Certes, la Cheffe a toujours été ainsi, non pas exactement qu'elle minorât l'étendue de ses desseins ou l'opiniâtreté de sa résolution, mais elle les taisait, ne sachant peut-être comment exprimer qu'elle n'avait pas brigué la renommée ni l'argent.

Elle avait cherché à répondre aussi dignement et mélodieusement que possible à un appel qui l'honorait, qui se devait d'être écouté et respecté, elle avait cherché l'accomplissement de ce qui, en elle, avait été déposé comme une amande, et c'était là une chance et un sort heureux.

Je tâche, oui, de le dire pour elle.

Voilà pourquoi elle prétendait n'être montée à Bordeaux que pour supporter l'idée qu'elle devait se séparer de l'enfant, je ne le comprenais cependant pas encore au moment où elle me le raconta et j'en étais contrarié.

Cette enfant prenait trop de place dans les raisons qu'elle donnait de même qu'elle commençait à occuper nos pensées excessivement, cette vieille enfant de trente ans, à l'époque où la Cheffe me parlait dans la cuisine assoupie, elle encore tendue par son intarissable allant et moi, en face, chancelant de fatigue et appréhendant pourtant l'instant où je me retrouverais dehors pour rejoindre mon studio de Mériadeck, je ne me sentais à l'aise, intéressant et sage que dans la sphère d'action de la Cheffe, là seulement mon existence avait autant de valeur qu'une autre, était aussi cohérente et bien bouclée.

À Bordeaux la Cheffe prit une chambre dans un hôtel délabré du quartier de la gare puis, vêtue de sa meilleure jupe de coton bleu sombre et d'un chemisier bleu ciel bouffant à la taille, ses cheveux châtains relevés et noués serré à l'arrière du crâne, elle se rendit à pied au centre-ville, dans la chaleur des rues de pierre noircie, demandant régulièrement son chemin avec cet aplomb buté, presque combatif qui dissimulait chez elle une tendance à préférer se taire.

171

Elle entra dans un restaurant dont l'aspect lui parut agréable, et c'était alors la première fois que la Cheffe entrait dans un restaurant, elle avait bu de temps en temps, à Marmande, un chocolat chaud dans un café, c'était tout.

Elle dit qu'elle cherchait une place en cuisine, qu'elle n'avait pas de diplôme mais qu'elle savait cuisiner, et cette phrase qu'elle répéta dans chaque établissement dont elle poussa la porte au cours de la journée fut reçue à peu près de la même façon, avec une surprise discrètement moqueuse que ne produisaient pas les mots eux-mêmes mais l'assurance butée, abrupte de la jeune femme au visage sérieux, fermé, qui n'énonçait pas une requête mais une raisonnable proposition de services, comme si de l'avantage évident qu'il y aurait à l'employer elle n'entendait pas profiter malhonnêtement, son visage était peut-être médiocrement plaisant et sympathique à force de se garder de toute velléité de séduction et sa voix était brève, nette, avec quelque chose de mécanique et d'efficace dans le ton, ses bras pendaient bien droit le long de son buste un peu raide, elle serrait imperceptiblement les poings pour empêcher de palpiter ses mains pressées de s'y mettre.

Elle regardait un peu trop en face ses interlocuteurs, de ses yeux bruns, doux, imperturbables, qui n'attendaient ni n'espéraient rien, qui s'acquittaient simplement de leur fonction de regarder et, quand la réponse négative était venue, se détournaient sereinement, poliment, ni déçus ni implorants, et semblaient n'emporter rien avec eux de ce qu'ils avaient vu.

Certains de ceux qui lui répondirent s'abusèrent peut-être sur cette manière bien à elle de se tenir devant eux, compacte, comme lourde alors qu'elle ne l'était guère, si parfaitement resserrée autour de sa chair drue, de ses muscles courts, qu'elle paraissait parfois être demeurée campée là plus longtemps qu'en réalité, avoir, en quelque sorte, insisté de son corps dense réticent à s'éloigner alors que les yeux, eux, ne s'appesantissaient pas, mais c'était une impression trompeuse et la Cheffe tournait les talons aussitôt qu'on lui avait dit n'avoir besoin de personne, sa certitude d'être embauchée jamais remise en cause, nulle lassitude ne penchant vers l'avant son dos bien droit.

Deux ou trois jours d'affilée elle arpenta ainsi les rues, tranquillement obstinée, n'éprouvant ni inquiétude ni ennui, et, au contraire, chaque fois qu'elle entrait dans une salle, qu'il y eût du monde ou que ce fût l'heure creuse, parcourue d'une fugace et heureuse fébrilité qui s'accentuait encore des parfums mêlés des assiettes, lorsqu'elle arrivait au moment du déjeuner.

Le temps qu'on s'occupe de son cas elle jetait ses regards partout, attentive, systématique, méticuleuse, elle évaluait l'aspect d'une sauce, la présentation d'une salade, elle était sévère, souvent désapprobatrice, rien ne lui paraissait tout à fait assez beau, assez pensé.

L'idée que le client fût accoutumé à tant de banale déficience, qu'il ne vît pas cela, voire qu'il estimât que ce qu'on lui apportait correspondait précisément à ce que devait être une belle assiette, cette idée la désolait et la stimulait en même temps, elle songeait, avec cette placide et neutre, presque distante confiance en soi qui la singularisait, qu'elle s'appliquerait, lorsqu'elle aurait son restaurant (quand je serai chez moi, se disait-elle), à développer, à raffiner le goût du mangeur, à fournir à celui-ci les facultés d'un jugement plus rigoureux, quelles qu'en puissent être les conséquences pour le cuisinier, mais elle savait que son propre plaisir à travailler se soutiendrait d'une attente intransigeante de la part du client, elle savait déjà que les complaisances d'une approbation trop facilement offerte lui donneraient le dégoût d'elle-même bien plus que des pourvoyeurs d'éloges.

C'est rue du Cancera qu'elle trouva enfin à s'employer, dans un petit restaurant ouvert depuis peu.

Le patron avait abondamment circulé en France et en Belgique, utilisant son détachement pragmatique, son humour sec, sans gaieté, et sa dédaigneuse bienveillance, à gérer divers établissements, ainsi qu'il disait, avant d'ouvrir le sien rue du Cancera, dans le but proclamé avec une coquetterie étudiée, une affectation d'impudence, de se tourner les pouces pendant que d'autres travailleraient à le rendre riche, ces autres incluant un cuisinier et deux commis dont le patron trouvait flatteur pour lui de laisser entendre qu'ils abattaient largement plus de besogne que lui-même en serait jamais capable, ce qui n'était pas vrai, comme la Cheffe s'en rendit compte, puisqu'il devait la prospérité croissante de son restaurant tout autant à sa propre présence constante, vigilante, hospitalière, professionnellement enjouée et à sa célérité jamais en défaut, qu'à l'intérêt de la cuisine proposée, il aimait pourtant faire penser qu'il était à peu près oisif, cela lui semblait plus élégant.

Un commis venait de le quitter quand la Cheffe entra.

Découvrant à contre-jour cette petite silhouette surgie de la rue ensoleillée, plantée là dans une immobilité instantanée qui suggérait à tort une lenteur, une épaisseur peu propices au travail, son premier mouvement fut certainement de la renvoyer d'un mot de refus, sur un ton poli, suave et inflexible, mais il contint prudemment son empressement à se débarrasser de l'inconnue qu'il distinguait mal dans la salle aux fenêtres étroites et, ayant en tête le départ inopiné du commis, il s'approcha d'elle, regarda la jupe marine, le chemisier bleu pâle, cette tenue stricte et anodine qui paraissait s'accorder fidèlement au corps qui la portait et représenter exactement, avec évidence, avec sérieux, la personnalité de celle qui l'avait choisie, sans qu'elle le sût elle-même.

Puis ses yeux rencontrèrent ceux de la Cheffe tranquillement, imperturbablement posés sur lui, et la fugitive inquiétude que lui avait inspirée la silhouette comme étrangement rivée au sol se dissipa, il vit tout ce qu'il y avait d'intense, de volontaire, de généreux dans ce regard paisible, tout ce qui se donnait sans calcul, sans perdre cependant son quant-à-soi — la façon pleine dont le corps de la Cheffe occupait tout espace était aussi une manifestation de son quant-à-soi, elle ne se répandait, elle ne s'éparpillait jamais, où qu'elle fût.

Peut-être le patron perçut-il cela également car il oublia aussitôt qu'il avait eu l'intention de l'éconduire, il ne devait plus s'en souvenir par la suite, toujours il raconterait qu'il avait voulu embaucher la Cheffe dès les premiers mots qu'elle avait prononcés alors que, ces mots, il lui demanda de les répéter tant il leur avait prêté peu d'attention quand ils étaient venus de la silhouette si statique, si importune dans le contre-jour.

Il dit D'accord à la jeune femme, d'une voix rapide comme pour ne pas se donner le temps de réfléchir, et maussade, presque mécontente comme s'il s'en voulait de ne pas se donner le temps de réfléchir.

Une fois son assentiment formulé et puisqu'il n'y avait plus à y revenir, il reprit le ton aimablement impersonnel dont il ne se départait pour ainsi dire pas, si bien qu'on ne pouvait l'imaginer, disait la Cheffe, s'exprimant autrement, mais on ne pouvait supposer non plus que quiconque parle sur ce ton dans la vie privée, alors on pensait vaguement à lui comme à un homme qui ne quittait jamais son restaurant et n'avait ni famille ni amis, nul n'aurait été surpris d'apprendre qu'il étendait un matelas dans la salle et passait ses nuits là, seul endroit où il se sentît bien, où il pût être lui-même, puisqu'il ne savait être rien d'autre que restaurateur.

Il s'appelait Declaerk.

À ma demande, la Cheffe me le décrivit, elle ferma les yeux alors, cela faisait si longtemps qu'elle ne l'avait pas vu, et son fin visage aux longues paupières closes prit involontairement une expression recueillie qui me fit émettre un petit rire niais.

Vous n'étiez pas amoureuse de lui, tout de même ? dis-je, aussitôt étourdi par mon audace mais dépité de constater que la Cheffe s'abstenait de protester sévèrement comme elle le faisait quand je disais des bêtises, elle se contenta de hausser les épaules en murmurant : Tu penses, il avait le double de mon âge, réponse qui ne me rassura pas, qui n'affirmait rien dans un sens ni dans un autre mais qui me démoralisa par ailleurs car la Cheffe avait, elle aussi, le double de mon âge et j'espérais à cette époque qu'elle avait cessé de considérer ce fait comme devant empêcher toute relation d'amour mais également tout sentiment d'amour véritable de la part du plus jeune, je voulais qu'avant de pouvoir me le rendre elle croie à mon amour pour elle, à sa vérité et même à sa fatalité.

De sorte que je répondis avec une très légère aigreur : Ça ne prouve rien, vous savez, et la Cheffe eut un sourire vague, de ce genre qu'on adresse à quelqu'un dont on n'a pas envie de discuter les idées saugrenues et dénuées d'intérêt, les yeux toujours fermés, ses paupières aux reflets roses si lisses et si fines que je pouvais voir trembler comme deux œufs crus ses globes oculaires bombés, j'eus l'impression qu'elle se reposait ainsi, qu'elle somnolait presque dans le ressouvenir peut-être ému de l'allure physique de ce Declaerk, jusqu'à ce que sa voix la fît comme sursauter elle-même quand elle commença en disant : Il pouvait manger ce qu'il voulait, il ne grossissait pas.

Cette observation avait, dans la bouche de la Cheffe, une curieuse connotation morale, il semblait que Declaerk eût vécu, lui et quelques rares individus gratifiés du même privilège, dans un état antérieur au péché, qui leur permettait de n'être pas punis pour des abus que les autres, moins pourvus d'innocence, payaient chèrement.

La Cheffe avait la plus grande indulgence pour la gourmandise excessive comme pour toutes sortes de faiblesses ou travers, elle ne les condamnait jamais et refusait d'écouter ou morigénait, selon leur âge, ceux qui le faisaient mais, à côté de cela, elle affichait une pieuse et naïve déférence non pour ceux qui mangeaient très peu mais pour ceux qui prodigieusement restaient maigres, elle avait, ainsi, ses propres idoles douteuses.

Je n'avais aucune chance d'en faire jamais partie, je n'étais pas gros mais pas constitué non plus pour être mince, le crédule émerveillement de la Cheffe me piquait cependant pour une raison annexe, c'est qu'il me paraissait ternir de condescendance et de déloyauté sa bienveillance envers les gourmands qui prenaient du gras, eux qui n'avaient pas été dignes de demeurer en enfance, mais j'allais trop loin sans doute et probablement étais-je tout simplement jaloux, c'est mon tempérament, jaloux toujours et maigre en aucun cas, et ma sensibilité, ma susceptibilité se révélaient aiguës envers tout ce qui, d'une manière ou d'une autre, s'attirait l'approbation ou le respect de la Cheffe, oui, j'allais souvent trop loin.

J'ai donc retenu, au sujet de ce Declaerk, l'allusion à sa miraculeuse maigreur davantage que le reste de la description à travers laquelle il me fit néanmoins l'effet caricatural d'un type de ces années-là, un poseur aux cheveux un peu longs ramenés dans le cou, à la fine moustache blonde, qui portait des jeans serrés sur des jambes trop fines et certainement arquées qu'il devait croire avantageuses, des chaussures étroites trop grandes d'une pointure et des chemises à long col raide qu'il agrémentait de cravates colorées et larges d'une main, il était assez hardi, m'expliqua la Cheffe, pour travailler en jeans mais pas fou au point de se passer de cravate, l'intérêt de ce portrait résidait pour moi dans l'idée que je pus ainsi me former des goûts de la Cheffe en matière d'hommes, puisqu'il était clair à mes yeux que ce Declaerk, même avec ses vingt ans de trop, lui avait plu, bien que la Cheffe l'eût toujours tranquillement nié mais de cette manière désinvolte qui me persuadait qu'elle souhaitait, en réalité, que je ne la croie pas, que je la persuade qu'elle avait été attirée par ce type comme si elle n'était plus certaine que ç'ait été le cas, qu'elle désirait pourtant que cela se soit passé ainsi et attendait que je le lui prouve.

À force de recherches sur internet j'ai trouvé, il n'y a pas longtemps, une photo de ce Declaerk debout derrière le comptoir de son restaurant, prise pour illustrer, entre autres, l'un des premiers articles parus sur la Cheffe dans la presse locale, il était présenté comme lui ayant mis le pied à l'étrier et avec une telle complaisance qu'on devait penser qu'elle ne serait jamais devenue cuisinière s'il n'avait pas eu la bonté d'embaucher cette jeune femme qui ne savait rien faire, je ne pus deviner s'il s'était exprimé sur ce mode ou si le journaliste déformait en ce sens les propos étroitement factuels qu'il avait peut-être tenus mais il ressortait en revanche, de certaines expressions qui ne pouvaient qu'être les siennes, qu'il ne pardonnait pas à la Cheffe d'avoir choisi de s'installer à son compte et il l'accusait à demi-mot de lui avoir volé certaines recettes, ce qui m'amusa grandement et que je trouvai si pathétique qu'une forme de sympathie apitoyée et posthume me vint pour ce Declaerk, je ne pus trancher si son amertume professionnelle recouvrait une rancœur affective et sexuelle ou s'il était sincère dans son ineptie, s'il s'était cru réellement trahi.

J'examinai son visage à la loupe durant de longues heures.

Je ne savais exactement ce que je cherchais à voir ou à comprendre, j'attendais le dévoilement de quelque chose concernant la Cheffe, la révélation d'un aspect de sa personnalité que je n'avais pas les moyens de connaître, de même que j'avais scruté avec une avide nervosité le visage de sa fille quand je l'avais rencontrée, tâchant d'y déceler ce qui ne m'appartiendrait jamais, le lien irréfutable et stupéfiant qui l'attachait à la Cheffe, les sentiments de celle-ci qui s'y étaient projetés et que ce visage devait garder captifs, si pénible fût-il pour moi d'imaginer que cette vulgaire figure sournoise pût tenir enserrées dans ses traits les émotions parmi les plus pures, les plus heureuses comme les plus douloureuses qu'eût éprouvées la Cheffe, mon propre visage aimant n'était pas le gardien d'un tel trésor.

Alors, si la Cheffe avait eu envie de coucher avec ce Declaerk, j'avais l'espoir déraisonnable de détecter, de débusquer dans cette photo grisâtre, que je n'avais pas agrandie pour la conserver aussi nette que possible, l'écho de ce désir, son explication, et le paradigme des inclinations érotiques de la Cheffe, et de saisir ce mystère-là, ce mystère féminin et le sien en particulier.

Mais je ne découvris rien qui m'apprenne quoi que ce soit, même obscurément, je ne me sentis pas modifié ni tremblant comme toutes les fois où j'avais bondi de l'ignorance à la connaissance soudaine au cours de mes investigations.

Declaerk demanda à la Cheffe si elle voulait bien venir travailler le soir même, elle accepta aussitôt et ajouta qu'elle préférerait ne pas rentrer chez elle mais passer les quelques heures suivantes à visiter la cuisine, à bien comprendre quels plats on servait ici, à quoi Declaerk lui répondit sur un ton plaisant qu'il ne l'embauchait pas pour cuisiner mais pour faire la plonge et aider à la préparation des produits.

Elle resta silencieuse, acquiesçant de tout son corps figé, contenu et décent, elle donnait cette déconcertante impression d'approuver, d'obéir de son être entier sans que bougent ses membres ni sa physionomie, tout en se tenant légèrement en retrait de la docilité, ainsi d'un petit âne qui se laisse charger mais à qui, secrètement, on n'impose rien, ses parents étaient comme cela, avais-je compris, elle n'avait pas vraiment conscience de leur ressembler.

Declaerk fit un geste vague vers la cuisine, disant que Millard, le chef, lui expliquerait tout ce qu'elle aurait à savoir quand il serait arrivé, qu'elle pouvait bien cependant aller y jeter un œil si elle le souhaitait.

À peine eut-il fini sa phrase que ce corps passif, ce corps encombrant dont il s'était inquiété de l'excessive nonchalance, dans un frôlement à peine perceptible du sol voleta dans la direction qu'il avait indiquée, et quand Declaerk se mit en mouvement, contourna son comptoir, entra à son tour dans la cuisine, la Cheffe était déjà en train d'explorer les placards avec une minutie discrète, presque ouatée, elle passait et repassait sans nécessité ses deux mains sur l'inox des plans de travail, elle avait l'air de les caresser, dirait Declaerk dans l'interview, elle avait l'air absurdement heureuse bien que son visage fût grave, presque solennel, et ses mains tremblaient de manière visible.

Le Declaerk acide de l'article semblerait chercher à ridiculiser quelque peu le trouble de la Cheffe tout en s'enorgueillissant avec une morgue paternaliste de lui avoir offert l'occasion d'une telle joie, je suis sûr cependant qu'il ne fut pas tenté de la railler lorsqu'il la regarda silencieusement éprouver le tranchant d'un couteau sur son pouce, flatter le billot du plat de sa paume palpitante, se déplacer méthodiquement d'un coin à l'autre sur ses pieds alertes, furtifs, dans un essor comme retenu, volontairement réfréné pour ne pas se dévoiler d'un coup et si vite à l'homme qui la suivait des yeux sans mot dire, pour autant elle semblait n'avoir même pas remarqué sa présence ou ne s'en soucier aucunement, Declaerk ne songea pas une seconde à la tourner en dérision.

Tout au plus, froidement, la trouva-t-il bizarre, cela ne le gênait pas, il avait roulé sa bosse et croisé des spécimens autrement curieux.

Pour dire quelque chose et parce que l'ombre d'une crainte, peut-être, l'oppressait, il répéta dans un ricanement qu'il ne l'engageait pas pour cuisiner, pour cela il avait Millard qui était excellent, elle devrait faire exactement, n'est-ce pas, ce que Millard lui ordonnerait, et la Cheffe, souriant pour la première fois depuis qu'elle avait franchi la porte du restaurant, opina patiemment, rassurante et lointaine, disciplinée, indéchiffrable.

Elle lui demanda s'il voulait bien lui décrire la carte.

Un peu étonné, il lui tendit la grande feuille cartonnée du menu, elle prit place sur une chaise et posa le menu sur la table sans le regarder, ses yeux tranquillement fixés sur Declaerk, attendant qu'il s'approche d'elle et qu'il lui lise le nom des plats, non qu'elle n'eût pu le faire, elle était capable, en se concentrant, de pénétrer le sens de ce qu'elle déchiffrait, mais elle voulait entendre les mots proférés par quelqu'un qui savait ce qu'ils recouvraient, dans l'esprit de qui apparaissait l'image précise de chaque plat dès que le nom était énoncé, ainsi, pensait-elle, en l'interrogeant sur ce qu'il voyait elle ferait naître dans son propre cerveau le reflet schématique de cette image, alors elle arriverait déjà instruite dans la cuisine de Millard et s'y sentirait immédiatement à l'aise.

Elle savait qu'elle éprouvait, par ailleurs, un plaisir si vif à écouter les mots de la cuisine qu'elle fronça les sourcils et durcit l'arc de sa bouche pour n'en rien montrer à Declaerk, il l'ignorerait, il dirait dans l'article, croyant sottement la rabaisser sans doute, qu'elle était illettrée, qu'elle avait de la jugeote et de l'intuition mais pas d'intelligence, il ignorerait aussi que la Cheffe, lisant ces propos à l'époque, n'en serait nullement blessée, qu'elle serait malicieusement satisfaite qu'une description très éloignée de la réalité la préserve de toute prétention indéniable de savoir qui elle était.

Moi, j'ai connu la Cheffe mieux que personne.

Mais elle m'a abusé parfois, sans me mentir, elle ne m'a pas détrompé quand je faisais fausse route à son sujet, et de quel droit pourrais-je me plaindre qu'elle n'ait pas été tout le temps sincère puisqu'elle ne me devait rien, puisqu'on ne doit jamais rien à ceux qui veulent connaître vos secrets, fût-ce par amour, et elle se méfiait de moi tout en m'ayant donné une grande part de sa confiance, elle ne croyait pas que l'amour garantissait la droiture, et si je tâche, en ce moment, d'être aussi intègre que possible vis-à-vis d'elle, ce n'est assurément pas de la façon dont elle envisageait l'honnêteté, je le sais bien.

Quel imbécile que ce Declaerk, me suis-je dit en découvrant l'article, je riais intérieurement de le trouver si bête, ce bellâtre que la Cheffe avait peut-être convoité sexuellement, mais j'ai compris qu'il ne disait pas ce qu'il avait réellement pensé de la Cheffe, qu'il ne visait qu'à la froisser, qu'à la peiner et à la desservir, dans son amertume envers cette femme qui l'avait quitté et dépassé sur tous les plans, plus riche et plus connue que lui, alors était-il aussi stupide qu'il m'en avait eu l'air, je me garde de l'affirmer, seul son ressentiment est incontestable, et une douleur d'une autre nature également provoquée par le souvenir de la Cheffe mais que j'ai trop peu d'éléments pour éclaircir.

Debout derrière la Cheffe, il lut le nom de la première entrée et, comme il s'apprêtait à enchaîner, elle lui demanda rapidement comment se présentaient ces croquettes de crabe sauce hollandaise, ajoutant devant son incompréhension qu'elle aimerait avoir une idée de leur format, de leur nombre sur l'assiette et, bien sûr, de leur composition, mais Declaerk ignorait à peu près tout de ce dernier point, ce que la Cheffe lui reprocha en son for intérieur.

Un restaurateur consciencieux se devait de connaître tous les ingrédients d'un plat, me dit-elle souvent, il ne suffisait pas de goûter et de juger, il fallait être en mesure de répondre avec exactitude aux questions les plus hypothétiques du client et, pour cela, en savoir autant que le cuisinier lui-même.

Il lui indiqua succinctement le peu dont il avait connaissance, qu'il s'agissait de chair de crabe mêlée à un appareil quelconque, le tout poudré de chapelure et frit, puis servi avec une sauce qui était, eh bien, celle qu'on appelle hollandaise, il ne voyait pas ce qu'il pouvait dire de plus, il passa à la croustade Île-de-France, à la charlotte au jambon, aux asperges en gratin, aux vol-au-vent de fruits de mer, d'une voix rapide et sur un ton lapidaire pour empêcher la Cheffe de l'interrompre, ce qu'elle n'avait plus envie de faire, du reste, comprenant qu'il n'avait pas les moyens de faire jaillir les riches et limpides visions qui auraient fécondé son imagination, alors se bornant à l'écouter les yeux grands ouverts pour qu'il ne pût soupçonner qu'elle aurait préféré les avoir mi-clos, terrine de foies de lotte, sanglier à la bordelaise, gigot Cabrières, noix de veau Riviera — qu'elle aimait ce langage ! elle en souffrait presque comme si la voix de Declaerk avait pressé avec une insistance excessive un point de son cerveau très subtilement réceptif.

Quand Declaerk en eut terminé, la Cheffe eut l'impression qu'il était un peu embarrassé, qu'il se demandait confusément si une telle situation, lui penché près de cette inconnue énigmatique et lui faisant la lecture par-dessus son épaule, n'était pas susceptible de le rendre ridicule, il se redressa avec une froide brusquerie, déclara sèchement qu'il la prenait à l'essai, et cette soudaine sévérité la rassura, elle se trouvait à l'aise dans une atmosphère austère et claire et n'aurait pas aimé le sentir gêné plus long-temps.

En ce qui me concerne, je tâchais toujours, en sa présence, de réprimer le libre cours de mes divers sentiments, ma propension à appuyer par des grimaces ou des gestes amples des phrases parfaitement intelligibles et, surtout, je veillais, en vain souvent, à ce que ma peau, mon odeur, l'invisible émanation de mon être ne portent pas vers la Cheffe la chaleur moite d'émotions dont elle n'avait que faire, et je regrettais de n'être pas naturellement, sans effort, laconique, puritain et lumineux, oui, je le regrettais tout en me consolant de la pensée que ce qui suintait de moi n'était pas ce que j'avais de plus mauvais.

Dans la cuisine de Millard, la Cheffe fut exposée tout d'un coup à ce qu'elle détestait, elle découvrit qu'elle détestait cela car elle n'avait encore jamais été en butte à semblable environnement, ni à Sainte-Bazeille ni chez les Clapeau où avait régné une certaine élégance de ton et de manières.

C'était, auprès de Millard, la cohabitation avec un caquetage permanent, informe, farceur et baveux, auquel se livraient tant Millard que le commis, un maigre garçon gloussant, obséquieux, et qui, les premiers temps, assourdit la Cheffe jusqu'à lui tourner la tête d'un vertige constant, bourdonnant.

Millard, qui avait à peu près l'âge de Declaerk, portait sur toute chose un regard à la fois indigné et plaisantin dont une suite décousue de protestations et d'exclamations à double sens devaient témoigner tout au long de la journée, sans quoi, disait Millard, il aurait suffoqué, il serait allé se pendre, alors il fallait que ça sorte, tout ce qu'il pensait sur n'importe quoi, même des conneries, disait-il encore fièrement, il fallait qu'il les jette à l'appréciation de son entourage, en l'occurrence le commis qui faisait chorus de ses interminables ricanements, le vieux serveur renfermé, Declaerk quand il passait dans la cuisine, qui ne feignait même pas d'écouter Millard et ne se sentait pas tenu de lui répondre, et la Cheffe dont le silence accablé aiguillonnait la verve de Millard plutôt que de la refroidir, aussi prit-elle l'habitude de murmurer des hum! qui, sans le vexer, ne le relançaient pas, elle avait honte pour eux et pour elle, elle baissait la tête sur son travail, étourdie, consternée, elle avait honte sans trop savoir pourquoi.

Elle finit par abhorrer si bien les réflexions excitées de Millard sur le monde, sur la politique de la France, sur la mairie de Bordeaux qu'elle en venait à les craindre, effrayée par la force de sa propre détestation, mesurant qu'elle n'était au courant de rien de ce dont il parlait et sentant néanmoins qu'elle ne devait pas se laisser influencer par la pensée de Millard, qu'il y avait de l'abjection dans la manière dont il se moquait furieusement des uns et des autres, dont il se délectait de la laideur ou de la maladie d'un élu, d'un client, dont il riait, dans de grands éclats de joie maligne, de la faillite d'un autre restaurant, et Millard lui semblait terrible et minuscule, monstrueusement puissant dans son existence à elle et infime hors de sa cuisine, et cette disproportion l'inquiétait, l'ébranlait, n'était-ce pas le signe de sa propre faiblesse, de son insignifiance? Qu'elle fût tellement perturbée par Millard, qu'elle éprouvât de la détestation et de l'appréhension, distraite ainsi du sentiment exclusif qu'elle voulait avoir pour la cuisine?

C'était au point qu'elle l'entendait d'une oreille presque soulagée se lancer sur une voie qu'il affectionnait, celle des grossièretés à son égard.

Elle le voyait venir dans sa façon de lui tourner radicalement le dos et de se rapprocher du commis puis, d'une voix forte pour qu'elle entendît bien mais qui affectait de chuchoter, il lâchait à propos des femmes une première plaisanterie, ensuite venaient des remarques sur la présomption de celles qui s'avisaient de vouloir travailler en cuisine et la Cheffe percevait, sous la goujaterie et les impertinences, quelque chose de sérieux, d'agité, de sincèrement révolté qui, en un sens, la rassurait, et dans le soin même que prenait Millard de déguiser son malaise réel sous des insolences comiques.

Elle le comprenait alors, elle ne le redoutait plus et le haïssait moins.

Tracassé à la perspective que des femmes embrassent sa profession, que leur nature étrangère, absconse, sans humour perturbe les joyeux échanges d'histoires drôles et de confidences masculines, il lui importait de le proclamer et tout autant de cacher son authentique préoccupation, il aurait souhaité n'être qu'obscène et léger et ne s'effrayer de rien, aussi blaguait-il plus péniblement encore, dans une méchante, une farouche, une éperdue volonté de faire savoir au monde ce qu'il pensait du sujet sans apparaître comme un homme dont ce sujet même pouvait saper l'inébranlable assurance, et la Cheffe n'était pas loin de reconnaître, dans cette obstination fanatique, une ténacité proche de la sienne, les provocations de Millard ne la troublaient pas.

Quand je lui demandai, peu convaincu, s'il ne lui

avait pas été, tout de même, insupportable de l'entendre l'appeler «la fendue» ou qu'il s'adressât à elle en la prénommant Cocotte ou Poulette, elle haussait les épaules avec indifférence, disait que cela lui avait semblé participer plus ou moins de l'ordre des choses et constituer le prix acceptable de son entrée chez Declaerk où elle avait bel et bien appris le métier.

Je mis ce détachement au compte de l'habituelle répugnance de la Cheffe à se plaindre, ce qui pouvait l'entraîner à maquiller tant soit peu la réalité ou à ne pas s'en souvenir avec la justesse qui avait pour moi la plus grande importance, mais j'ai retrouvé le commis qui travaillait dans la cuisine de Millard à cette époque, je suis allé voir ce vieux type dans sa maison de retraite de Toulouse.

Nous avons pris un café au réfectoire et je dois avouer que cela m'a bouleversé de poser mes yeux sur le long visage osseux de cet homme qui avait connu la Cheffe de vingt ans, celle dont je n'ai jamais vu de photo et que personne n'a réussi à me dépeindre avec les détails qui donnent valeur et vérité à la description, pas même sa sœur Ingrid, elle ne se rappelait rien d'intéressant, rien que je n'aie déjà imaginé.

J'ai commencé par interroger le commis sur l'apparence physique de la Cheffe, je n'étais pas préparé à ce qu'il m'a signalé, en premier lieu, comme la caractéristique la plus frappante de l'aspect de la jeune femme alors et, sans mettre en doute sa parole, j'ai pris l'air dubitatif pour me donner le temps d'assimiler l'information.

La Cheffe, me dit-il de sa voix profondément indifférente de vieillard, avait la nuque envahie par l'eczéma ou, plus exactement, par des plaques rouges, grenues, qu'il pensait, lui, avoir été de l'eczéma et qui la démangeaient semblait-il, puisque, lorsqu'elle quittait son poste de temps à autre dans la journée, il avait remarqué que ce n'était pas pour aller aux toilettes mais dans la cour sur laquelle donnait la cuisine, là elle ôtait le foulard qu'elle portait en permanence et se tapotait la nuque ou se la frottait vigoureusement, s'interdisant certainement de se gratter pour ne pas enflammer ou faire saigner ses lésions.

Quand je lui demandai comment il avait pu se rendre compte de ce que fabriquait la Cheffe dans la cour, opposant inutilement mon ton sceptique et faux à sa certitude blasée, vaguement ennuyée (il se souciait peu que je le croie ou non), il répondit que la porte de la cour restait pratiquement toujours ouverte dès le mois de mars tant la cuisine, étroite et basse, était étouffante, et comme la cour n'était pas bien grande non plus il n'était pas difficile de voir ce qu'il s'y passait.

Il ne pensait pas que personne eût jamais fait allusion à ce problème devant la Cheffe, non, mais Millard et lui en parlaient parfois avec un dégoût moqueur, jouant à s'inquiéter de savoir si cette fille n'avait pas la lèpre, au fond ils la plaignaient un peu d'être affligée d'un tel mal car ils ne se figuraient pas que l'homme le plus laid et le plus solitaire puisse avoir envie de toucher cette peau écailleuse, ils l'imaginaient rejetée, humiliée, ils n'étaient pas insensibles, ils la plaignaient un peu même s'ils ne l'aimaient pas beaucoup.

Et pourquoi ne l'aimaient-ils pas beaucoup?

Oh, il ne savait plus trop, rien de particulier, mais ils étaient contrariés d'avoir une femme dans la cuisine, c'est la raison, grosso modo, pour laquelle ils lui en voulaient, par ailleurs elle n'avait pas le goût des plaisanteries, elle ne souriait jamais et lui, le commis, n'appréciait pas les filles distantes quand elles n'étaient pas belles, seules les jolies avaient le droit de se montrer hautaines.

De quelle façon, demandai-je encore avec une émotion que je ne tentais plus de dissimuler, n'était-elle pas belle?

Il écarta péniblement ses vieux bras squelettiques et soupira, manifestant ainsi qu'il ne pouvait pas expliquer davantage et que, par ailleurs, il en avait ras le bol, de sorte que je le quittai assez brusquement, ne pouvant démêler si j'étais retourné par ce qu'il m'avait appris, que je n'avais pas soupçonné et que j'avais été à deux doigts de ne jamais savoir, ou si, surtout, son égoïsme impassible, désintéressé de tout, me hérissait *comme me hérisse parfois, par chance rarement, à ma propre surprise et à mon vif dépit, l'incuriosité satisfaite de mes amis de Lloret de Mar, mon plaisir à les fréquenter se fonde pourtant sur ce trait de leur caractère puisque je n'aurais jamais fait la moindre tentative d'entrer dans leur petit cercle si j'avais soupçonné qu'ils me poseraient des questions sur ma vie d'avant et par conséquent sur la Cheffe. Heureusement ces stupides poussées d'agacement retombent vite, calmées par un verre ou deux, l'alcool me rend d'une douceur inébranlable et renforce mon affection pleine de gratitude pour Antoine Jean-Pierre Virginie mes amis de Lloret de Mar qui ne s'occupent pas plus de savoir qui je suis hors de Lloret de Mar que*

moi d'en apprendre à leur propos, comme des enfants
nous ignorons ou négligeons de retenir jusqu'au nom de
famille des uns et des autres.

Je tirai comme conclusion de ce que m'avait dit le
commis que la Cheffe avait dû souffrir d'un psoriasis
assez sévère pour que les démangeaisons l'obligent
à sortir fréquemment, même si ces pauses étaient
courtes, mais sachant que la Cheffe avait horreur de
s'interrompre dans le travail et que, de surcroît, elle
devait avoir eu à cœur de donner de ses capacités,
de son sérieux la meilleure opinion à Millard et à
Declaerk, je ne pus éviter de penser qu'elle avait dû
souffrir encore bien au-delà de ce que la fréquence de
ses échappées dans la cour permettait de supposer,
en somme qu'elle n'avait dû se résoudre à s'éloigner
que lorsque le feu de l'irritation lui devenait intolérable.

Je n'étais pas surpris qu'elle ne m'eût jamais
raconté avoir eu ce problème.

J'étais étonné en revanche, non, plus que cela,
extrêmement désappointé et mécontent de moi-
même en pensant que j'avais été incapable de détecter, sous la narration de la Cheffe, l'indice d'un
possible secret d'une nature toute différente de celle
que j'avais envisagée, comme son désir physique pour
Declaerk ou sa probable histoire maritale avec le jardinier des Clapeau, et je me reprochai violemment,
avec la souffrance de ce qui arrive trop tard, d'avoir
manqué d'attention et de sensibilité, l'hypothèse peu
vraisemblable que nul mot, nulle expression sur le
visage de la Cheffe, dans la clarté dure et blanche du
néon de la cuisine mise en ordre pour la nuit, n'avait
jamais rien révélé de ce mal qui avait dû lui empoi-

sonner l'existence ne me consolait pas, je n'y croyais pas.

Sans doute mû vaguement par l'espoir magique de guérir la Cheffe par-delà les années, ou tout au moins de passer en imagination un baume plein de tendresse sur sa peau tourmentée, je me documentai à fond sur le psoriasis, rencontrai des dermatologues afin de me faire expliquer les caractères et origines de cette affection, *habitude si bien ancrée maintenant que j'ai interrogé Bertrand ou Bernard quand je l'ai entendu raconter une amusante histoire d'hôpital, sur la plage de Santa Cristina où nous pique-niquions, et bien que je n'interroge jamais personne à Lloret de Mar, alors il a avoué qu'il a été médecin et je n'ai pu m'empêcher de le questionner sur le psoriasis, je paie ma dette à la Cheffe en me persuadant que je saurais aujourd'hui la soigner l'apaiser, je pose doucement mes lèvres sur sa pauvre nuque enflammée. J'ai failli demander à Bernard ou à Bertrand : Crois-tu que, fort de ce que je sais maintenant, j'aurais pu aider la Cheffe si je l'avais connue quand elle avait vingt ans et qu'elle souffrait de cette terrible maladie de peau? J'ai failli lui demander : Crois-tu que je puisse agir aujourd'hui sur un passé qui ne m'a pas concerné, crois-tu que je puisse faire en sorte que la Cheffe n'ait jamais été atteinte de psoriasis? Peut-il suffire de poser en pensée ses lèvres aimantes sur une plaie?*

Et je me penchai bien évidemment sur les causes psychologiques du mal, j'étais vivement tenté de mettre celui-ci en rapport avec ce que la Cheffe m'avait dit des difficultés qu'elle avait rencontrées pour garder sa fille auprès d'elle, ou plutôt ce que j'avais réussi à lui arracher à ce sujet, la Cheffe n'ayant visiblement qu'une très médiocre envie de se rappeler cet élément douloureux d'une période, celle de son apprentissage chez Declaerk, par ailleurs galvanisante et dont, sur le seul plan de la cuisine, elle s'entretenait volontiers, elle aurait aimé ne se souvenir que de ce qui s'était passé entre les murs du restaurant et non du reste de sa vie.

Mais, cette vie compliquée en dehors du restaurant, ne l'avait-elle pas transportée malgré tout dans la cuisine de Millard, sous la forme éloquente, humiliante, cuisante d'une peau rongée par un mal qui dégoûtait les autres ?

Dès que la Cheffe eut compris qu'elle donnait satisfaction et qu'elle allait rester chez Declaerk, elle partit chercher sa fille à Sainte-Bazeille. L'enfant avait alors environ un an.

La Cheffe ne savait pas précisément comment elle allait se débrouiller, elle savait simplement qu'elle devait reprendre sa fille comme elle se l'était promis et sans rien céder de sa volonté de progresser rapidement dans son métier, elle voulait si anxieusement faire aller de front ces deux obligations qu'elle se précipita à Sainte-Bazeille pour s'interdire, je pense, de se demander s'il n'était pas préférable de laisser l'enfant là-bas, comme je vous l'ai dit elle se sentait coupable.

Elle revint avec la petite à l'hôtel où elle avait toujours sa chambre et, le lendemain matin, elle l'amena à une voisine de l'immeuble d'en face, une femme qui élevait seule deux ou trois enfants et avec qui la Cheffe s'était entendue pour lui confier la sienne dans la journée.

Et la Cheffe travailla jusque tard le soir et retrouva l'enfant à son retour et la ramena chez la voisine le lendemain et ainsi pendant quelques semaines, personne ne savait, chez Declaerk, qu'elle avait un enfant et elle était déterminée à ce qu'on ne l'apprenne pas.

Les choses s'étant ainsi organisées, qu'est-ce qui se mit à ne plus lui convenir, pourquoi ramena-t-elle l'enfant à Sainte-Bazeille avant la fin de l'année? lui demandai-je quand elle m'indiqua simplement le fait, sachant que je ne l'ignorais d'ailleurs pas puisque, à cette époque, sa fille avait commencé ses plaintes, ses récriminations systématiques à l'encontre de la Cheffe et que revenait perfidement cette accusation, qu'elle ne l'avait pas tolérée longtemps auprès d'elle lorsqu'elle avait eu son premier emploi.

C'est qu'elle n'avait pas tardé à constater, me dit-elle, que la voisine n'avait ni moralité ni hygiène et qu'elle avait craint pour la santé de sa fille comme pour la qualité de son langage dans un tel environnement, voilà pourquoi elle avait dû la rendre à ses grands-parents, quoi que cela lui eût coûté de reconnaître son échec.

Et, chassant l'air devant elle d'un petit coup de poignet agacé, elle s'exclama : Je ne savais même pas que ça existait! quand je m'étonnai qu'elle n'eût pas essayé de trouver une crèche qui aurait pu accueillir son enfant, ou une autre voisine qui l'aurait gardée, et je n'insistai pas, satisfait, secrètement convaincu qu'elle avait fini, alors, par accepter l'idée qu'elle ne pouvait dédier son temps et ses pensées, tout le temps de ses pensées à la cuisine tout en s'occupant, dans une petite chambre d'hôtel, d'une enfant qui apprenait, elle, à marcher et à parler, et qu'elle s'était résolue à faire le seul choix possible et à la reconduire à Sainte-Bazeille où ses grands-parents l'élevaient convenablement comme ils faisaient toute chose, et j'étais convaincu et satisfait, je ne savais encore rien du psoriasis.

Mais je ne me trompais certainement pas en supposant que la Cheffe n'avait pas supporté l'envahissement de sa réflexion par le babillage ou les pleurs de l'enfant, cette effroyable impossibilité de penser que provoque la présence d'un tout-petit dans un espace minuscule, en supposant aussi que l'avait terrifiée la menace que s'abatte de nouveau sur elle la stupeur de Marmande, et Sainte-Bazeille devait en protéger l'enfant comme elle-même, elle n'en parla pas, c'était inutile.

Si la Cheffe n'avait eu que la modeste prétention de faire ses premières armes chez Declaerk, d'apprendre le métier à la façon du commis ricaneur, elle aurait pu s'occuper de l'enfant tout en travaillant, mais son ambition était autre, non pas seulement plus grande mais d'une sorte toute différente, et il lui fallait impérativement, le soir, une solitude au cœur silencieux de laquelle elle pût converser avec ce qui l'avait recrutée, convoquée.

Par contre je me trompais en me figurant que la Cheffe avait exagéré a posteriori son affliction et sa honte d'avoir dû se séparer à nouveau de l'enfant, oui je me trompais en pensant qu'elle avait recréé artificiellement ce désarroi d'après ce qu'elle voyait chez sa fille adulte, la catastrophe vaniteuse qu'était devenue celle-ci, car je n'avais pas su pour le psoriasis et je m'étais représenté une Cheffe de vingt ans autrement imperturbable, indépendante, résolue, certes aimant l'enfant autant qu'elle le pouvait, n'aimant personne davantage mais également capable d'oublier l'enfant dès lors qu'elle se retrouvait dans la cuisine de Millard.

Si elle pouvait l'oublier, sa conscience malheureuse, elle, ne l'oubliait pas, et la Cheffe cachait sa nuque sous un foulard même au plus fort de la chaleur, comment avais-je pu ne rien savoir pour le psoriasis?

La Cheffe était morte depuis deux ans lorsque je rencontrai le vieux commis dans sa maison de retraite et qu'il me décrivit avec un reste de répugnance objective et froide la manière dont sa jeune collègue qu'il ne trouvait pas belle frottait frénétiquement sa nuque dans la cour, la Cheffe était morte et pas ce vieillard déplaisant et j'avais, sans le savoir, laissé passer à jamais la possibilité de montrer ma peine à la Cheffe, ma sympathie infinie pour ses souffrances d'alors, debout derrière elle j'aurais caressé sa nuque et discerné peut-être sous mes doigts quelque chose d'imperceptiblement grumeleux encore, alors la Cheffe aurait ressenti ma compassion, comment avais-je pu ne rien savoir?

Je ne me le pardonne toujours pas.

Mes amis de Lloret de Mar veulent confectionner un bon repas pour fêter l'arrivée de ma fille, pensant que je ne pourrais m'en débrouiller, ils ne me voient acheter que des plats tout préparés au supermarché de Lloret de Mar. Leur gentillesse, et qu'ils semblent m'apprécier au-delà de ce que je croyais, au-delà de ce que je suis, moi, en état de leur rendre, me touche plus que je ne souhaiterais être touché par quoi que ce soit à Lloret de Mar. Ils m'ont demandé ce que ma fille aimait manger, je n'ai pu leur répondre, j'ai éprouvé un instant de panique et de contrariété. Je voudrais que tout redevienne comme avant à Lloret de Mar, je prie pour que ma fille ait un empêchement, rien de grave bien sûr, qu'elle renonce à sa visite, mais à prier ainsi sans prudence est-ce que je ne risque pas d'attirer le malheur sur sa jeune tête innocente?

À voir quotidiennement travailler Millard, la Cheffe acquit une solide considération pour cet homme qu'elle estimait peu sous tous les autres aspects.

Elle qui, jusqu'à présent, n'avait pas dissocié le talent de la dignité, qui avait vu un lien inéluctable entre les aptitudes étriquées de la cuisinière de Marmande et son cœur mesquin (craignait-elle de ne faire qu'une négligeable cuisinière elle-même si elle ne savait aimer sa fille avec grandeur?), elle fut troublée d'observer chez Millard l'harmonieuse coexistence d'un savoir-faire inventif, astucieux et d'une personnalité indigente, cancanière et sotte, aucun des deux n'influant sur l'autre et l'ensemble produisant un Millard très content de vivre, sachant ce qu'il valait comme cuisinier, méconnaissant ses limites par ailleurs, excellent professionnel et détestable individu.

Jamais son honnêteté n'était en défaut quand il s'attelait à la préparation d'un plat et les éloges des clients, que lui transmettait le serveur, lui causaient un plaisir singulièrement humble, comme s'il n'avait nullement attendu même une aussi simple récompense que des félicitations pour prix de ses efforts, de son désir de faire toujours au mieux.

Sa cuisine ressortissait sobrement aux goûts et pratiques de l'époque, cependant à l'élaboration classique des quenelles de brochet sauce Nantua, par exemple, il apportait une note personnelle, esthétique en coupant menu une pleine botte de persil plat dans la béchamel rose, disant par pudeur, sur un ton qui voulait laisser penser qu'il se moquait de lui-même, qu'il manquait dans tout ce rose une seconde couleur fraîche et contrastante, mais il œuvrait avec sérieux et il tâchait généralement, sans avoir l'air d'y toucher, presque subrepticement, d'alléger ne serait-ce qu'à la vue la farineuse densité des roux ou la graisse flottante séparée des jus, il utilisait tout le vert des légumes, il n'en disait rien, peu à l'aise pour justifier ses intuitions.

Et la Cheffe, avec une surprise toujours renouvelée, voyait naître sur les lèvres de cet homme les mots et phrases d'une bêtise jamais lasse, d'une malveillance rarement en repos, dans le même temps que les mains habiles de Millard suivaient les ingénieuses directives d'un cerveau que ni la bêtise ni la malveillance n'entravaient.

Comment était-ce possible, se demandait la Cheffe à l'époque, se demandait-elle encore, d'une certaine façon, quand elle m'en parlait quelque trente ans plus tard, que la vilaine âme de Millard ne fût pas un obstacle au labeur consciencieux de ses mains ou que celles-ci ne déraillent pas sur le plan de travail, de gêne, de confusion à se sentir guidées par un esprit mauvais ?

En ce qui la concernait, la Cheffe avait toujours appréhendé qu'une conduite douteuse de sa vie, qu'une habitude lâchement prise de pensées malintentionnées ne lui fassent perdre à jamais la faveur qui lui était dévolue, elle se tenait à l'œil elle-même, elle s'efforçait de ne rien se passer.

Comme Millard avait le plus grand respect pour son métier, il s'adressait à la Cheffe avec correction et précision quand il s'agissait de lui commander une tâche.

La même bonne foi dans le travail l'amena à reconnaître que cette fille était rapide, capable, qu'elle était douée et déjà au fait de beaucoup de choses, et bien que chaque jour, mécaniquement, il appelât de ses vœux le remplacement de la fille par un commis de l'autre sexe, bien qu'il souhaitât viscéralement, chaque matin, ne pas la voir entrer dans sa cuisine, il ne mêlait jamais ces sentiments à l'opinion scrupuleuse, loyale que se formait d'elle le professionnel en lui, celui-là même qui, bientôt, ne se contenta plus de lui faire parer les ingrédients mais l'associa à l'exécution de tâches réclamant, disait-il, un bon tour de main.

Il se rendit compte que ce qu'elle ne savait pas déjà faire parfaitement, pâte feuilletée, glace de viande, farcir délicatement un poisson, elle l'apprenait très vite quand il lui avait montré, rien qu'une fois, la technique, et de chaque terme qu'il utilisait elle se souvenait, elle adoptait un profil bas pourtant, par méfiance, tactique et délicatesse, en feignant de n'avoir pas d'idées personnelles, en évitant soigneusement de la ramener, comme disait facilement Millard à propos de quiconque exprimait un point de vue devant lui.

Il m'est venu la pensée aberrante que je pourrais louer un appartement à Rosamar en faisant croire à

ma fille que c'est là que je vis, je ne lui présenterais ni
Lloret de Mar ni mes amis, les deux semaines de son
séjour seraient vite passées, je ne l'emmènerais pas sur
la plage de Santa Cristina ni en aucun lieu où mes
amis de Lloret de Mar aiment à se retrouver. Je leur
dirais, à eux, que ma fille a finalement renoncé à sa
visite, ils auraient tôt fait d'oublier toute cette histoire
et même que j'ai une fille. Cette pensée m'a ragaillardi,
cela me semblait d'un coup si simple.

Sur la foi des rapports élogieux, quoique bou-
gons, peu empressés que lui faisait Millard, Declaerk
augmenta le salaire de la Cheffe. Il devait prendre
prétexte de ce geste élégant pour dénoncer ce qu'il
s'obstinait à regarder comme la trahison de son
employée, dans l'article que j'ai retrouvé, insinuant
que la Cheffe avait un caractère ingrat, arguant
même des bonnes paroles qu'elle avait toujours sur
son compte ou celui de Millard pour affirmer qu'elle
était hypocrite, pourquoi serait-elle partie si elle
s'était trouvée si bien chez lui ?

Il avait dû sauter aux yeux des lecteurs que
Declaerk n'admettait tout simplement pas que la
Cheffe eût conquis son indépendance et que, de surcroît, elle n'ait eu à payer celle-ci d'aucune désillu-
sion, il avait cru la protéger, disait-il, il n'avait fait
que la préparer à la désertion.

Quoique la Cheffe n'ait pu ignorer que Declaerk
avait parlé d'elle en mauvaise part, je ne l'ai jamais
entendue formuler la moindre critique, la moindre
remarque acerbe ou ironique à propos de celui qui,
s'il surestimait complaisamment son rôle dans la
formation de la Cheffe, s'il laissait entendre contre
toute vraisemblance qu'il avait engagé par grandeur

d'âme une fille complètement perdue, l'avait aidée malgré tout, elle comprenait jusqu'à son amertume, elle se désolait pour lui qu'il se révélât si vulnérable, si vainement blessé, elle l'aurait défendu contre toute attaque même justifiée.

Elle avait pour lui, pour la petitesse acrimonieuse qu'il dévoilait dans l'article, la mansuétude indéfectible avec laquelle on peut juger ses parents restés sur le sable et remâchant leur dépit tandis que le flot d'un succès incompréhensible pour eux vous a emporté bien loin sur une mer argentée, la jalousie stupide mais dont je ne détestais pas l'aiguillon m'incitait à mettre au compte d'un reste d'attirance charnelle, du souvenir nostalgique d'un désir particulier pour ce type et son corps sec, une indulgence inspirée peut-être, au contraire, par une sorte d'attachement filial.

Oui, j'étais jaloux, je n'arrivais pas à me convaincre que la Cheffe aurait témoigné à mon égard de la même fidélité, c'était idiot (je jalousais la sainte maigreur à la Declaerk !).

Ce dernier ne put jamais digérer que la Cheffe, après dix-huit mois passés chez lui, lui annonce qu'elle avait repéré un local à louer, un ancien bistrot fermé depuis longtemps, fort éloigné du restaurant de Declaerk.

Elle voulait ouvrir son propre établissement, elle prévenait Declaerk dans les règles, plusieurs mois à l'avance, et attendait même candidement son approbation et ses encouragements, voire ses conseils, éventuellement un prêt, me dit-elle en riant de sa naïve outrecuidance d'alors.

La réaction glaciale de Declaerk l'étonna. Il laissa

passer quelques jours sans rien lui dire, puis il l'informa qu'il avait trouvé quelqu'un pour la remplacer, il ne voulait plus la voir, plus entendre parler d'elle, qu'elle aille se plaindre si elle l'osait.

Il me plaît de penser que ce qui était presque, de la part de ce type, une malédiction lancée contre la Cheffe se retourna contre lui bien au-delà de ce qu'elle eût été en droit de souhaiter, elle obéit à son injonction furieuse et ne revint jamais vers lui d'aucune manière mais il entendit parler d'elle, ô combien, avec une douleur saumâtre que je me figure non sans plaisir, dont l'idée, en revanche, n'inspirait que tristesse à la Cheffe.

Elle espéra longtemps le voir entrer chez elle comme elle-même était entrée chez lui plusieurs décennies auparavant, il ne serait pas venu, assurément, lui demander du travail mais lui laisser deviner qu'il avait pardonné, qu'il ne lui en voulait plus de rien et la Cheffe aurait oublié aussitôt qu'elle n'avait rien commis pour quoi elle aurait pu désirer qu'il lui pardonne, elle se serait sentie infiniment soulagée, apaisée, elle aurait accueilli avec gratitude, comme une coupable, son pardon, pensant qu'il existait un principe plus important que la justice — celui de la réconciliation.

Mais Declaerk n'entra jamais chez la Cheffe et s'il accepta de répondre aux questions d'un journaliste concernant son ancienne employée, sollicitation qui avait dû stimuler son ressentiment, ce fut sans doute uniquement pour tenter de la discréditer, il ne comprit pas, ne voulut pas comprendre qu'elle l'attendait avec un cœur magnanime, ouvert à tout, qu'elle aurait déposé toutes ses armes devant lui avant qu'il prononce le moindre mot quand bien même elle était, de toute évidence, la plus forte des deux.

Je n'aimais guère cette abdication de son bon droit, de son légitime amour-propre devant l'orgueil mal placé de Declaerk, je voyais là quelque chose de féminin qui n'aurait pas dû être, cette volonté de faire la paix à tout prix avec quelqu'un qui n'avait pas conscience de la chance qui lui était donnée, de la grâce qui lui était faite, mais la Cheffe eut un petit rire quand je m'exprimai ainsi, elle dit seulement : J'avais un peu de peine pour lui, tu sais, et je lui dis ne pas admettre qu'elle ait éprouvé de la peine pour un homme qui avait eu des sentiments envieux et médiocres à son égard, je lui dis que c'était précisément l'excessive longanimité de femmes comme elle qui encourageait l'incorrection effrontée d'hommes comme lui, et la Cheffe resta silencieuse, me signifiant ainsi, je crois, que j'avais raison mais qu'elle avait raison également pour des motifs que je ne pouvais comprendre.

Et, en effet, je ne sais toujours pas si la Cheffe avait de la peine pour Declaerk parce qu'il y avait eu vaguement quelque chose entre eux et que, peut-être, elle s'était dérobée et l'avait vexé ou parce que, plus généralement, les envieux lui faisaient pitié, qu'elle se reprochait d'être l'objet d'un tel sentiment même si elle n'avait rien fait pour le susciter, elle était ainsi, répugnant à engendrer bien involontairement quelque chose de funeste, que par elle le mal se répande.

La Cheffe fut donc mise à la porte de chez Declaerk d'une façon brutale et humiliante dont elle ne ressentit pourtant l'impact que fugitivement, superficiellement tant l'élaboration de son projet la rendait dure et énergique, à peine se retrouva-t-elle dans la rue qu'elle cinglait déjà en pensée loin de Millard et Declaerk et que s'effaçait, comme un élément futile de sa trajectoire déjà ébauchée (une esquisse de destin qu'elle pouvait voir avec les yeux écarquillés de son imagination), le souvenir de son renvoi.

Elle se rendit à l'agence immobilière qui s'occupait de louer les murs du local qu'elle avait repéré, elle visita celui-ci, très excitée de le découvrir semblable à ce qu'elle avait espéré en le scrutant à travers les grandes vitres qui donnaient sur deux rues à la fois, c'était un angle très passant, du côté de la place de la Bourse.

Il y avait en tout et pour tout une salle de quarante mètres carrés, une cuisine de quinze et des sanitaires en mauvais état.

Oui, il s'agissait déjà du restaurant actuel, la Cheffe s'est agrandie par la suite en achetant les deux boutiques voisines mais elle n'a jamais déménagé.

Il y avait au sol ces beaux carreaux que vous connaissez, des terres cuites à motifs de trèfle vert sur fond bleu pâle. Le local était à prendre avec les meubles du bistrot qui avait fait faillite, des tables de chêne foncé, des chaises paillées et, dans la cuisine, tout le nécessaire en billots, dessertes, armoires, plats de cuisson et cocottes, seuls manquaient la vaisselle, les verres et les couverts.

La Cheffe donna son accord, supplia qu'on lui laisse un peu de temps, elle prit le train pour Marmande et sonna chez les Clapeau.

Elle m'assura qu'ils ne furent pas surpris de la

voir, qu'ils paraissaient même avoir attendu sa visite, ce que j'interprétai comme le signe éclatant qu'elle avait retrouvé sa muette et puissante influence, que son pouvoir de leur procurer ce qui était pour eux la meilleure des jouissances irradiait de nouveau vers les Clapeau qui, pensai-je, n'avaient probablement pas prévu sa visite, non, mais, découvrant la Cheffe sur leur seuil, se trouvaient frappés d'une certitude — que cette fille devait revenir inéluctablement dans leur vie, que celle-ci ne pouvait avoir été bouleversée et réformée comme elle l'avait été après les Landes sans que l'initiatrice de cette métamorphose n'y effectuât des apparitions régulières, rituelles, car le hasard n'avait pas de part dans cette histoire, devaient se dire les Clapeau qui chaque jour regrettaient la Cheffe, sans chagrin, calmement, pleins de gratitude pour ce qui leur avait été donné, sachant qu'ils n'en avaient pas fini, pris dans un suspens patient et mélancolique, ils duraient.

Lorsque, une demi-heure plus tard, la Cheffe les quitta, elle emportait un chèque généreux.

Elle avait à peine ouvert la bouche, eux pareillement. Ils avaient compris, au premier mot, de quoi elle avait besoin, de même qu'elle avait compris, en les remerciant, qu'ils ne voulaient pas être remerciés, que l'éventualité même leur en faisait horreur, ils se débattirent vigoureusement et sans la moindre coquetterie, alors la Cheffe se tut, elle rangea soigneusement le chèque dans son petit sac et les salua aussitôt pour prendre congé, ne songeant pas une seconde à se donner la peine de faire un semblant de conversation et les Clapeau n'y songeaient pas non plus.

Elle ne mettrait pas longtemps à s'acquitter de sa dette et quoique les Clapeau y aient été hostiles, qu'ils lui aient même écrit à plusieurs reprises pour l'enjoindre de cesser de leur envoyer des chèques que, du reste, ils ne touchaient pas, elle s'obstinerait à effectuer ces versements, sachant bien que les Clapeau estimaient avec une sorte d'effroi qu'ils n'étaient pas là dans une position juste vis-à-vis d'elle, qu'elle ne leur devait rien et que, à lui prendre quelque chose même d'aussi peu compromettant que des chèques de remboursement, ils affaiblissaient leur ferveur, manquaient à leur propre idée d'eux-mêmes, subtilement se mettaient en danger — mais c'était, cela, pour la Cheffe, l'affaire des Clapeau, leur très honorable préoccupation, et son affaire à elle consistait à n'être en dette avec personne.

Elle obtint le local ainsi que le petit appartement décrépit au-dessus, paya quelques mois de loyer d'avance, acheta du linge, de la vaisselle blanche, des couverts et des verres à pied, et, pour elle, un simple matelas qui serait longtemps l'unique équipement de l'appartement, elle rangerait ses vêtements sur des palettes, son confort ne lui importait aucunement.

Quand je deviendrais suffisamment proche de la Cheffe pour oser, l'hiver, passer lui dire bonjour chez elle, je pourrais constater que, si son appartement n'était plus meublé d'un seul matelas, elle paraissait l'avoir rempli d'objets par respect pour une obligation sociale dont, à côté de ça, elle connaissait mal les codes tant elle s'y intéressait peu, tant elle se souciait peu également de l'opinion qu'auraient d'elle à ce propos les rares personnes autorisées à voir son intérieur, parmi lesquelles comptaient principalement les amis de sa fille au temps où celle-ci vivait encore avec elle.

J'observai avec amusement que, par exemple, la Cheffe avait flanqué côte à côte dans l'entrée deux armoires de styles et de bois différents ou disposé sur le plancher une mince carpette orientale tout contre un tapis contemporain de grosse laine à motifs géométriques, j'observai aussi que la Cheffe se déplaçait dans l'appartement avec une hésitation furtive et très légèrement contrariée, comme si elle se retrouvait au sortir d'un rêve précisément dans l'endroit où elle n'avait pas souhaité se rendre et qu'elle connaissait mal par ailleurs.

Quand elle eut acheté ce qu'il lui fallait pour se lancer, elle fit peindre une enseigne en lettres rouges sur fond crème, avec un effet de trompe-l'œil pour que les lettres paraissent avoir été découpées dans une matière épaisse puis collées sur le bois de l'enseigne. Son restaurant, vous le savez, elle le nomma *la Bonne Heure.*

Alors je loue une voiture pour la journée et je vais à Rosamar dans l'idée d'y réserver un appartement dont je ferai croire à ma fille qu'il est le mien, me voilà déambulant dans les rues de Rosamar qui ressemblent tellement à celles de Lloret de Mar que je m'attends en permanence à tomber sur Jean-Claude Jean-Luc Marie-Christine Nathalie en train de faire leurs courses onéreuses et sophistiquées dans les meilleures épiceries mais je suis à Rosamar où je ne connais personne et où personne ne me connaît et c'est la raison pour laquelle je pourrais y recevoir ma fille, pourtant je n'en ai plus envie, le désespoir me tourne la tête et fait trembler mes jambes et je me laisse tomber sur une

chaise à la terrasse d'un café tout pareil à celui où j'ai
mes habitudes à Lloret de Mar. Je ne sais plus com-
ment m'en sortir. Soudain le soleil est mon ennemi et le
ciel me paraît trop vaste, j'ai la nostalgie de Bordeaux
en hiver, des rues sombres et hautes de mon enfance et
du silence cotonneux, les sons prisonniers des brouil-
lards au-dessus de la Garonne grise indiscernable,
à Rosamar comme à Lloret de Mar la lumière sans
pesanteur amplifie atrocement chaque bruit métal-
lique, chaque stupide cri de joie dans ces lieux voués
aux plaisirs des gens de mon espèce, comment vais-je
m'en sortir et de quoi exactement, où est le péril, que
pourrait faire ou dire ma fille que je me sente incapable
de supporter ?

Quand on demandait à la Cheffe ce qui avait
déterminé le choix du nom de son restaurant, elle
éludait d'une boutade, disant par exemple : Eh bien,
c'est tout simplement un nom parfait, n'est-ce pas ?

Et c'était, en effet, un des meilleurs noms de restaurant qu'on puisse trouver, enjoué, simple, facile
à retenir, mais la Cheffe l'avait choisi depuis longtemps, quand elle travaillait encore chez les Clapeau,
et d'après un souvenir qui lui était cher même s'il lui
serrait parfois la gorge d'un vague chagrin.

Car elle avait entendu presque chaque jour,
étant enfant, sa mère s'exclamer joyeusement et à
tout propos : À la bonne heure ! Que ce fût pour
se réjouir lorsque sa fille rentrait de l'école, qu'un
travail s'annonçait bien payé, qu'une brise légère
venait rafraîchir une chaude journée, en réalité pour
toute occasion qui n'était pas franchement déplaisante et pouvait donc facilement se transformer en
quelque chose qui inspire une forme de joviale recon-

naissance, source même du bonheur d'exister pour les parents de la Cheffe, la mère laissait jaillir cette expression qui ne semblait jamais monter machinalement à ses lèvres mais provenir de la région la plus pondérée, la plus sincère de son cœur sincère et pondéré.

Quand la Cheffe m'avoua l'origine de ce nom, elle me dit aussi qu'elle l'avait dévoilée à sa fille quelques années plus tôt, et comme, ayant lu les interviews que cette femme a données très libéralement avant ou après la disparition de la Cheffe, je n'ai jamais vu qu'elle évoque l'histoire de *la Bonne Heure*, je me hasarde à en conclure qu'elle l'a soigneusement tue pour ne pas donner de sa mère l'image d'une femme sensible, voire sentimentale, puisqu'elle s'entête à vouloir convaincre que la Cheffe n'était que sécheresse et calcul.

À un journaliste qui l'interroge au sujet du nom, elle dit ne pas savoir d'où cela vient, que sa mère avait dû le trouver par hasard, ce qui, bien sûr, ne veut rien dire et témoigne à mes yeux de la rosserie toute particulière de cette femme qui aurait dû sentir qu'en révélant la signification de ce choix elle ne rendrait hommage pas tant à sa mère qu'à sa grand-mère de Sainte-Bazeille auprès de qui elle avait vécu ses premières années et qu'elle avait, selon la Cheffe, aimée plus que personne, mais comment aiment les êtres égocentriques dans son genre, voilà ce que je me demande.

Une fois qu'elle eut lessivé les murs de la salle, la Cheffe prit le parti de conserver l'audacieux bleu roi dont ils étaient peints, au-dessus des boiseries sombres qu'elle cira abondamment, et cette ambiance sous-marine assourdie, réfléchie, où les gestes paraissaient s'effectuer plus lentement et plus posément qu'à l'extérieur, tranchait avec les rouges et les dorés qui dominaient encore à l'époque, c'était là une décision hardie et la Cheffe travailla, grâce à un éclairage bien jaune, à supprimer l'impression de froideur qu'aurait pu causer la solennité subaquatique de ces murs bleu foncé, c'était une décision hardie, la Cheffe la prit seule ainsi qu'elle faisait tout le reste, elle ne le regretta jamais.

Les murs sont toujours bleus, aujourd'hui, à *la Bonne Heure* et j'ai souvent pensé que le comportement généralement correct des clients de ce restaurant, que leur décence, leur propension à ne pas parler trop fort tout en se sentant merveilleusement à l'aise et jamais sous le regard critique d'employés compassés, procèdent encore de ce bleu pénétré de sa solitude et de sa douce austérité avant même que de la cuisine intransigeante de la Cheffe ou du climat de retenue qu'elle imposait par sa seule présence visible ou occulte.

Bien que de telles appréciations paraissent toujours devoir constituer le fond d'une légende répétitive, quel que soit le domaine d'activités dont il est question, ce n'est rien de dire que les premiers temps de *la Bonne Heure* furent ardus.

La Cheffe évacuerait le sujet, et celui des sentiments qu'elle éprouva dans la grande difficulté des débuts, en disant : Je n'avais jamais escompté que ce soit facile.

Elle ouvrit *la Bonne Heure* le 3 avril 1973, avec une carte qu'elle avait fait imprimer sur un papier bleu ciel.

Elle proposait de la tourte aux écrevisses, des beignets de cervelle d'agneau à la sauce d'anchois, des quenelles de veau, du thon au four, du rôti de bœuf cuit au miel de lavande, la tarte aux pêches des Landes, un parfait à la vanille nappé d'un jus de café et, bien qu'envisageant d'embaucher quelqu'un en salle dès qu'elle le pourrait, elle ne craignit pas d'assurer l'accueil et le service pour les six tables, à midi et le soir.

Elle n'eut, la première semaine, qu'une poignée de clients dont elle m'assura modestement qu'ils repartirent très satisfaits et les semaines s'écoulèrent sans que le nombre de clients augmentât d'une façon telle qu'elle pût se sentir certaine d'y arriver.

Elle ne fermait que le jeudi midi, elle se levait chaque jour à cinq heures, lavait le linge de table dans la baignoire de l'appartement, puis elle allait au marché des Capucins en poussant une petite carriole, tout cela, me dit-elle, dans une exaltation têtue, presque furieuse qui annihilait toute sensation de fatigue, qui ne permettait même pas à une telle sensation de s'éveiller et lui faisait considérer le nécessaire repos avec un ennui proche de l'angoisse, elle dormait bien cependant, elle s'engloutissait dans une tombe étroite et fraîche où elle ne se tournait, ne bougeait ni ne rêvait, d'où elle émergeait au matin avec l'impression que ce qui s'était passé la veille était ancien et révolu et que sa vie commençait à l'instant, vierge de tout souci, que *la Bonne Heure* allait ouvrir pour la première fois ce midi-là.

Cette même fièvre acharnée, impérieuse l'entraîna, peut-être, vers Sainte-Bazeille un jeudi à l'aube, elle était un cheval galopant sans mors dans la confiance farouche en son instinct, alors elle courut à Sainte-Bazeille, courut dans la maison de ses parents, repartit toujours courant, n'entendant rien, irraisonnée et sûre d'elle sauvagement, en emmenant sa fille qui allait avoir trois ans.

Qu'elle ait choisi précisément la période où il lui serait le plus compliqué de s'occuper de l'enfant pour venir la chercher, la reprendre définitivement ainsi qu'elle l'annonça à ses parents, atteste à mes yeux de la dimension exacerbée de son combat, de cette manière rageuse et pourtant absolument optimiste qu'elle eut alors de jouer son va-tout, intimement convaincue qu'elle devait risquer l'échec total, comme mère, cuisinière, restauratrice, ou s'offrir l'occasion d'une réussite admirable sur tous les plans, mais qu'elle ne pouvait tenter l'aventure du restaurant sans y intégrer l'éducation de sa fille, qu'elle ne se réjouirait jamais du succès de la première si elle se soustrayait aux devoirs de la seconde, certes une inquiétante euphorie la menait sans doute mais c'est bien ce qui, cette combinaison de fougue, d'aveuglement et de sens obsédant de ses responsabilités, a fait de la Cheffe ce qu'elle est devenue, une grande artiste.

Il m'arrive d'oublier, quand je m'adresse à vous, quand je pense à la Cheffe, que le hasard de sa naissance a voulu que ses dispositions trouvent la cuisine comme terrain d'épreuves, c'est que je la tiens, quoi qu'elle en eût, pour une artiste qui, en d'autres circonstances, aurait donné sa mesure dans la peinture ou l'écriture, je ne sais quoi encore, mais la Cheffe n'aimait pas que je considère les choses ainsi, elle ne pensait pas avoir une complexion particulière, un talent qui lui serait propre, seulement la chance d'être organisée, travailleuse, intuitive et d'héberger en soi, sans garantie que ce fût pour toujours, le petit génie de son métier — C'est exactement ce dont je vous parle à propos de l'art, lui rétorquais-je, alors la Cheffe fronçait les sourcils, elle se méfiait des grands mots, tout ce cinéma comme elle disait.

Il me suffit maintenant de savoir que je pourrais amener ma fille à Rosamar pour me résigner à la recevoir à Lloret de Mar, mon vrai chez-moi. Je suis rentré de Rosamar en me disant le cœur plein de dégoût : Il faudrait vivre avec elle deux semaines durant dans la mystification, redouter de croiser quelqu'un que je connais, m'inventer une vie et des habitudes. Je me découvre presque soulagé à l'idée que je n'ai plus à lutter, que mon repos est fini, que je vais vers les ennuis — mais les ennuis de la réalité, pas ceux du mensonge. Puisque je sais que les ennuis vont arriver je n'ai plus de raison de craindre qu'ils arrivent, la messe sera dite, je me sens déjà purifié alors que rien ne s'est encore produit et que ce soir comme tous les soirs je me trouverai sur une terrasse à boire manger bavarder avec mes amis de Lloret de Mar qui me demanderont gentiment : Et ta fille ? et je répondrai : Elle sera là dans une semaine, elle s'appelle Cora. Oh c'est joli. Oui peut-être, je ne sais pas trop, j'ai rarement prononcé son prénom, Cora elle s'appelle Cora et cela évoque en moi si peu de souvenirs, il se peut que ce soit joli Cora, elle s'appelle Cora, je n'ai pas collaboré au choix de son prénom.

Une fois que la Cheffe eut inscrit sa fille à l'école maternelle, elle inclut les soins à lui donner dans la liste dense et rigoureuse de tout ce qu'elle avait déjà à faire quotidiennement, ce qui, selon elle, lui parut nettement moins difficile que tout ce qu'elle avait accompli jusqu'alors, même si la place qu'elle réussit à lui faire en s'acquittant plus vite encore de certaines tâches, comme le lavage du linge ou le rangement de la cuisine, devait parfois lui paraître insuffisante et l'emplir du sentiment douloureux de la faute, de l'imperfection, de sorte que l'enfant qui dormait sur le même matelas qu'elle et entendait moins distinctement battre son propre cœur que celui de sa mère, qui avait du roulement de ses propres pensées une conscience moins profonde que celle qu'elle avait des pensées de sa mère, s'imprégna de ce regret, l'exploita follement et cyniquement comme font les enfants et devint une petite créature capricieuse, maligne, rompue au chantage et à l'extorsion de faveurs, si bien que les parents de la Cheffe s'étonneraient, quand ils la reverraient, de la reconnaître si mal, eux qui n'avaient jamais eu de problème avec la fillette.

La Cheffe feignit devant elle-même de trouver normal de se faire diriger et intimider par une enfant de trois ans, pourvu que cela se passât en dehors du restaurant et ne la gênât pas dans sa pratique, et sa fille le comprit, elle sentit qu'elle pouvait en imposer à la Cheffe aussi fortement et aussi longtemps que son attitude ne menaçait pas la vitalité de *la Bonne Heure*.

Et comme elle était sournoisement intuitive, rusée, calculatrice, ayant saisi que sa mère, la mort dans l'âme, l'aurait ramenée à Sainte-Bazeille plutôt que de se laisser freiner dans son travail par des scènes ou des caprices, elle la tyrannisait uniquement quand elles se retrouvaient toutes les deux dans l'appartement et se comportait convenablement dans la salle ou dans la cuisine où la Cheffe l'installait souvent à dessiner ou feuilleter un livre illustré, je suis persuadé que sa haine pour *la Bonne Heure* naquit et se nourrit de ces moments apparemment harmonieux où elle était condamnée à regarder sa mère aller et venir sans pouvoir agir sur elle ni lui intimer d'obéir aux sommations désordonnées mais stratégiques de sa présence enfantine omnipotente, elle haïssait le restaurant, oui, sans que cela signifiât qu'elle aimerait sa mère d'autant plus.

Que la Cheffe ait eu à livrer bataille chaque jour pour construire la réputation de *la Bonne Heure*, qu'elle ait encore dû ferrailler, tard le soir, une fois remontée chez elle, avec une enfant bien décidée à ne plus se rendormir après les quelques heures de sommeil qu'elle venait de prendre, bien décidée, en quelque sorte, à ne plus jamais se rendormir comme à ne plus jamais cesser de crier, me revenait en mémoire ces nuits où, tout enivré de fatigue, frissonnant, j'écoutais avec gratitude et un désespoir résigné, convaincu que je ne rentrerais jamais me reposer, la Cheffe me raconter d'une voix monocorde, agréable, discrètement teintée d'humour pudique, les moments pas faciles mais pleins d'enseignement, disait-elle, qu'elle avait affrontés dans les débuts de *la Bonne Heure*.

Je doute, quant à moi, que la vie avec sa fille l'ait enseignée de quelque manière que ce fût, contrairement à l'invention de *la Bonne Heure* qui lui a appris, durement mais avec justice, cohérence et logique espoir d'être récompensée de son travail, une grande partie de ce que la Cheffe mit en œuvre ensuite pour devenir bien davantage qu'une excellente restauratrice de quartier.

Non, la vie avec sa fille, cette enfant aux grâces si chiches, ne lui apprit rien du tout, sinon ce qu'il pouvait y avoir de moins méritoire dans le caractère de la Cheffe, une soumission empressée, désespérée aux sinistres fantaisies d'individus qui ne lui arrivaient pas à la cheville et la regardaient pourtant de haut, ainsi que l'a toujours fait cette fille dont la très avantageuse opinion d'elle-même s'est construite sur la certitude, jamais contestée par sa mère, par le comportement de sa mère à son égard, qu'elle était de loin la plus intelligente et la plus astucieuse des deux, et la chance lui avait manqué hélas, la chance avait comblé sa mère si mystérieusement.

Au fil des semaines, les paupiettes de lapin à l'oseille, les filets de sole transparents marinés à l'huile d'olive ou les gratins de légumes provençaux attirèrent à *la Bonne Heure* une clientèle plus nombreuse de fidèles qui occupaient de plus en plus fréquemment les six tables, empêchant, de ce fait, d'autres clients de découvrir l'endroit.

La Cheffe fit venir de Sainte-Bazeille sa jeune sœur Ingrid qui se chargea du service et aida la Cheffe dans ses achats, en même temps qu'elle s'occupait de l'enfant à la sortie de l'école, elle avait seize ans, la fille de la Cheffe se plaît toujours à déclarer qu'Ingrid lui tenait lieu de mère, encore une fable, un mensonge ou, peut-être, une illusion.

Moi qui ai rencontré Ingrid quand celle-ci était déjà âgée, je sais qu'elle se sentait plus gênée qu'amusée d'avoir écho ici ou là que la fille de la Cheffe ne l'évoquait jamais autrement qu'en disant Ma chère Ingrid ou Ma tante chérie, et cette Ingrid qui, à l'époque, n'avait pas d'amitié pour l'enfant, qui s'acquittait avec une telle impatience des tâches concernant l'enfant que la Cheffe devait souvent la rappeler à l'ordre, lui demander d'être plus gentille et plus indulgente avec la petite, cette Ingrid me certifia que la fille de la Cheffe n'avait aucune raison maintenant encore de prétendre l'aimer, qu'elles ne s'étaient pas vues depuis vingt ou vingt-cinq ans et qu'en somme, dès le début, elles ne s'étaient pas entendues, ce dont Ingrid ne se sentait nullement coupable, même quand je lui demandai ce que signifiait, pour une jeune adulte de seize ans, de s'entendre bien ou mal avec une enfant de quatre ans, n'était-ce pas à elle de se rendre aimable, de se faire apprécier et respecter de sa nièce.

Et la vieille Ingrid au visage dur haussa les épaules comme la Cheffe le faisait souvent elle-même et me répondit simplement que les choses s'étaient passées ainsi, qu'elle n'avait pas éprouvé d'affection pour cette enfant qui, par ailleurs, n'en manquait pas car sa mère l'aimait et la gâtait stupidement, elle, non, n'avait pas réussi à trouver cette gosse intéressante, elle était un poids et une fatigue dans la vie de la Cheffe, dans sa vie à elle aussi, Ingrid, qui commençait à prendre goût à la cuisine au contact de la Cheffe et aurait préféré travailler uniquement au restaurant plutôt que de se consacrer à l'enfant, c'était ainsi, un poids et une fatigue.

Mais sa sœur, la Cheffe, avait aimé la petite passionnément, il n'y avait aucun doute là-dessus, voilà pourquoi la vieille Ingrid ne comprenait rien à ces déclarations d'amour envers elle qui l'avait traitée sans douceur, ni à ces allégations haineuses, amères, saugrenues envers la Cheffe qui l'avait enveloppée de toute la tendresse dont elle était capable, cette fille qui jamais ne donnait rien en échange, un tel poids, une telle fatigue.

Ingrid arriva de Sainte-Bazeille au milieu de l'été et la Cheffe mit à exécution le projet dont l'idée lui était venue quand, de plus en plus souvent, elle avait répondu, à des clients désireux d'entrer, qu'il n'y avait plus de place.

Comme il n'était pas encore question de louer le local adjacent, elle acheta quatre tables supplémentaires et les installa sur le trottoir, assez large et bien ensoleillé à cet angle de rues, elle ajouta un auvent de toile bleu marine qui donnait une impression, quand on se trouvait dessous et que l'ardente lumière d'août tentait vainement de le transpercer, de fraîcheur céleste, limpide et majestueuse, offerte en bienfait, elle réduisit sa carte aux plats qu'elle aimait le plus : tourte aux écrevisses, pigeon froid Chantilly aux épices, terrine de canard et d'épinards, filets de sole transparents, gigot en habit vert, bœuf au miel, tarte aux pêches des Landes, crème de pistaches, et composa un menu d'été qui variait chaque jour en fonction des arrivages.

Elle fut la première, je pense, à proposer à tel habitué qui tergiversait, ne sachant que choisir, de lui faire la surprise de plats qu'elle sélectionnerait pour lui, qu'elle agrémenterait même ou, éventuellement, priverait d'ingrédients ou de condiments dont elle savait qu'il les aimait ou les appréciait peu, comme on le fait avec des amis qu'on reçoit chez soi, la Cheffe ne jouait pas à l'amie, elle n'était pas familière, elle pouvait être distante mais elle acquérait rapidement une fine connaissance des gens et tenait, avec une absolue sincérité, à ce qu'on se sente bien chez elle, aussi bien que chez une étrange amie un peu froide qui ne se livre pas mais en sait beaucoup sur vous et, à sa façon réservée, presque rude, travaille à vous satisfaire bien au-delà de ce que vous pouvez imaginer.

On n'ose l'appeler amie tant paraissent coriaces sa réticence au coudoiement, sa défiance vis-à-vis de quelque sorte d'intimité que ce soit, cependant elle vous traite comme seule une amie pourrait le faire, avec une loyauté constante, une perpétuelle attention, un souci qui semble dépasser largement celui de sa propre personne.

Certains clients de la Cheffe sont venus manger à *la Bonne Heure* plus de trente années durant, plusieurs fois par semaine, et bien qu'ils n'aient jamais pu entretenir avec la Cheffe de relations telles qu'ils se seraient dits ses amis, bien qu'ils n'aient jamais réussi à la recevoir ni à la rencontrer en dehors du restaurant (elle n'allait pas à Arcachon, elle n'allait pas à Paris, elle n'allait pas aux cocktails de la mairie ni au théâtre ni à l'opéra, elle n'allait nulle part où on l'invitait), ils n'auraient pu décrire les liens qui les unissaient à elle autrement qu'en parlant d'une vieille et inaltérable amitié, même s'ils avaient toujours l'impression, en réglant leur note, de lui être redevables, de n'avoir jamais l'occasion, puisqu'elle déclinait toutes les offres de week-end ou de réceptions, de lui restituer autrement que par l'argent (des sommes d'ailleurs raisonnables) le plaisir qu'elle leur donnait, les efforts qu'elle fournissait pour eux sans en parler ni le montrer, alors cela prouve peut-être qu'elle ne savait pas être une amie, cette inégalité imposée par elle dans l'échange.

Je crois pouvoir affirmer, quant à moi, que nous avons été amis, quoiqu'elle s'en soit défendue, mais le besoin qu'elle a fini par avoir de ma présence, de ma vigilance, de mon amour infini, l'a vaincue, j'étais son ami et elle me demandait implicitement de ne pas la laisser seule tout au long de ces nuits où, debout dans la cuisine, les cuisses toutes trépidantes d'épuisement, je l'écoutais me raconter les longues années où je n'étais pas encore là, ainsi je lui offrais ma sollicitude et lui sacrifiais mon sommeil avec reconnaissance et tendresse et elle l'acceptait humblement, elle m'en savait gré, sachant que je n'utiliserais jamais rien contre elle, et alors elle admettait qu'il fût possible d'être en dette avec quelqu'un tout en demeurant exactement au niveau élevé où ce quelqu'un voulait que vous soyez, et la dette était effacée dès la nuit suivante où tout recommençait sans qu'il y eût même le souvenir d'une quelconque dette, j'étais son ami, elle n'avait pas connu cela avant.

Mes amis de Lloret de Mar lèvent le coude aussi facilement que moi et il est évident que le contentement que nous éprouvons chaque jour à nous retrouver repose en partie sur l'agrément de boire ensemble, nous nous connaissons sur ce plan-là, nous nous faisons confiance les uns les autres car nous avons observé que nous savons tous « tenir notre vin » comme on dit et que dans notre petite assemblée joyeuse et frivole personne ne sème le désordre ne crée l'embarras en se révélant mauvais buveur, agressif ou intolérablement

stupide. Et pourtant mes amis de Lloret de Mar ont
jugé bon de me mettre en garde hier, avec délicatesse,
alors que nous nous trouvions sur une terrasse dont je
ne suis pas certain qu'elle n'était pas la mienne, com-
ment puis-je me rappeler ce qu'ils m'ont dit, je ne m'en
souviens pas dans les termes exacts mais dans le sens
car cela m'a secoué tout rétamé que j'étais, mes amis
de Lloret de Mar m'ont dit que je buvais trop depuis
quelque temps, que je devrais ralentir que ma santé
allait en pâtir ne pouvais-je redevenir le type équili-
bré que j'étais trois ou quatre semaines auparavant, et
cela ferait rire quiconque écouterait de l'extérieur mes
amis de Lloret de Mar, nous sommes tous de grands
alcooliques mais savons distinguer celui qui passe les
bornes. Je suis celui-ci, leur remarque m'a secoué, je
ne veux pas me couper de mes amis de Lloret de Mar
ma seule famille, ils ont relevé à quel point me perturbe
la venue annoncée de Cora, je me sens gêné devant
eux que rien jamais ne perturbe et qui reçoivent leurs
propres enfants avec une immuable nonchalance, ils
sont à la place qui leur revient au paradis qu'ils se sont
créé, il est simple et bon de vivre ainsi.

La terrasse bleutée de *la Bonne Heure* connut très
vite un tel succès que la Cheffe dut engager du personnel en cuisine comme au service.

Elle refusait plus de monde qu'elle n'en recevait,
ce qui la contrariait par principe puisqu'elle considérait qu'un restaurant était précisément le lieu où
chacun devait pouvoir trouver, sans préméditation,
une chaise sur laquelle reprendre haleine, une table
bien nette à laquelle s'accouder, une bonne nourriture dont se réconforter et que, par respect pour ce
principe, elle n'aurait jamais dû être dans la situation

de répondre à cette demande fondamentale qu'elle ne pouvait être exaucée, d'ajourner sa propre hospitalité, en somme de repousser, avec mille excuses légitimes et les meilleures raisons, ce qui ne peut se différer, ce à quoi on ne peut opposer aucune bonne raison pour ne pas le réaliser immédiatement — le don. *de sa cuisine ?*

Non, bien sûr, la Cheffe n'offrait pas le repas à strictement parler, toutefois je peux vous garantir qu'elle calculait toujours ses prix de manière que sa marge fût le plus mince possible, quant au vin, elle le facturait à peine au-delà du tarif où elle l'achetait, estimant que, n'y ayant pas travaillé, elle ne pouvait prétendre gagner là-dessus.

C'est ainsi qu'au fil des années qui suivirent l'ouverture de *la Bonne Heure* la Cheffe tendit à faire une cuisine de plus en plus simple, non pas, je crois, au sens où elle aurait suivi sans le savoir les préceptes de l'époque et se serait ajustée aux dogmes d'une « nouvelle cuisine » dans laquelle elle ne se retrouva jamais tout à fait, mais dans la mesure où elle attribua une importance croissante et, pour finir, presque exclusive aux qualités de chaque denrée, du morceau de viande le plus coûteux au moindre brin de persil, du poisson le plus fin au moindre grain de sel dont il serait assaisonné, tout en conservant obstinément sa volonté de présenter des assiettes copieusement remplies, d'apparence épurée (pas plus de trois couleurs juxtaposées) mais où le souci de perfection ne devait littéralement pas se voir ni, du reste, aucune espèce de souci, sinon celui de contenter de prime abord le regard amateur de beauté aussi bien qu'anxieux de savoir si la faim serait assouvie, l'appétit satisfait.

Bien du monde s'est régalé à *la Bonne Heure* sans se douter, comme les prix étaient modiques et l'assiette plantureuse, que chaque plat était confectionné avec les meilleurs ingrédients qu'avait réunis l'investigation pointilleuse de la Cheffe, qu'il s'agît de l'huile dans laquelle avaient doré le bœuf ou l'aubergine, ou cette viande, ce légume, que la Cheffe se faisait apporter non plus nécessairement du marché des Capucins mais de chez tel éleveur de Bazas, tel maraîcher du Lot-et-Garonne qu'elle avait prospectés durant les mois d'hiver, qu'elle avait jugés à la hauteur de *la Bonne Heure* sans trop se préoccuper des prix, c'est-à-dire qu'elle n'augmentait pas les siens en conséquence sous prétexte qu'elle payait plus cher ses produits, elle s'adaptait. high standards

Elle en vint ainsi à proposer une cuisine extrêmement réfléchie, hautement raffinée dans son aspect, dans ses modes de cuisson et de préparation pensés précisément pour abolir tout souvenir d'application, de contrainte, de durée exigeante, une cuisine que pratiquement quiconque pouvait toutefois approcher sans en rien savoir, sans en attendre autre chose que la satiété.

Quels plats avaient alors le plus de succès à *la Bonne Heure* ? À part l'illustre gigot en habit vert et la tarte aux pêches des Landes, les côtelettes de veau à la chapelure de fines herbes étaient souvent demandées, comme le chou farci à l'andouillette de Troyes, le poulet de Bresse à l'estragon et aux olives de Nyons, les navets nouveaux glacés au sucre de canne, les rattes frites tout entières avec leur jeune peau dans la graisse d'oie, la batavia au jus de rôti et aux fruits secs, la terrine de canard et de clémentines de Corse, toutes préparations dont j'entendis parler dans mon enfance bordelaise au même titre que des repas des fées ou des ogres et sans que me traversât jamais l'idée que ma mère aurait pu me mettre mon manteau et mes chaussures, prendre le bus qui traversait le fleuve sur le Pont de pierre et, me tenant par la main, entrer, sans devoir attester sa qualité d'altesse clandestine, de princesse déchue, dans ce restaurant dont la raison d'être se révélait, comme je l'ignorais alors, avec les gens comme nous, ma mère et moi qui allions quelquefois manger dehors, de manière assez médiocre et grossière mais pour une somme qu'elle pensait correcte, nous nous serions délectés à *la Bonne Heure*, au même prix, de plats étonnants, délicats et sains, ma mère n'y songeait même pas, c'était pour elle de la féerie, elle ne croyait pas à ces choses.

La Cheffe loua les deux locaux qui encadraient la petite salle sur deux rues, fit percer une large ouverture de part et d'autre afin de constituer trois pièces en enfilade, elle fit peindre les murs du même bleu roi et poser du lambris sombre et brillant à hauteur des chaises.

Ni à midi ni le soir les salles ne désemplissaient et il fallait bien, comme auparavant, refuser du monde mais la Cheffe rejeta, dès cette époque, le système de la réservation, s'attablait qui voulait dès lors qu'il y avait de la place, chacun pouvait trouver là, à l'improviste, son repos, fraîcheur du carrelage bleu et vert dans sa pureté froide, et à l'automne la Cheffe allumait les petits poêles de faïence vert bouteille.

Ceux qui allaient devenir mes collègues et que la Cheffe avait embauchés avant moi me dirent qu'elle paraissait resplendir alors d'une joie constante que n'entamaient pas les tracas ordinaires ni la fatigue, ils me dirent que son visage semblait en permanence lissé, baigné d'un muet, d'un obstiné contentement, comme tiré vers l'arrière par le chignon serré et par l'enchantement, ils me dirent aussi, ce qui me fut confirmé par la vieille Ingrid, que les seuls instants où ce visage se plissait imperceptiblement étaient ceux où la fille de la Cheffe apparaissait ou même simplement faisait entendre de la pièce voisine ou de la rue sa voix haut perchée, revendicatrice et plaintive, alors la Cheffe rentrait légèrement la tête dans son cou et, comme un chien qui ne sait quel accueil lui fera son maître lunatique, tendait l'oreille avec une discrète appréhension que devinaient pourtant ceux qui la côtoyaient chaque jour, qui disparaissait dès que sa fille s'était éloignée ou que la voix de celle-ci s'était tue ou encore que cette fille versatile montrait, entrant dans la cuisine, une figure souriante, presque exagérément aimable et enjouée et si parfaitement imprévisible que la Cheffe en avait une sorte de choc, elle devenait timide étrangement et, avec sa fille, d'une servilité pénible.

Oui, la Cheffe si indépendante, si profondément solitaire s'était faite contre son gré mais non sans le savoir ni s'y résigner l'esclave de sa fille aux traits ingrats, à l'intelligence limitée, et je crois qu'elle se sentait absurdement coupable de n'avoir pas transmis à son enfant ses propres qualités d'esprit et d'apparence, je crois qu'elle se soumettait d'autant plus facilement à l'inique autorité de sa fille que celle-ci n'avait aucun moyen, par ailleurs, d'impressionner quiconque et que la Cheffe s'imaginait obscurément le lui cacher, la protéger d'une telle évidence en s'offrant tout entière à son despotisme, non pas, donc, pour éviter que ce dernier s'exerçât sur d'autres personnes mais pour que sa malheureuse fille, ainsi devait-elle la voir, pût au moins grandir avec l'assurance ou l'illusion qu'elle possédait, quoi que cela fût, de la force.

Et tout au long des années qui virent grandir la réputation de *la Bonne Heure*, la Cheffe sembla n'avoir comme souci sérieux que de maintenir sa fille dans une extravagante idée d'elle-même, de persuader sa fille jour après jour de la persistance et de l'ampleur de son propre amour maternel déversé pour rien, ce qui n'empêchait pas la fille de remettre perpétuellement en jeu cet amour irraisonné en traitant la Cheffe d'une façon qui remplissait de gêne leur entourage, et l'étrange peur qu'avait, depuis longtemps, la Cheffe de cette enfant si différente d'elle s'accrut d'une autre sorte de peur, celle de voir sa fille décriée à cause des scènes que celle-ci lui faisait en public — la Cheffe était assez lucide pour comprendre que de telles scènes donnaient une image épouvantable de sa fille plus encore que d'elle-même qui les subissait, elle en eût subi bien davantage si tous les torts avaient pu lui être attribués et qu'on ait eu une quelconque raison d'aimer et d'estimer sa fille, mais cela aussi relevait de la féerie, la Cheffe peinait à y croire.

Oui, cela fut son seul tourment, sa seule désolation et l'unique question qui brouilla ses traits comme polis quotidiennement par une joie abrasive et intraitable, durant cette douzaine d'années au cours desquelles *la Bonne Heure* prospéra tranquillement jusqu'à devenir, de manière quasi incontestée quoique pudique et très élégamment «mine de rien», la meilleure table de Bordeaux.

La fille? À quoi elle ressemblait?

Je ne l'ai connue, pour ma part, que lorsqu'elle avait atteint vingt-cinq ans, ce qui était aussi mon âge puisqu'il se trouve que nous sommes nés le même mois de la même année, cependant ce qui frappait chez elle quand on la rencontrait était là depuis l'enfance certainement et je ne risque guère de me tromper en supposant que les doigts de l'ange sarcastique, méchant ou vengeur qui avait choisi, la nuit de sa naissance, de faire de cette fille le portrait raté, parodique de sa mère, les employés de la Cheffe en voyaient déjà l'empreinte sur l'adolescente qui entrait dans la cuisine avec un air d'ennui et de dégoût pour faire à sa mère une réclamation toujours fumeuse, impossible ou fantastique, comme je l'ai vue moi-même quelques années plus tard, cette empreinte cruelle, ineffaçable : sa fille avait hérité de la Cheffe sa silhouette compacte, ce corps dru et plein qui semblait, en s'insérant dans l'atmosphère, masser autour de lui une égale quantité d'air épaissi, figé, mais la stupéfiante légèreté de mouvement et le chaud regard brun qui démentaient aussitôt, chez la Cheffe, cette impression de pesanteur, n'avaient pas été consentis à sa fille, son corps massif avait quelque chose de belliqueusement indélogeable qui irritait la vue, et ses yeux étaient ternes, étroits, ses yeux semblaient morts même au plus fort de ses coups de colère.

À une époque où je croyais devoir porter sur la fille de la Cheffe un jugement plus clément, il m'arriva de penser qu'elle saisissait chaque prétexte d'emportement ou de récrimination pour tenter d'enflammer son regard de la vie qui lui manquait, dont elle n'avait que les apparences et jamais le sentiment, la sensation, dont elle ignorait le goût, et ce feu enfin allumé se serait propagé au reste de son être, elle aurait connu, espérait-elle, l'émotion de se sentir vivante et non plus seulement la morne expérience de le savoir, je ne sais ce qu'il en est, ce qu'il en était au juste car il y a longtemps que je n'essaie plus de comprendre la fille de la Cheffe, enfin voilà, elle ressemblait à sa mère de la manière la plus sardonique, la plus incompréhensible et c'est en cela, oui, peut-être, qu'on peut éprouver de la commisération pour elle car, se demanda-t-elle probablement plus d'une fois, qui le sort avait-il prévu de punir en se moquant d'elle à ce point, la Cheffe ou elle-même, et en ce dernier cas pourquoi?

N'étant pas sourd à toute raison, je suis les conseils de mes amis de Lloret de Mar au sujet, au moins, de la conduite et je suis sobre quand je roule vers la gare de Blanes où ma fille Cora doit arriver, si sobre qu'en cette fin d'après-midi de juin tout m'apparaît sous un jour fulminant, prophétique, me semblent éloquents même insistants les palmiers jaunis les nuages gonflés la chaussée pleine de trous, néanmoins je ne saisis rien de ces messages précisément parce que je n'ai rien bu et que mon imagination est tarie et je sais que si je m'arrêtais, là, dans cet hôtel de bord de route pour boire quelque chose la signification de ces hurlements muets se dévoilerait à mon cœur anxieux et je le serais alors beaucoup moins, anxieux, puisque l'alcool donne généreusement à tout ce que j'entrevois et qui m'in-

quiète un sens qui toujours me rassure. Ce qui peste, ce qui tonne vers moi ne voulait en fin de compte que me saluer et m'accompagner sur le chemin qui me mène vers Cora, ce qui m'invective ne voulait en vérité que me féliciter d'aller trouver Cora, d'accueillir Cora à Lloret de Mar mon seul chez-moi, de présenter Cora à mes amis de Lloret de Mar qui nous attendent ce soir sur la terrasse d'Anne-Marie et sont si gentils si aimants qu'ils se font une fête sincère de connaître ma fille.

C'est à dix-neuf ans que j'entrai à *la Bonne Heure* en tant que commis, pourvu d'un BEP sur lequel la Cheffe ne jeta pas même un coup d'œil lorsque, au milieu d'un après-midi de printemps, elle me reçut dans la salle, me fit asseoir en face d'elle et me posa quelques questions courantes de sa voix posée, claire et basse en même temps, passant régulièrement une main machinale, lente, tranquille sur la surface luisante de ses cheveux tellement aplatis et tirés vers le petit chignon qu'il me semblait qu'elle caressait ainsi son crâne nu et brillant, je n'avais jamais vu un tel visage, un visage qui était à mes yeux, comme je le ressentis sans pouvoir encore me l'exprimer, l'archétype de tout visage humain, sans distinction de sexe ni d'âge ni de beauté, alors ce visage me parut douloureusement parfait et je craignis avançant vers lui ma propre figure toute brouillée de jeunesse timide, de trouble et d'ignorance, de ne pas être à la hauteur des exigences morales que devait avoir tout naturellement la personne à qui sa propre dignité avait donné une telle incarnation — un visage qu'on ne pouvait peser sur aucune balance commune, juger selon aucun des critères habituels.

La Cheffe, peut-être, perçut mon affolement, mes doutes et ma stupéfaction, mon obscure envie de fuir aussi pressante que mon vœu de mourir si je n'étais pas pris.

Elle eut un petit sourire très gentiment narquois.

Elle se forçait, n'ayant nul goût de l'ironie dans les situations décisives, elle tenait seulement à me faire «descendre», comme elle aimait à dire, pour mon bien, signifiant par là que j'étais allé trop vite et inutilement me jucher sur des hauteurs d'émotion où l'air me manquait, où je suffoquais sans que cela eût, ni pour moi ni pour personne ni pour le travail, le moindre intérêt.

Alors elle me railla doucement de son sourire un peu tordu, m'obligeant à sourire à mon tour, et je détournai un instant les yeux de son visage, je ne songeais plus à fuir, me restait au fond du cœur, en revanche, la certitude épouvantée que ma vie ne pourrait continuer si je n'étais pas embauché à *la Bonne Heure*.

Que pourrais-je faire ailleurs, et avec qui, et à quoi bon toute expérience professionnelle si je ne la recevais pas de ce visage et de cette voix, dans ce sanctuaire ultramarin où le silence semblait tel, à cette heure, que je pouvais entendre le flux de mon sang dans mon corps crispé par l'attente, par l'espérance, que je pouvais le sentir battre entre mes sourcils et me figurer que ma peau, à cet endroit, frémissait visiblement aux yeux de la Cheffe, en aurait-elle de la compassion ou du dégoût, comment le dire?

J'étais, cependant, «descendu» comme elle l'avait souhaité et je pus lui répondre avec une vague aisance quand elle me demanda ce qui m'avait donné l'idée de venir tenter ma chance précisément à *la Bonne Heure*, je pus lui raconter avec sincérité mais aussi une certaine éloquence dont j'étais conscient que, passant très souvent, depuis mon plus jeune âge, devant les vitres du restaurant mystérieusement bleutées de l'intérieur par le chatoiement et l'intelligence d'une couleur surnaturelle, il m'avait toujours paru que les fées devaient s'affairer là, à préparer les sibyllines, merveilleuses assiettes que je voyais servies, dès avril, aux tables de la terrasse, oh tout cela était vrai mais qu'était-ce, cette vérité, à côté de celle que je ne savais dire à la Cheffe : cette photo de *Sud-Ouest* dont je vous ai parlé, la plus connue et, presque, la seule connue, sur laquelle la Cheffe au milieu de son équipe témoigne d'un inexplicable enjouement, m'avait fait me promettre à moi-même que je tenterais tout pour travailler à *la Bonne Heure* dès que j'aurais obtenu mon brevet, non pour l'enjouement ni pour les cheveux inconcevablement libérés et flottant mousseux et doux autour de son visage, mais pour ce qui, dans ce visage, et bien que l'expression n'en fût pas du tout authentique sur cette photo, s'adressait à moi, avais-je pensé sans hésitation, me parlait muettement depuis la source d'une connivence que j'avais ignorée, qui m'était révélée par le truchement prosaïque de *Sud-Ouest* et que je comprenais et acceptais d'un coup, la Cheffe savait que j'existais et m'appelait auprès d'elle, son visage me disait cela.

Et je découvrais, dans la quiétude bleue de la salle, que la Cheffe était tout autre que celle de la photo, que ses cheveux étaient sévèrement bridés et qu'une joie attentive, paisible enveloppait ses traits mais certainement pas de l'enjouement, je songeais émerveillé que je l'avais deviné en regardant la photo où le véritable visage de la Cheffe s'était tendu vers moi, j'avais été approché et j'avais compris, à présent son visage me disait cela aussi dans la belle salle fraîche.

Comment craindre, dès lors, de ne pas être engagé?

J'interrompis aussitôt mon bavardage, il me sembla que la Cheffe en était soulagée.

Je reconnais ma fille aussitôt bien qu'il y ait si longtemps que je ne l'avais vue, je me sens si ému que je suis sur le point de tourner les talons et de courir à la voiture avant qu'elle ait pu m'apercevoir ou simplement me reconnaître mais ses yeux se posent sur moi depuis le bout du quai de la gare de Blanes et je vois qu'elle me reconnaît aussi vite que je l'ai reconnue, est-ce possible alors qu'à proprement parler nous ne nous connaissons pas? Je chausse fébrilement mes lunettes de soleil, c'est dans une lumière bleu sombre que le visage de Cora effleure le mien que sa joue touche la mienne, elle est aussi grande que moi ses épaules sont larges son visage puissant, je pourrais être en train de retrouver une vieille amie car nous sommes, étrangement, du point de vue physique, à égalité, le père costaud n'embrasse pas sa fille menue fragile et si jeune, je laisse une solide jeune femme frôler ma joue de la sienne et je n'ai nullement à me baisser, elle est grande et forte et sa peau est bleue, me dit le verre teinté de mes lunettes. C'est Cora, voici donc à quoi elle ressemble, mes yeux se sont fermés un instant, voici donc Cora.

Lorsque, bien des années plus tard, devenu son ami le plus proche, j'osai confier à la Cheffe que j'avais entendu, à dix-huit ans, l'appel qu'elle m'avait lancé par la médiation de *Sud-Ouest*, que j'avais eu conscience du signe que sa main apparemment immobile sur la photo avait tracé sur mon front d'apprenti cuisinier, et sur le mien seulement pensais-je, elle me fixa avec insistance, avec perplexité, puis elle haussa les épaules et me dit en substance, d'un ton léger, qu'il importait peu de connaître les origines et les motivations exactes, intimes, d'une amitié, que l'amitié elle-même se justifiait chaque jour par les mots et les gestes et ce qui m'avait fait entrer à *la Bonne Heure* un certain après-midi de printemps n'avait plus aucune signification quinze ans plus tard, quand une fréquentation quotidienne et de longues conversations nocturnes dans la cuisine déserte et silencieuse démontraient, fortifiaient, attestaient de cette amitié.

Et l'amour? lui demandai-je sur le même ton badin. Et si ce n'était pas l'amitié, lui demandai-je, mais l'amour qui m'avait fait entendre votre voix sur la photo et l'amour qui, aujourd'hui, me fait demeurer là, appuyé à l'angle inconfortable de la paillasse, soûlé de fatigue mais ne pouvant imaginer de plus grand plaisir que de vous voir me parler dans la cuisine endormie, vous confier à moi et à moi seul en sachant que vos propos tombent dans un cœur avide mais aimant, avide parce que aimant, et respectueux jusqu'à l'excès? Et l'amour, alors? lui demandai-je. N'était-ce pas facile et vilainement prudent de vouloir toujours l'appeler amitié?

Mais la Cheffe, qui n'avait ni tendresse ni inclination pour l'amour, qui, sans aucune amertume, froidement, tranquillement, ne croyait pas à l'amour entre un homme et une femme, refusait d'entrer dans mon jeu. Appelle ça comme tu veux, me disait-elle, il suffit qu'on sache de quoi on parle.

Mais le savait-on exactement? Et parlait-on de la même chose, elle et moi? Que représentait, pour elle, de penser que j'étais son ami, qu'éprouvait-elle pour moi que, par ailleurs, elle employait, quelle était exactement sa confiance à mon égard?

Cora n'est pas bavarde, j'en suis rassuré, j'avais craint qu'elle pose des questions auxquelles je ne saurais ou ne souhaiterais répondre avec honnêteté. Nous roulons donc dans un curieux silence, comme de vieux amis de vieux parents qui s'envoient quotidiennement des courriels ou se téléphonent si souvent qu'ils n'ont rien d'inédit à s'apprendre l'un à l'autre. Je profite d'avoir, de temps en temps, à tourner à droite pour observer subrepticement son profil, elle a un certain air assuré et loyal qui m'intimide, je demande mollement des nouvelles de sa mère bien que le sujet ne m'intéresse absolument pas. Alors Cora, cette grande impressionnante jeune femme qui est ma fille, balaye l'air de ses doigts moqueurs et me dit qu'elle n'est pas venue jusqu'ici pour que nous parlions de sa mère, me dit que j'aurais pu savoir comment allait sa mère si je l'avais voulu, elle me dit cela avec une ironie non dénuée de gentillesse et pour me signifier que je peux me passer de ces formules convenues, nous en serons plus à l'aise tous les deux. Elle porte une longue robe ample et mauve décorée de grosses fleurs bleues, ses épaules nues sont très bronzées, l'ossature robuste en est visible sous la chair musclée comme celle de certaines nageuses, Cora est assise bien droite. Je comprends alors que ma fille n'est venue ni pour s'émouvoir

235

ni pour se plaindre ou réclamer je ne sais quoi, il me semble qu'elle est venue pour voir, en toute simplicité, à qui elle avait affaire.

Je me souviens des premiers mois que je passai dans la cuisine de *la Bonne Heure* comme de la période la plus difficile de ma vie, non la plus pénible cependant ni la moins heureuse, mais je fournissais un tel travail, je portais une attention si anxieuse à mes propos et à mon comportement pour être certain de ne jamais déplaire à la Cheffe dans le moindre détail (d'ailleurs sans m'occuper de m'assurer qu'elle me voyait ou m'entendait, même chez moi, seul dans mon studio, je faisais tout pour ne pas déplaire au doux et intraitable visage de la Cheffe), que chaque nouvelle journée se présentait à mon esprit comme une impitoyable ascension, la récompense n'était pas de dévaler la pente le soir venu car il n'y avait pas de pente à dévaler dans l'euphorie de la liberté mais seulement la conscience de l'ascension du lendemain et de tous les jours à venir, c'est pourquoi alors je dormais peu bien que je ne fusse pas encore devenu, loin de là, l'ami auquel la Cheffe se confiait, je dormais peu, je planifiais mon effort et ma clairvoyance du lendemain, je réfléchissais aux moyens de devenir, sans artifice ni tromperie, celui que la Cheffe ne pourrait que préférer, oh comme je dormais peu alors!

Et sans le savoir je me développais ainsi et presque au même âge à l'image de la Cheffe qui, dans sa petite chambre chez les Clapeau, avait consacré une partie de ses nuits à élaborer ou corriger des recettes — j'essayais, quant à moi, d'inventorier d'un œil objectif tous les aspects de mon attitude afin de les confronter à ce que je pensais savoir des expectatives de la Cheffe, nous étions quatre employés en cuisine, j'étais le plus jeune, j'étais aussi le plus fortement désireux de me faire distinguer.

Les tâches de base qui m'étaient confiées, je m'évertuais à les effectuer si rapidement et parfaitement qu'on ne pouvait, même sans le relever, que le remarquer.

Je notais que la Cheffe me jetait des coups d'œil attentifs.

Certes, elle était dure avec moi. Ce qu'on m'avait inculqué à l'école ne l'intéressait pas, mon habileté à tourner les pommes de terre ou les têtes de champignons, à lier les haricots verts d'une fine tranche de lard pour les présenter en élégants fagots, ces techniques où j'excellais rebutaient la Cheffe et ce n'était pas, non, comme l'a insinué sa fille, par jalousie rétrospective, parce que la Cheffe n'avait pas eu la chance de bénéficier d'un tel enseignement, c'était simplement qu'elle se méfiait de tout procédé qui visait à faire joli, à faire bien au détriment, le cas échéant, de la qualité première du produit, il lui semblait que ce dernier n'avait pas à se parer ou à transformer sa tournure s'il n'avait rien à se reprocher.

En cuisine les falbalas étaient suspects, me laissait entendre la Cheffe, et je ne gagnerais rien auprès d'elle à faire preuve de ma virtuosité en ce domaine, elle savait ce qu'on m'avait appris et attendait tranquillement, patiemment, que je cesse de m'y rapporter, que je ne me sente plus tenu de «sortir le grand jeu» pour justifier ma présence à *la Bonne Heure*, personne ici ne disputait aucune partie avec moi, elle attendait tranquillement, patiemment, que je le comprenne.

Mes collègues me considéraient avec la mansuétude distante, goguenarde mais diplomatique de
ceux qui, étant passés par les mêmes étapes que moi,
savaient qu'ils ne pouvaient rien me transmettre :
je devais, comme ils l'avaient fait avant moi, aller
au bout du chemin dans lequel m'avaient engagé
mon appréhension, mon désir de me faire bien voir,
ma vanité de très jeune homme, je n'aurais rien pu
entendre de ce que, maladroitement sans doute, ils
m'auraient dit, j'aurais pris tout conseil de renoncement comme le signe qu'ils s'inquiétaient pour leur
propre position et cherchaient à me fourvoyer.

Alors je m'acharnai à montrer que je savais sculp-
ter un navet afin qu'il ressemble à une rose, que je
savais prélever très rapidement de parfaites noisettes
de pomme de terre ou de belles billes de melon, la
Cheffe était dure avec moi bien qu'elle ne me dît pas
grand-chose, elle était dure, oui.

D'une pichenette elle envoya ma rose de navet à la
poubelle puis me dit qu'elle ne m'avait pas demandé
de tailler ainsi ridiculement dans les pommes de terre
ni de gaspiller une telle quantité de melon pour en
tirer ces petites boules qui n'impressionneraient personne, elle souriait en conclusion, sans chaleur, pour
me signifier que je n'avais rien fait de grave, ce sourire me clouait de honte et de désespoir.

Quand je lui demandai, beaucoup plus tard,
pourquoi elle s'était montrée si dure à mes débuts,
pourquoi elle ne m'avait pas indiqué précisément
ce qu'elle attendait de moi, que j'aurais tâché de
lui donner avec la fougue et l'excellente volonté
qu'elle me savait, pourquoi, en fin de compte, elle
m'avait laissé découvrir seul l'accès à sa conception

des choses, à sa propre morale sans connaissance de laquelle on ne pouvait travailler à ses côtés, alors que quelques phrases exactes auraient suffi à diriger ma détermination affamée et tâtonnante, quand je lui demandai pourquoi elle s'était montrée si dure avec moi la Cheffe me répondit, étonnée, qu'elle avait souhaité en effet me voir trouver par moi-même ce que je devais faire et, presque, qui je devais devenir pour, non pas mériter ma place à *la Bonne Heure*, elle ne jugeait pas ainsi de son établissement, mais comprendre si, dans ces conditions, j'y serais heureux, et elle n'aurait certainement pu exprimer cela en quelques phrases, elle s'étonnait de ma question.

Par ailleurs elle m'avoua que mon aspiration si manifeste à lui plaire, à être le seul qui lui plût, l'avait agacée et qu'elle avait voulu sans doute me le signifier.

Je suis quand même devenu votre préféré, lui répondis-je avec ce que j'espérais être une tendresse pleine de malice. Et la Cheffe me répondit gravement : Oui, tu m'auras bien eue.

Était-ce, sur ses lèvres, une déclaration d'amour ?

Mais je suis bel et bien devenu le préféré de la Cheffe, à force d'obstination et d'abnégation et parce que mes collègues, du reste tout autant doués que moi dans le travail, n'avaient nullement cet objectif dans le cœur, j'ai réussi parce qu'il n'y avait rien d'autre que je désirais autant et qu'une telle ambition était à la portée d'un garçon méthodique, réfléchi et passionné comme je l'étais alors.

Je me sentis blessé par les mots de la Cheffe : Tu m'auras bien eue, d'autant plus que la grande tristesse de ma vie, lorsqu'elle s'exprima ainsi, était pré-

cisément qu'il me semblait parfois ne pas l'«avoir»
du tout ou «avoir» d'elle aussi peu que l'un ou
l'autre de ses frères et sœurs lointains, indifférents,
qui ne paraissaient maintenir de relation avec la
Cheffe que pour être en mesure de lui demander une
aide financière de temps en temps.

Je n'avais pas «eu» la Cheffe, je ne l'avais jamais
eue, me disais-je parfois, elle se trompait et me trompait en parlant ainsi — mais de tels mots, sur ses
lèvres minces, étaient peut-être des mots d'amour.

*Nous sommes à peine arrivés chez moi que j'em-
mène Cora sur la terrasse d'Anne-Marie deux étages
au-dessus de la mienne, c'est ainsi que nous vivons à
Lloret de Mar et je ne vois aucune raison de modifier nos usages sous prétexte que je viens d'accueillir
ma fille mon unique enfant sur cette terre et je pense
d'ailleurs que, pas plus que moi, elle ne rêve d'un tête-
à-tête le premier soir, nous nous sentirions emprun-
tés, encore que : Cora semble si sereine, si sûre d'elle
qu'elle serait sans doute capable de résister à un dîner
médiocre (tout ce dont je me nourris a été transformé
et, fatalement, saccagé et truqué par l'industrie ali-
mentaire) dans la triste petite cuisine d'un appartement de résidence pour retraités moyens. Je vois Cora
circuler avec aisance et affabilité parmi mes amis de
Lloret de Mar sur la terrasse d'Anne-Marie à qui elle
fait les compliments habituels en ces circonstances
(quelle belle terrasse quelle belle vue sur la piscine
quelle belle vie belle agonie), légèrement déplacée dans
sa longue robe de beatnik au milieu des autres femmes
qui, beaucoup plus âgées qu'elle, sont presque nues
dans leurs courtes moulantes tenues de plage, Cora est
là, je sirote lentement ma sangria, un peu hébété mal*

assuré. Et Bertrand ou Bernard me dit alors : Comme
elle te ressemble, me choquant tellement que je laisse
échapper mon verre sur le carrelage en fausse pierre de
la terrasse d'Anne-Marie, je ne m'attendais pas à cela,
que ma fille me ressemble, cette grande solide Cora qui
ne me doit rien et à qui j'ai donné si peu. Il dit encore :
Elle a tes yeux ta bouche ton nez, et je m'empresse de
me pencher de ramasser les débris de verre pour mas-
quer ma confusion ma honte et mon effroi, que va me
demander quelqu'un qui me ressemble à ce point ?

La fille de la Cheffe ? Non, elle ne vivait plus avec
sa mère quand j'arrivai à *la Bonne Heure*, ayant eu
péniblement son bac elle était censée suivre je ne
sais quelles études de commerce au Québec où elle
avait voulu se transporter dans les conditions les plus
luxueuses, me racontèrent mes collègues, et où la
Cheffe, en effet, l'installa fastueusement à distance,
c'est-à-dire qu'elle ne fit jamais le voyage elle-même
mais pourvut sa fille de telles sommes d'argent que
les photos qu'envoyait celle-ci pour avouer qu'elle
n'était pas trop mal logée révélaient à tous ceux, singulièrement nombreux, auxquels la Cheffe les montrait (ses employés et certains clients connus depuis
longtemps) que cette jeune fille jamais comblée,
jamais satisfaite, vivait en réalité sur un pied déraisonnable que ne venaient guère justifier des résultats
scolaires irrégulièrement montrés, toujours piètres
ou même indignes — cependant la fille de la Cheffe
avait toujours une explication irréfutable pour persuader sa mère qu'il n'existait aucun lien logique
entre elle-même, son travail, son assiduité, ses capacités, et ces résultats décevants qu'elle ne devait qu'à
la sottise ou à la folie de professeurs incompréhen-

sibles, la Cheffe la croyait, feignait de la croire, ne se sentant ni aptitude ni courage pour remettre en cause des affirmations fondées sur une expérience qu'elle ignorait totalement.

Il me semblait alors que les évocations de la fille de la Cheffe baignaient dans une atmosphère de légende que sa mère tissait obstinément en répétant à quel point sa fille était brillante, comme si elle avait deviné que son ouvrage était recouvert avec presque autant d'obstination par l'édification d'une légende tout opposée à laquelle se consacraient sans cruauté ni malice ceux de ses employés qui avaient bien connu sa fille.

Ils me traçaient de cette dernière un portrait si terrible que je doutais de sa réalité et les louanges ostentatoires, la fierté très affichée de la Cheffe me paraissaient plus vraisemblables, d'autant que ma naïveté juvénile peinait à me représenter comment un être aussi admirable que la Cheffe avait pu donner naissance à l'atroce personne que me décrivaient mes collègues.

Mais lorsque, plus tard, je connus sa fille à mon tour, je me rappelai sous un jour différent l'humeur exceptionnellement constante et joyeuse, créative et presque fantasque qui était celle de la Cheffe lors de mes premières années à *la Bonne Heure* — c'est parce que sa fille était partie au loin et que la Cheffe faisait semblant de la croire splendidement établie au seuil d'une belle carrière qui, par ailleurs, ne la ramènerait pas à Bordeaux, c'est parce qu'elle se sentait enfin libérée de l'intimidation et de la culpabilisation qu'elle répandait autour d'elle cette joie tranquille, farouche, volontaire qui n'était pas exactement du

242

bonheur, je n'aurais pas dit que la Cheffe était heureuse, je l'ignorais, mais qui était en quelque sorte plus et mieux que cela, qui ne se limitait pas à sa personne mais nous atteignait, nous enveloppait et croissait encore à travers nous.

Car la joie de la Cheffe nous ensemençait, nous qui la fréquentions chaque jour, de quelque chose qui ne serait jamais facile à extirper — dont les tourments habituels de l'existence, les frustrations, les accès de mélancolie ne viendraient peut-être même pas à bout.

Quand j'eus enfin compris qu'il était vain de donner à la Cheffe le spectacle des tours et des pirouettes auxquels m'avait formé mon apprentissage, quand j'osai apparaître comme celui qui, n'ayant rien appris, accepte que sa ferveur, son état de complète réceptivité et sa vaillance lui enseignent tout et le meilleur de ce qu'il lui faut savoir, je pus observer que mes collègues s'en trouvèrent soulagés et constater a posteriori à quel point leur avait pesé l'exhibition de mon aveuglement, de mon anxiété, de ma présomption, je pus remarquer aussi le changement du comportement de la Cheffe à mon égard, j'étais devenu un autre qu'elle aimait beaucoup mieux que le précédent et celui-ci fut oublié aussitôt, tant il était étranger au caractère de la Cheffe de rappeler à qui que ce fût ses actions passées, ses anciens défauts, de brandir sous son nez, même par plaisanterie, sa dépouille une fois la mue accomplie.

Elle ne s'était jamais agacée contre moi, elle me témoigna cependant une patience si grande, parfois si imméritée qu'il m'arrivait d'en avoir les larmes aux yeux, personne ne m'avait manifesté une telle gentil-

lesse, pas même ma mère qui m'avait élevé avec faiblesse, relâchement et distraction, avec une simple
hâte d'en avoir fini, au contraire de la Cheffe qui ne
semblait jamais fatiguée de m'instruire, jamais désireuse d'en finir.

Elle me montra ainsi inlassablement la manière
dont elle procédait pour simplifier sa cuisine autant
que possible et qu'on ait pourtant la sensation d'une
extrême élaboration, d'une pensée longuement et
ardemment méditée pour parvenir à cela : le produit
offert dans sa quasi-nudité.

Le produit tout nu n'étant pas acceptable, ni plaisant à l'œil ni séduisant au goût, l'art de la Cheffe
consistait à le modifier juste assez pour qu'il semblât
alors superbe autant que délicieux, cependant parfaitement reconnaissable, intègre, exhibant fièrement et
posément son aspect parfois singulier.

J'y touche à peine, se plaisait à dire la Cheffe sans
la moindre coquetterie, et toute sa finesse, tout son
esprit tenaient dans ce «à peine», la quintessence de
son travail.

C'est ainsi que le gigot en habit vert lui fut ins-
piré par son désir de faire savourer dans toute leur
probité l'exquis agneau de Pauillac comme, dans son
âpreté que la Cheffe se refusait à dissimuler sous la
crème ou le beurre, l'oseille de Belleville. Elle leur
ajouta de l'épinard, elle aimait la trinité des éléments, elle fit cuire tout doucement et longuement à
l'étouffée le gigot emmailloté d'amère verdure, et les
sucs bien gras de la viande adoucissaient l'oseille et
l'agneau se révélait à la fois surnaturellement tendre
et d'une si puissante saveur que ce contraste, chair

juvénile et corsée, déconcertait les premières bouchées du mangeur, la Cheffe s'en amusait.

Au fil des années, je la vis créer les plats qui rendirent si célèbre *la Bonne Heure*.

Ce fut la période la plus allègre, la plus divertis-
sante de mon existence et je crois qu'il en alla de
même pour la Cheffe — elle était libre, elle suivait
calmement et passionnément la voie que son intré-
pidité lui avait ouverte et le tout jeune homme que
j'étais alors se coulait à sa suite, conscient de l'exacte
distance à laquelle il devait se tenir, émerveillé, critique, reconnaissant.

Une nuit que, ne parvenant pas à dormir, mes pas
m'avaient mené machinalement jusqu'au restaurant,
je vis éclairée une des fenêtres de la cuisine donnant
sur la rue.

Je devinai que la Cheffe y travaillait, je toquai au
carreau, elle me fit entrer comme s'il s'agissait de la
chose la plus naturelle et, tout aussi spontanément,
je m'installai pour l'observer, tâchant de comprendre
ses intentions et de la devancer lorsqu'elle avait
besoin d'un ustensile ou d'un récipient.

Nous ne parlions pas et même si, beaucoup plus
tard, les nuits entières que je passerais dans la cuisine à écouter les récits de la Cheffe satisferaient
mon besoin d'amitié, de confiance, de pardon bien
au-delà de mes espoirs et de ce que je pensais mériter, je garderais la nostalgie inapaisable de ces heures
suspendues dans les seuls tintements, glissements et
cliquetis du travail, ma fatigue tenue en respect par
la très minutieuse attention que je portais à chaque
regard, chaque mouvement de la Cheffe, et l'aube
apparaissait dans la fenêtre sans que nous la remar-

quions tout de suite, la Cheffe murmurait sur un ton de regret : Ah déjà !, alors mes yeux pouvaient papilloter, je me sentais comblé, héroïque et modeste et la Cheffe levait vers moi un visage d'enfant content et doux, une mèche de cheveux avait glissé sur sa tempe, personne d'autre ne la voyait jamais ainsi.

Que penses-tu de ça ? me demanda-t-elle une fois en me présentant de la chair de crabe qu'elle venait de pocher dans de la liqueur de génépi.

Il me sembla que la chair serait encore meilleure légèrement moins cuite, la Cheffe en était d'accord, son crabe à l'armoise des glaciers est né lors d'une de ces nuits où je la rejoignais à la cuisine, un an peut-être après mon entrée à *la Bonne Heure*, et qui s'étalèrent sur plusieurs années durant lesquelles nous convînmes tacitement de n'en parler à personne et feignîmes d'ailleurs, chaque fois que je toquais au carreau, de trouver si évident, si banal un tel arrangement qu'il n'y avait même pas lieu d'y faire entre nous la moindre allusion, je crains parfois de croire l'avoir rêvé, ce serait navrant et profondément stérile puisque ces nuits dans la cuisine odorante, vibrante comme un cœur ému, impatient, où la Cheffe créait sous mon regard, ont bel et bien existé, mon bouleversement à ce souvenir en atteste, je pense.

Elle me fit goûter et commenter son lapereau en croûte de noix, ses beignets de cœurs d'artichaut, ses frites de tiges de brocoli, ses raviolis de tomate noire, ses sardines gratinées à l'ail des ours, j'ai assisté, oui, à la conception et à la mise au point de ces plats fameux, pour toujours associés au nom de *la Bonne Heure*, au long de ces nuits où je n'ai pas dormi, où, dans l'enivrement de la fatigue et de l'amour que j'éprouvais, si j'ose dire, de plus en plus fatalement pour la Cheffe, il me semblait parfois que je ne connaîtrais plus jamais le sommeil, et c'était là une bonne chose, c'était là une chose nécessaire dont me rendraient justice l'histoire de la cuisine et les sympathisants de l'amour : comment aller dormir quand la Cheffe, elle, aérienne, concentrée, silencieuse et lyrique avait fait de la cuisine le lieu où ses rêves nocturnes se déployaient sous son contrôle, prenaient corps sous ses mains, sans qu'il fût besoin de passer du temps à demeurer allongée, sans risque de voir les aimables images du rêve se transformer en figures abominables ou gênantes ?

Car la Cheffe employait ses nuits à rêver mais de façon concrète, efficace, et elle était éveillée et bien consciente de ce qu'elle faisait, c'était pourtant des matérialisations de rêves qui naissaient sous ses doigts durant ces nuits ondulantes, détachées de la nuit des autres aussi nettement qu'un monde parallèle de l'univers ordinaire.

Je me suis persuadé qu'il faut que je promène Cora dans les environs de Lloret de Mar, que je me conduise envers elle comme avec une invitée à qui on montre les beautés de la région, ainsi les journées s'écouleront rapidement et Cora reprendra son train sans que rien de flottant dangereux n'ait pu s'installer entre nous. Mais Cora n'a aucune envie de visiter quoi que ce soit. Je lui décris le programme auquel j'ai réfléchi, elle sourit me laisse dire, ça ne me tente pas trop tout ça, murmure-t-elle ensuite d'une voix navrée mais ferme, polie, ma fille est bien élevée par quel miracle. Je n'ose lui demander ce qu'elle est venue faire, alors, à Lloret de Mar, je suis ner-

veux et marche de la cuisine au salon, la présence de Cora m'empêche de me servir un verre de vin à dix heures du matin, je suis nerveux plein d'appréhension et de fatigue, que me veut-elle, cette grande femme qui n'a pas envie de se promener avec moi ? En ai-je envie, moi ? Aucunement, je déteste marchouiller dans les ennuyeuses petites rues de Lloret de Mar. Mais qu'allons-nous faire, tous les deux ?

Si la Cheffe supportait mal qu'on l'appelle en salle à la demande d'un client, si elle préférait, de manière générale, ne pas avoir affaire au mangeur qui venait d'achever son repas, je n'aimais rien tant, moi, que de me glisser discrètement hors de la cuisine pour entendre les clients commenter ce qu'on leur servait, pour étudier sur leur visage les effets de notre travail, j'ai toujours aimé davantage regarder les autres manger ce que j'avais aidé à préparer ou, parfois, entièrement confectionné, que manger moi-même, et la saveur des plats me semblait plus intéressante et instructive quand je l'imaginais appréciée par un palais différent du mien, je pouvais devenir, rien qu'en le regardant, chaque client : ses lèvres, sa langue, ses dents, je comprenais chacun de ses organes, je respectais profondément ses fonctions biologiques en tout point identiques aux miennes.

D'ailleurs, quelles qu'aient pu être la personnalité d'un client, sa réputation, mes vagues sentiments à son égard, je n'en tenais plus aucun compte dès lors que je l'observais en train de manger, et je tâchais simplement de sentir en moi ce qui se passait en lui.

Oui, les gens importants de Bordeaux ont commencé à fréquenter *la Bonne Heure* au cours de ces années-là.

La Cheffe mit longtemps, malgré l'évidence, à l'admettre, non qu'elle eût une prévention contre les notables (elle n'oublia jamais ce qu'elle devait aux Clapeau) mais parce qu'elle rechignait à s'avouer que, même si on ne pouvait réserver chez elle et si ses tarifs restaient à la portée de toutes les bourses, la clientèle aisée, avertie finissait par chasser, sans le vouloir ni s'en douter, celle qui ne lui ressemblait pas, par la seule force d'inertie de son autorité, de son bon droit, de tout ce qui émanait d'elle de sélectif et de clos, de complice et de moqueur, la Cheffe le savait, oui, bien qu'elle eût mis longtemps à l'admettre.

Et quand elle eut reconnu qu'elle ne cuisinait plus, de fait, que pour un certain type de clients, ce qu'elle eut l'impression de perdre joua son rôle, par la suite, dans les décisions qu'elle prit.

Car il lui sembla que le plus grand danger serait pour elle d'arriver à se passer très bien, tant elle avait de métier, de la grâce qui lui avait été donnée l'été de ses seize ans, de cette ferveur inspirante qui l'avait hissée au-dessus d'elle-même, lui avait permis de se considérer elle-même avec surprise et un léger effroi, c'est cela qu'elle risquait de perdre à cuisiner pour des gens qui ne pouvaient la comprendre, qui ne pouvaient se représenter Sainte-Bazeille ni ses parents heureux et réfractaires dans leur dénuement, qui ne pouvaient, même, qu'éprouver mépris ou condescendance pour Sainte-Bazeille, pour ses parents.

De ce mépris probable, de cette condescendance, la Cheffe ne voulait pas être exclue, elle ne voulait pas se sauver en laissant Sainte-Bazeille exposé à de tels regards, elle ne voulait, en somme, profiter de rien ni se compromettre d'aucune façon.

Il lui était égal, au fond, d'être méprisée, si c'était en compagnie de Sainte-Bazeille, mais elle aurait eu honte d'être seule rachetée parce qu'elle cuisinait à merveille.

Elle savait cuisiner, elle savait créer, et provoquer l'engouement pour son restaurant, et cela lui était une source de fierté mais cette fierté n'avait aucun prix à côté de la nécessité qu'elle ressentait de se sentir habitée et d'éprouver pour cela une gratitude que rien, jamais, ne devait lui faire oublier ou négliger.

Comment, alors, faire coexister l'humble reconnaissance envers ce qui lui avait été accordé et la conscience que ce don ne servait plus qu'à la satisfaction d'une clientèle gâtée, qui, en quelque sorte, n'avait pas besoin d'elle ni de Sainte-Bazeille et qui pouvait assez facilement trouver ailleurs ses plaisirs?

La première fois où le maire de Bordeaux et son épouse vinrent déjeuner à *la Bonne Heure*, ils y furent photographiés et dirent leur enchantement à qui voulait les entendre, la Cheffe refusa néanmoins obstinément, presque discourtoisement, d'aller les saluer, et elle se tenait cramponnée des deux mains au plan de travail comme pour dissuader quiconque de la conduire de force auprès de la table du couple qui n'avait jamais, prétendait-il, mangé de cette façon, c'était étonnant, fabuleux — mais cette clientèle ne pouvait-elle trouver ailleurs l'instrument de l'inexprimable révélation après laquelle elle soupirait?

Comment, se demandait la Cheffe, rester juste, implacable, distante et honnête en travaillant, non intentionnellement mais effectivement, pour ces gens-là qui avaient si vite fait, dans leur naïveté, leur splendeur sans fondement, de vous attendrir, de vous corrompre ?

Ils pouvaient être sévères, ils pouvaient être difficiles plus que d'autres encore, plus que Sainte-Bazeille qui n'avait pas l'esprit critique, mais tout adoubement venant d'eux devait susciter, pensait la Cheffe, inquiétude, tremblement et imperceptible honte.

Je suis perturbé par la constatation que ma fille, cette femme plus grande et plus lourde que moi sans aucun doute et qui se prénomme Cora pour des raisons que j'ignore et en vertu d'une décision prise en dehors de toute consultation de mon opinion — que Cora ne paraît nullement chercher en moi un père, même un parent. Elle me parle et parfois m'interroge comme si le hasard venait de faire de nous des colocataires, ses questions restent aimables impersonnelles et j'ai le sentiment que je ne l'intéresse guère a priori mais que, nous connaissant mieux, nous pourrions nous entendre. Je ne suis pas son père, je suis un type qu'elle vient de rencontrer elle attend de voir ce que cela va donner, avec une curiosité non feinte mais, par politesse, discrètement exagérée. Nous prenons nos repas à l'extérieur, dans l'un ou l'autre des petits restaurants de la plage. Je ne veux pas cuisiner pour Cora car je ne pourrais pas feindre de ne pas savoir le faire et que je ne me sens pas prêt à cuisiner de nouveau. Cora ne s'en étonne pas, elle ne s'étonne de rien jusqu'à présent. Elle ressemble si peu à sa mère que c'en est à peine croyable.

Bien qu'elle s'interrogeât de plus en plus sur sa loyauté envers ses propres choix, nous vécûmes de belles années à *la Bonne Heure*, la Cheffe et moi.

Il lui était impossible de ne pas ressentir à quel point je l'aimais et même si cela ne pouvait en aucun cas l'intéresser ni la troubler, je pense que, malgré elle, elle finit par s'attacher à moi d'autant plus fortement qu'elle n'éprouvait pas d'amour et souhaitait en quelque sorte me dédommager, comme si mon amour avait été un présent, une offrande, voire un renoncement et qu'elle se fût sentie tenue, tout en le déclinant, de me remercier.

Elle cherchait souvent mon regard lorsqu'elle s'adressait à l'ensemble de ses employés et j'éprouvais ainsi le sentiment délectable d'être discrètement mis à part, ce qui, à l'époque, suffisait à mon bonheur, à mon amour-propre et à mon espérance puisque cette tacite élection de ma personne mènerait, croyais-je, à l'acceptation de mon amour.

Oui, ce furent de belles et très laborieuses années.

La Cheffe s'était mise à gagner de l'argent et quoique je n'aie su que plus tard, quand elle entreprit de se confier à moi, à quoi elle le consacrait, je pouvais remarquer déjà qu'elle ne modifiait en rien ses habitudes de sobriété, presque d'ascétisme dans sa vie propre, non tant par devoir que parce qu'elle ne désirait pas grand-chose de ce qu'on peut acheter, elle n'avait pas le goût des vêtements ni des bijoux ni d'aucune sorte de bibelots, et les meubles l'ennuyaient tout comme les tapis, les tableaux, les voitures, et n'ayant jamais appris à se divertir, encore moins à s'amuser, elle regardait les sorties et les plaisirs comme on observe certaines coutumes étonnantes de peuplades dont on ne peut imaginer faire jamais partie.

En somme la Cheffe, quand elle ne cuisinait pas,

n'avait d'autre activité que de réfléchir à la cuisine —
et de descendre en elle-même pour parvenir à un état
de sincérité qui l'oblige à examiner durement si elle
ne trahissait pas ses propres lois, si elle n'avait pas
réussi à cacher à sa propre inspection, par ingéniosité, la mort de son feu follet. Je dois sentir que c'est
là, me disait-elle en frottant l'espace entre ses seins.

Je sus donc que la Cheffe envoyait au Québec, à sa
fille, beaucoup d'argent et, certes, sa fille lui en réclamait encore et toujours mais ne l'eût-elle pas fait que
la Cheffe l'aurait couverte d'or malgré tout, étouffée
sous l'or semblait-il parfois, dans une volonté éloquente de la tenir en paix là-bas, dans ce lointain
Québec où la fille était censée avoir monté une mystérieuse société de communication et où la mère pouvait espérer qu'elle demeurerait tant que l'or de *la
Bonne Heure* continuerait de lui parvenir et de maintenir à flot l'entreprise la moins fructueuse, la plus
absurde, ainsi la Cheffe chargeait sa fille de joyaux
et d'ornements afin de l'empêcher de se mouvoir, de
lui revenir.

Sa fille lui manquait cependant, non la figure
réelle, exténuante, insatiable, larmoyante et féroce
mais le personnage que la Cheffe feignait de croire
authentique, dont elle louait les talents et la tendresse à son égard, cette fille-là lui manquait, inven-
tée, presque vraie parfois dans son esprit, quand la
Cheffe s'adressait à quelqu'un qui n'avait pas connu
sa fille et manifestait pour celle-ci un intérêt plein
de bienveillance, alors elle pouvait s'étourdir de sa
propre création et, le temps de quelques phrases, de
quelques réponses faussement modestes à des questions admiratives, se berner elle-même.

La Cheffe se serait ruinée pour ôter à sa fille toute raison de recommencer à la tourmenter sur place — car les lettres, puis les courriels de sa fille la tourmentaient mais, cela, elle pouvait l'endurer, elle s'en trouvait accablée, attristée, pas anéantie.

Elle se serait d'ailleurs ruinée aussi bien pour ses parents s'ils y avaient consenti, et dans une intention tout autre, celle de les rapprocher d'elle autant que possible, de les installer au plus près de *la Bonne Heure* dans une belle maison qu'elle leur aurait achetée mais ils ne l'autorisèrent, comme je l'ai raconté, qu'à leur offrir la voiture dans laquelle ils se sont tués, avaient-ils senti que l'heure était venue pour eux de mourir, ont-ils découvert là le procédé parfait pour ce crime à leur encontre?

C'est un matin d'automne, alors que nous travaillions au service du déjeuner, que le téléphone sonna dans la salle.

Contrairement à son habitude, la Cheffe alla décrocher.

Je compris, lorsqu'elle revint, qu'un grand malheur lui était arrivé.

Elle nous regarda avec son curieux sourire qui tordait délicatement ses lèvres mais ses yeux étaient distraits et un pli de contrariété creusait son front, elle voulait sourire cependant et nous voir heureux, elle porta une main légère à sa tempe, rougit un peu, elle détourna son regard et nous dit que *le Guide* venait d'attribuer une étoile à *la Bonne Heure*, en cette matinée de 1992.

Puis elle fondit en larmes, ce dont je fus le seul surpris, mes collègues mettant fort naturellement ces pleurs au compte de l'émotion et du bonheur, et, alors, s'approchant d'elle, l'entourant de leurs bras entrecroisés sans oser véritablement l'étreindre, ils la congratulèrent bruyamment et honnêtement, et leur fierté était à la mesure de l'affection qu'ils avaient pour la Cheffe, grande, sérieuse et dépourvue de connaissance réelle.

Peut-être alors la Cheffe se leurra-t-elle, peut-être se persuada-t-elle qu'elle pleurait, en effet, d'un excès de bonheur.

Mais comme j'avais aussitôt perçu, quant à moi, qu'il n'en était rien, je doute qu'elle ait pu s'abuser assez longtemps pour jouir en toute simplicité de cette extraordinaire distinction.

Son bras se tendit vers moi, elle m'invitait à prendre ma part de cette félicité, de cette gloire soudaine et juste, méritée et jamais convoitée par elle, la Cheffe qui n'avait aucun entregent, pas d'amis, nul réseau, son bras se tendit vers moi et j'allai vers elle en songeant, bouleversé, qu'il me fallait montrer que j'étais capable non pas de me réjouir et de la complimenter mais de lui prêter secours car, cette honte considérable, paralysante, outrancière dont je sentais par toutes mes fibres que la Cheffe l'éprouvait depuis l'instant où la voix d'un inconnu au téléphone avait honoré son travail, elle ne pourrait la supporter seule, sans quelqu'un à ses côtés qui eût de tout cela, et d'elle-même, une connaissance réelle.

Un grand malheur, en effet, était advenu dans son existence.

La Cheffe réussit à cacher ses sentiments à tous ceux qui l'applaudissaient et si elle ne put jamais répondre avec la chaleur et la sensibilité qu'on attendait de celle qui devenait la seule femme étoilée de sa génération, si d'étranges paroles lui échappèrent parfois comme lorsque, à l'affirmation d'un journaliste sur la fierté qu'auraient éprouvée ses pauvres parents s'ils étaient encore de ce monde, elle répliqua avec un accent de passion douloureuse : Oh non, ça ne leur aurait pas plu du tout, ils auraient été désolés pour moi !, elle donna le change cependant et ne montra qu'à moi, à mon regard qui savait et comprenait, son visage véritable.

Elle me dit, le premier soir, comme je m'attardais après le départ des autres : Tout est fini maintenant.

Et la tristesse, la honte, la consternation modifiaient ses traits, je la reconnaissais à peine mais ses gestes étaient les siens, la main délicate voltigeant rêveusement jusqu'à la tempe, les pas glissés, hâtifs, si légers qu'ils ne produisaient aucun son, sa figure était altérée et je demeurais silencieux, craignant de prononcer des mots inadéquats.

À ce moment-là, je devinais sa honte sans la comprendre très bien. Elle me paraissait inconséquente, maladive.

La Cheffe me dit : Si on me récompense, c'est que j'ai démérité.

Mais pourquoi ? chuchotai-je dans un tressaillement de révolte et, presque, d'irritation, et la Cheffe, je crois, ne m'entendit pas, et juste à côté de la peine que j'éprouvais à la découvrir ou à la croire incapable de goûter simplement une satisfaction inattendue, se dressait en moi le rempart de la méfiance, du scepticisme, de l'impatience, et je songeais que je ne devais surtout pas me laisser gagner par les tristes embrouillements du cœur de la Cheffe, je songeais que mon amour ne devait

256

pas me corrompre au point de me rendre moi aussi inapte au plaisir.

La joie était une chose, songeais-je avec humeur, et le plaisir en était une autre, et pourquoi celui-ci devrait-il invariablement se retirer au profit de celle-là ?

Mais j'étais très jeune alors, je ne pouvais comprendre la Cheffe que jusqu'à un certain point qui me paraissait, à ce moment-là, ultime, et sur le chemin que mes vingt-cinq ans m'empêchaient de discerner au-delà de ce point je me suis engagé bien après, il s'est ouvert à mes yeux, à mon pas qui acceptait, incertain, de tâter devant lui, et je me suis rapproché de la Cheffe avec retard, à une époque où elle avait renoncé à être entendue et secourue, ainsi j'ai manqué l'instant où je pouvais lui être nécessaire, je n'ai fait que lui être utile en lui apportant repos, soulagement, amour intense et jamais nommé.

Je finis par comprendre que l'étoile avait conforté la Cheffe dans l'impression qu'elle avait déjà eue, peu auparavant, de s'être compromise.

Il lui était insupportable de penser que sa cuisine plaisait et séduisait, non qu'elle s'imaginât, non qu'elle souhaitât qu'elle rebute puisque tant de clients revenaient à *la Bonne Heure*, mais la Cheffe se sentait tenue de considérer en conscience que ses habitués retournaient au lieu où une énigme leur avait été posée.

Elle avait été prête, bien souvent, à risquer qu'un plat fût renvoyé en cuisine avec colère, elle se gardait sur cette crête sauvage où une petite erreur d'appréciation, une insouciance ou une excessive griserie pouvaient faire sombrer ses recettes dans l'inadmissible ou le saugrenu, mais elle se maintenait là, amenant les mangeurs à elle par la force de son inflexibilité, celle-ci fût-elle parfois source d'une expérience non point précisément attrayante — car là n'était pas, ne pouvait être toute la question.

Peu importait, dès lors, d'accepter ou de rendre cette étoile pour la Cheffe, cela ne modifierait pas le fait qu'on l'en avait jugée digne et qu'elle-même, par conséquent, avait échoué.

Elle joua le jeu cependant, vous le savez, répondant à quelques journalistes, remerciant *le Guide*, bien que, toujours, ce fût à sa façon, élusive, contractée, à la fois équivoque et brève, qui a fait croire à beaucoup qu'elle n'était pas intelligente, que sa pensée remuait lentement, qu'elle n'avait pas de vocabulaire.

Personne n'a su qu'elle était ravagée de honte.

Et c'est cela, je le garantis, qu'elle avait voulu exprimer par ces mots : Tout est fini maintenant, car elle n'avait aucun moyen de prévoir ce qui arriva par la suite, elle avait, au contraire, les meilleures raisons de penser que rien de tel n'arriverait puisque, l'argent qui entra plus abondamment encore à *la Bonne Heure*, elle s'empressa de le faire ressortir pour charger sa fille, là-bas, de richesses écrasantes, comme une jeune éléphante parée.

Nous travaillions sans lever les yeux, mes collègues et moi, avec un enthousiasme et un dévouement dans lesquels entrait fort peu la grosse augmentation dont la Cheffe nous avait récompensés, et elle, la Cheffe, avec son efficacité, sa délicatesse habituelles mais aussi, je le sentais, une tristesse nouvelle, un désabusement qu'elle tentait de masquer en souriant plus que d'ordinaire, à tout propos et mécaniquement.

Sitôt l'étoile attribuée, nous eûmes tant de nouveaux clients que la Cheffe dut se résoudre à instaurer un classique système de réservations, ce à quoi je m'étais d'ailleurs permis de l'encourager, lui disant qu'il s'agissait d'une simple question de respect envers nos habitués que nous devrions, sinon, certains jours, refuser ou contraindre à patienter longuement, et la Cheffe était d'accord sur ce point, d'accord avec tout ce que je lui suggérais mais je sentais bien qu'elle n'avançait qu'avec perplexité et chagrin dans la voie des changements nécessaires et que son esprit intuitif, pénétrant, son flair inquiet rejetaient d'emblée ce que sa raison lui enjoignait d'accepter.

C'est pourquoi je fus très surpris, peu après qu'elle eut substitué, sur mon conseil, aux petites chaises paillées de traditionnelles chaises de bistrot en bois foncé, de l'entendre nous annoncer qu'elle allait fermer *la Bonne Heure* trois jours durant afin de faire repeindre les murs et modifier l'éclairage, elle voulait supprimer les lustres aux branches de métal vert bronze pour les remplacer par des suspensions d'opaline blanche.

Je la félicitai de ce choix, attentif à son visage, à ses gestes qui me parurent plus nerveux que d'habitude, cependant que la Cheffe souriait, riait même sans occasion bien précise, elle si réservée, et que ses beaux yeux bruns se portaient trop rapidement de l'un à l'autre d'entre nous, comme soucieux de ne pas rencontrer véritablement notre regard.

Il me sembla curieux qu'elle éprouve une telle

confusion à nous indiquer qu'elle allait faire repeindre *la Bonne Heure*, d'ailleurs du même bleu profond, et changer les lampes, jusqu'à ce que le motif réel de cet embarras m'apparût lorsque la Cheffe, comme incidemment, déclara qu'elle allait devoir augmenter les prix de la carte.

Là encore je l'approuvai pleinement, je lui dis avoir pensé la même chose sans oser lui en faire part.

Tu sais que je n'aime pas ça, murmura-t-elle, tu sais que je n'aime vraiment rien de tout ça.

Et comme je me récriais avec une légèreté excessive, une volontaire désinvolture dont j'espérais lui communiquer un peu du plaisir qu'on pouvait en tirer, disant à la Cheffe que l'obtention de l'étoile imposait moins d'obligations qu'elle ne créait de sources de contentement, la Cheffe, soudain grave, rendue à elle-même et s'abstenant de sourire absurdement, me répondit en me fixant d'un regard indécis, presque hagard : Ce n'est pas ça… Il n'y a pas que ça. Ma fille a appris pour l'étoile, elle va revenir. — Oh, très bien, dis-je sur un ton prudent. — Oui, dit la Cheffe, c'est une bonne nouvelle, n'est-ce pas ?

Et sa voix m'avisait qu'elle me posait là une véritable question, qu'elle m'interrogeait comme si, vraiment, elle n'avait pas connu la réponse et que mon avis pèserait d'un poids certain sur l'opinion qu'il lui fallait bien se faire à ce propos. Une très bonne nouvelle, dis-je alors avec toute la conviction dont j'étais capable.

La Cheffe me parut imperceptiblement soulagée et comme reconnaissante à ma réponse de la sortir, au moins pour un temps, de son égarement et de ses doutes coupables, de ses pensées qui tournaient et tournaient, solitaires, enfiévrées, à l'écart de tout bon sens, autour de la question de savoir si la mère douloureusement aimante qu'elle était avait le droit de ne pas se réjouir entièrement d'une telle nouvelle, si l'excellente mère qu'elle prétendait être pouvait s'autoriser à considérer ce retour en tremblant.

Peu de temps plus tard, l'une de nos serveuses entra dans la cuisine, s'approcha pour murmurer quelque chose près du visage de la Cheffe et celle-ci fit apparaître aussitôt son petit sourire vide qui s'attarda sur ses lèvres bien que son regard n'exprimât qu'anxiété lorsqu'elle eut compris ce que lui disait la serveuse, et le sourire, immobile, sembla se dédoubler, s'accroître, flotter en écho sur les lèvres gênées de la jeune fille, aucun de nous n'aimait provoquer la consternation chez la Cheffe, voilà que la serveuse se rendait compte que ses mots avaient semé l'affolement.

Puis une inconnue pénétra dans la cuisine, c'était, pensai-je immédiatement, la plus belle, la plus extraordinaire personne que j'avais jamais vue.

Je suis encore embarrassé et interloqué à ce souvenir, tant la fille de la Cheffe me parut, très vite après, dépourvue de tout charme, de toute beauté, de toute originalité, c'est pourquoi je ne peux toujours pas comprendre exactement ce qui, rayonnant d'elle à cet instant précis et unique, mystifia mon regard, endormit mon intuition, si ce n'est, peut-être, sa résolution froidement prise de séduire, le rassemblement de ses facultés les plus mauvaises, les plus vicieuses, les plus agissantes dans le but de nous tenir bien en main.

Elle portait un curieux mélange de vêtements d'étoffes et de styles différents, dans une confusion d'idées, de goûts, de saisons qui se renversait en son contraire, la cohérence, quand on remarquait que tous ces tissus, grenus ou soyeux, laineux ou transparents, chacun à sa façon étincelaient, la longue jupe de satin rouge, le pull de grosse laine rose traversée de fils d'argent, l'épais collant d'un vert sombre luisant, la ceinture de plastique rose, jusqu'au serre-tête de fillette en velours rouge dans ses cheveux permanentés, tout cela chatoyait de manière déplacée, puérile, désarçonnante puisque, malgré sa jeunesse clairement visible sur sa figure lisse et fraîche, elle s'habillait comme une femme mûre désireuse de passer pour une adolescente et que la singulière logique de son look évoquait obscurément celle d'un esprit dérangé et méthodique.

Le souvenir que je garde de son irruption dans notre cuisine est fallacieux.

C'était, enfin, la fille de la Cheffe dont j'avais tant entendu parler, elle était splendide et stupéfiante, mon amour pour sa mère bondit vers elle, l'enveloppa aussitôt.

Cette première impression, même trompeuse, même monstrueuse, je ne pus jamais l'oublier, si je m'en suis défait entièrement dès le surlendemain, car c'est le mensonge qui est entré le premier et la vérité l'a supplanté sans l'effacer.

C'est pourquoi je l'ai haïe d'autant plus fortement, par la suite.

Elle s'avança vers la Cheffe dans une grande exclamation de joie et un bruissement crépitant de tissus, je vis qu'elle portait des chaussures de petite fille, des babies argentées et ferrées qui claquaient métalliquement sur le carrelage, elle se pencha pour enlacer la Cheffe quoiqu'elle ne fût pas véritablement plus grande — elle feignit, cependant, de devoir se pencher, si bien qu'elle en donna vraiment l'impression et qu'elle sembla ainsi, faussement grande, réellement large et volumineuse, engloutir la Cheffe, l'étouffer sous le mohair rose de son pull immense, dans ses cheveux qui, libérés du serre-tête tombé à terre, glissèrent sur le visage de la Cheffe, odorants, chimiques, asphyxiants.

Et la Cheffe demeura immobile, bloquée dans les bras de sa fille, de longues secondes avant de se délivrer d'une légère poussée, ne parlant toujours pas mais posant alors sur l'étrange figure replète et très maquillée qui se tendait vers la sienne des yeux emplis d'une expression pour moi, à cet instant-là, inouïe : adorante et accablée, tendre et vaincue, timide, mal à l'aise, avec quelque chose néanmoins, je dois le dire, d'heureux (nuancé d'un flagrant «en dépit de tout» qui me le rendit poignant).

Ce qui m'abasourdit ne fut pas que je n'aie jamais vu à la Cheffe une telle expression mais que, tout bonnement, elle fût capable de l'avoir, elle qui m'était toujours apparue jusqu'alors comme excessivement maîtresse du visage qu'elle montrait.

Je m'empressai de me détourner pour ne pas l'embarrasser et pour dissimuler mon propre désarroi.

La fille de la Cheffe s'est complu à m'inventer jaloux d'elle et cette jalousie m'aurait empoisonné, prétend-elle, dès le premier jour, dès qu'elle eut pris devant moi sa mère dans ses bras puisque, ce simple geste, je n'y avais pas droit malgré toutes les prérogatives que je m'étais insidieusement octroyées.

J'ai toujours refusé de répondre aux sordides allégations de cette femme.

Mais, à propos de la jalousie, et puisqu'un tel sentiment aurait pu, pourquoi pas, se saisir du jeune homme passionné que j'étais, j'affirme en toute humilité que je n'en ai jamais éprouvé vis-à-vis de la fille, que ce qui me serrait la gorge en ce moment, quand je revins à mon couteau, aux poivrons que je tranchais, était d'une nature autre et toute nouvelle pour moi, c'était la prescience d'un désastre.

Elles s'étaient inscrites, ces misères à venir, dans les yeux aimants et abattus de la Cheffe, les yeux les avaient vues déjà et la Cheffe, peut-être, les connaissait déjà aussi, les fers des ridicules babies ne pouvaient frapper méchamment le carrelage sans que cela ne signifiât rien, n'annonçât rien, et il eût été lâche ou stupide de refuser de comprendre ce prélude, la Cheffe n'était ni lâche ni stupide, elle était sagace, avertie, fataliste à sa manière.

Car tout, déjà, avait changé, et la Cheffe qui, irréprochable patronne de *la Bonne Heure*, n'avait jamais laissé aucun de nous, ses assistants, ses employés, se débrouiller à l'improviste (elle nous laissait nous débrouiller lorsqu'elle pensait ou sentait que nous y aspirions), la Cheffe qui était toujours là quand nous arrivions et encore là quand nous partions, suivit sa fille hors de la cuisine, furtive, soumise, dans le sillage spectaculaire des étoffes crissantes, elle ne nous jeta pas un regard, pas un mot et jusqu'au soir nous ne la revîmes pas.

Elle se contenta alors de nous féliciter pour avoir assuré très convenablement le service de midi. Elle se montra lointaine, effarouchée, pensive, tristement

souriante et douce, et lorsque mes yeux l'interro-
gèrent son regard s'écarta du mien sans hésitation
ni, me semblait-il, le moindre regret, comme si notre
complicité n'avait été qu'un songe que j'aurais été
le seul à former ou comme si, redevenue elle-même
grâce à sa fille, elle s'en dégageait maintenant comme
d'un lien indécent ou mauvais.

Mes collègues feignaient de ne se rendre compte
de rien, peut-être n'y avait-il, en effet, rien à constater lorsqu'on ne vivait pas, comme je le faisais depuis
des années, au cœur du cœur de la Cheffe, cependant son attitude vis-à-vis d'eux s'était modifiée, me
semblait-il, et la Cheffe me parut lutter mollement et
sans espoir contre une indifférence, un détachement
qui teintaient de lassitude ses propos habituels, ses
ordres et ses remerciements.

*Je vais te montrer quelque chose, me dit Cora.
Elle va chercher dans ses bagages une grande boîte
bleu foncé, elle la pose délicatement sur la table et je
voudrais me détourner car je sais ce dont il s'agit, je
connais ce genre de boîtes et c'est ce que me dit Cora
juste à l'instant où je le pense, Tu connais ce genre de
boîtes. Et ce sont de magnifiques couteaux à manches
d'acier, je ne peux m'empêcher de les caresser du bout
des doigts, j'interroge Cora du regard, elle soulève chacun de ses couteaux l'un après l'autre et me les tend
pour que je les soupèse.*

La fille ne se montra pas ce premier soir. Je l'en-
tendais aller et venir au-dessus, dans l'appartement
dont elle martelait le plancher de ses fers, frénétiquement comme une jument captive et alarmée, mais la
fille n'était prisonnière de rien, la fille était même,

dans son entêtement, son égoïsme et sa dureté, un être plus libre que la plupart.

Cette nuit-là j'allai rôder comme à l'ordinaire du côté des fenêtres de la cuisine et je les découvris obscures ainsi que je le craignais.

Les fenêtres de l'appartement, elles, étaient abondamment éclairées, les battants ouverts en grand, cependant nul ronronnement de voix n'en sortait et le silence me sembla même si profond, si manifestement perceptible que je les imaginai là-haut, la mère consumée, la fille au repos et aux aguets, elle respirant sans bruit, surveillant et manigançant, et toutes deux peut-être assises l'une en face de l'autre et n'ayant rien à se dire mais perversement unies dans une attente aux buts opposés.

J'aurais voulu appeler la Cheffe, l'emmener dans mon studio de Mériadeck, l'enlever à cette fille du Canada qui ne lui ressemblait ni, j'en étais sûr, ne la comprenait en rien.

Je restai un long moment sous leurs fenêtres, figé dans la conscience de mon impuissance, de ma jeunesse inutile, de mon absence irréfutable d'un quelconque lien familial avec la Cheffe.

Et lorsque, soir après soir, je revins obstinément (et comme si ma persévérance uniquement fondée sur l'espoir allait gagner le pouvoir d'agir sur la réalité) observer, des fenêtres de la Cheffe, lesquelles étaient éclairées, je devais constater avec effroi que celles de la cuisine ne l'étaient plus jamais tandis que des trois pièces de l'appartement à l'étage jaillissait une lumière si forte et si blême que la rue en était froidement embrasée, il me semblait alors que les battants n'étaient ouverts que pour épargner à la

Cheffe une combustion immédiate, totale et à blanc de sa liberté et de son génie, dans le silence, ce vaste silence à l'affût qui me rendait certain qu'il y avait bien quelqu'un là-haut.

Il ne me fut plus jamais donné, par la suite, de reprendre ma chère place, la nuit, dans la cuisine auprès de la Cheffe.

Car lorsque, de nouveau, je passerais des nuits entières dans la cuisine, ce serait pour entendre la Cheffe me parler et non plus pour la regarder travailler, cette confiance ne me serait plus accordée, cet abandon, j'en ai toujours eu le regret lancinant : nulle circonspection, nul prudent calcul ne modelait plus les traits de la Cheffe en ces instants où elle ne s'entretenait qu'avec elle-même, et j'avais vu cela, elle m'avait aimé assez pour me l'offrir.

Quant à ce qui avait motivé le brusque retour de sa fille à Bordeaux, je dois à l'honnêteté de reconnaître qu'il y eut un moment, à une époque bien plus tardive, où la fille me le raconta avec des accents de vérité qui me parurent indéniables et où je fus tenté de la croire plutôt que la Cheffe, la fille m'affirmant, durant la très courte période qui nous vit plus ou moins amis, que sa mère l'avait rappelée auprès d'elle une fois l'étoile obtenue, tandis que la Cheffe, elle, devait finir par me dire que sa fille était revenue sans lui demander son accord et précisément dans le but de surprendre sa confiance.

Je savais à quel point la Cheffe s'était trouvée bien de savoir sa fille au loin et les sommes qu'elle avait envoyées au Québec pour l'y maintenir comme sous le poids de largesses dont on ne puisse littéralement pas se dépêtrer, voilà pourquoi j'aurais dû ne prêter aucune foi aux allégations de la fille, et cependant comment décrire l'espèce d'innocence ou de détachement qui éclaira brièvement ses yeux mornes quand elle me dit, sans intention apparente, que sa mère lui avait demandé de revenir après que *le Guide* l'avait distinguée, alors je la crus spontanément et malgré moi et je dus ensuite faire effort, revenir sur ma première impression, pour mettre en doute ces propos qui ne collaient pas avec le reste, avec ce que je savais de la Cheffe comme avec ce que celle-ci m'avait déclaré, qu'elle n'avait jamais suggéré à sa fille de la rejoindre.

Et quand je demandai à la fille, en ce moment où nous n'étions pas encore devenus ouvertement des ennemis, pour quelle raison sa mère avait souhaité l'avoir auprès d'elle de nouveau, elle me répondit sur le ton de l'évidence et avec cet air de franchise que je n'arrivais pas à trouver feint, que la Cheffe avait estimé judicieux d'utiliser ses connaissances en matière de communication et de conseil en entreprise, compétences qu'elle, la fille, avait acquises au Québec dans une école coûteuse, elle y avait obtenu un diplôme, elle me le montra non sans fierté.

Je me retins alors de me moquer d'elle. L'expression exceptionnellement gentille, à ce moment-là, de son visage souvent dur, amer, m'en dissuada.

Mais je ne pouvais croire une seconde que la Cheffe eût voulu améliorer ou faire grandir l'image de *la Bonne Heure*, que ce fût par les soins de sa fille ou de qui que ce soit d'autre, et bien que n'ignorant pas de quelle manière peut nous déconcerter un aspect jusqu'alors insoupçonné, par absence d'occasion, du caractère de l'être qui nous est le plus proche, proche dans la vie et plus proche encore dans le rêve, il m'était parfaitement impossible de me figurer la Cheffe en directrice d'entreprise soucieuse de profiter à fond de circonstances avantageuses et prometteuses comme l'était la reconnaissance par *le Guide* — et puisque cet honneur lui faisait honte.

Non, cela, je ne pouvais résolument pas le croire.

D'ailleurs, que la fille m'ait assuré être revenue pour mettre ses aptitudes commerciales au service de *la Bonne Heure*, qu'elle l'ait soutenu avec cette tranquille et candide vanité rétrospective (elle qui n'était ni tranquille ni candide d'ordinaire) serait assez pour montrer l'étendue de son égarement et son manque déroutant de vergogne, elle nourrissait sur elle-même des illusions si puissantes qu'il pouvait arriver qu'on en fût troublé et, en dépit de tout et de soi-même, persuadé au moment où cela se passait, où l'inimitié s'était éclipsée, où elle et moi recherchions la chaleur d'un apaisement provisoire, d'une trêve.

Une fois que je me fus à jamais éloigné d'elle, je compris qu'aucun de ses propos ne devait être cru, quand bien même elle aurait été sincère, quand bien même elle aurait cherché à se tenir au plus près du sentiment commun de la réalité.

Mais il subsistait en moi le souvenir inaltérable de l'instant où l'expression de son visage m'avait persuadé, de sorte que je ne pus jamais entièrement me défaire de l'idée, du soupçon malséant que la Cheffe lui avait demandé de revenir à Bordeaux, l'avait même, d'une certaine façon, appelée à l'aide.

Nous la revîmes, la fille, le surlendemain de son arrivée.

Elle fit dans la cuisine une entrée si différente de

la première que je ne reconnus pas tout d'abord cette pesante et lente jeune femme qui traînait sur le carrelage des pieds chaussés de grosses baskets et dont absolument rien dans la mise ni dans l'aura ne chatoyait, comme si elle avait dépensé pour l'instant crucial de son retour, l'avant-veille, toutes ses ressources de flamboyance, de bravade et d'intimidation ou qu'elle avait décidé qu'il ne lui était plus utile de déployer de tels moyens à présent que sa mère était *prise*.

La Cheffe l'accueillit d'une phrase protocolaire, contrainte, cependant alourdie d'une formule de tendresse qui n'avait pas sa place sur ce lieu de travail, quelque chose comme : Bonjour, ma chérie, comment vas-tu ? qu'elle sembla dire avec effort, avec une réticente application et le grand embarras de celle qui blessait malgré elle sa propre pudeur — mais qui, pour son repos, pour ne pas risquer de déplaire et d'être châtiée, devait prononcer ces mots.

La fille grogna une vague réponse. Ses petits yeux froids furetaient dans tous les coins de la cuisine, cherchant que blâmer, que critiquer, voire à quel propos s'indigner, et ce comportement que je ne compris pas tout d'abord me fut explicité d'un laconique : Va falloir améliorer pas mal de trucs ici, qu'elle murmura en me fixant, sollicitant dans mon regard une complicité de jeunes-entre-eux (nous avons très précisément le même âge) que je lui refusai — et je me détournai aussitôt, scandalisé par une telle arrogance et encore tout remué de découvrir que l'éblouissante fille de la Cheffe englobée spontanément dans mon amour et ma considération montrait son visage véritable, au sens propre, débarrassé des artifices qui lui avaient permis de resplendir le jour de son arrivée.

Les trois quarts d'heure qu'elle passa dans la cuisine furent chargés d'une pénible atmosphère de menace et de crainte.

L'attitude inquiète, humble, déférente de la Cheffe influençait mes collègues qui répondaient aux questions ignorantes de la fille avec une hâte anxieuse, et bien qu'elle eût évité de m'interroger, croyant peut-être par là me vexer, je me sentais aussi nerveux et contrarié que si elle m'avait posé ses ineptes questions de femme qui ne connaissait rien à son sujet et pensait dissimuler ses lacunes en reprenant désagréablement, sur un détail annexe, ses interlocuteurs, elle avait alors une moue entendue, dédaigneuse ou sardonique, elle remontait sur le haut de son crâne une mèche tombée sur son oreille, du même geste que la Cheffe, elle soufflait longuement par les narines, si commune, si dépourvue d'élégance que j'en étais révolté.

Lorsqu'elle s'en alla les épaules de la Cheffe se détendirent, son dos redevint bien droit. Mais le regard qu'elle posa sur nous me parut altéré, voilé d'insincérité, de peine et de résignation.

Je fus le seul à oser le soutenir, elle baissa les yeux, souriant mécaniquement, le sourire fuyait ses lèvres, flottait hors de portée devant sa bouche, son menton tremblotant.

Je ne saisissais plus rien.

D'où lui était née une pareille fille, pourquoi la Cheffe lui était-elle assujettie d'une façon que l'amour maternel, croyais-je, ne pouvait suffire à expliquer, et n'avait-elle pas rattrapé la terrible erreur que constituait le fait d'avoir une telle fille en envoyant au Québec pratiquement tout ce qu'elle gagnait, n'avait-elle pas assez payé pour se débarrasser de ce tourment ?

Et si la Cheffe devait maintenant endosser les conséquences d'un comportement ou d'un geste que j'ignorais, pourquoi cette responsabilité prenait-elle la figure mauvaise, sarcastique, ambitieuse d'une fille qui, quoi qu'il en fût, ne lui apprendrait rien ?

La Cheffe me semblait double malgré sa détresse, je ne la comprenais plus, je sentais que j'étais jeune et j'enrageais de l'être, de ne rien comprendre.

Du jour au lendemain, la Cheffe investit sa fille du pouvoir extravagant de transformer *la Bonne Heure* à son idée, elle qui, la fille, avait planché jusqu'alors, de manière toute théorique et très médiocrement (elle avait dû passer trois fois son examen), sur des cas tout autres, des sociétés de crédit, une école d'apprentissage des langues par correspondance, un groupement de cabinets dentaires, et qui ne s'intéressait nullement à la cuisine, qui même détestait la cuisine comme elle me l'avoua un jour, en laquelle elle ne voyait qu'une corvée infecte et rachetable uniquement si on l'habillait de luxe, elle-même disait ne fréquenter que les grands restaurants et se vantait de ne jamais cuisiner, de ne jamais toucher à ça, cette dégoûtation.

Il m'apparut alors, aux propos péremptoires qu'elle lançait avec l'air de nous offrir les précieuses conclusions d'une pensée singulière, qu'elle n'acceptait de faire honneur à un plat qu'à la condition de ne pas savoir ce qu'elle mangeait, de ne reconnaître, de ne croire reconnaître ni forme ni goût ni odeur

272

et que le nom lui-même ne lui donnât qu'une très vague indication du produit d'origine, c'est pourquoi elle voulut aussitôt rebaptiser toutes les recettes de la Cheffe en usant de périphrases à ses yeux autrement appétissantes, et que le client ne fût plus forcé de lire des mots tels que thon, poulet ou tomate mais ces expressions que j'ai la plus grande répugnance à rapporter maintenant, que certains d'entre vous se rappellent peut-être malheureusement encore et qui, à la surprise de beaucoup qui pensèrent qu'il s'agissait là d'une idée de la Cheffe, envahirent la carte de *la Bonne Heure* : Germon de Novembre, Prince de Bresse, Carpaccio de Tomatines…

La Cheffe accepta tout, avec une morbide complaisance, et je vis le chagrin et l'embarras quitter son regard, remplacés par l'expression d'acquiescement sec, de désabusement sombrement satisfait qui donnait à ses traits une nouvelle, paradoxale et presque cynique exaltation, comme si elle nous déclarait en permanence : Eh bien voilà, nous y sommes, mais où étions-nous exactement et pourquoi était-il certain que, dans cette opacité saturée de provocation, de vanité et de brusquerie, nous étions soudés à des degrés divers mais inévitables, comme des galériens qu'unit la chaîne et tout autant une conscience semblable de leur sort ?

Car la Cheffe paraissait ne pas douter de nos sentiments vis-à-vis de sa fille : admiration, crainte, piété.

Et c'est, je pense, entraîné par le désir qu'avait la Cheffe de nous voir adorer et redouter cette femme, que je mis de côté toute prévention et tâchai de retrouver le sentiment d'émerveillement que j'avais éprouvé la première fois que la fille était entrée dans la cuisine, cette impression, directe, dénuée d'ambiguïté, qu'elle méritait mon affection, mon dévouement, au même titre que sa mère.

Ayant d'abord pensé acerbement, au sujet de la Cheffe : Elle ne pourra pas me reprocher de désavouer sa fille, je finis par n'y songer même plus, emporté dans un flot de sentiments confus dont il ne ressortait qu'une réflexion entêtée, fanatique : obéir à la volonté de la Cheffe même si je ne peux la comprendre, même si cette volonté me déçoit et me diminue, m'exaspère et m'inquiète, même si elle m'oblige à des rapports hypocrites avec la fille, car tout cela trouvera plus tard sa justification.

Je conviens cependant que certaines idées de la fille, dans les premiers temps, rencontrèrent mon approbation, même mon enthousiasme, je l'admets non sans gêne aujourd'hui.

Ma mère retarde, disait-elle, il faut innover. Elle lançait de fréquentes allusions au fait que la Cheffe n'avait aucun diplôme, contrairement à elle qui avait appris des choses que l'entendement limité de la Cheffe ne pouvait ni concevoir ni accepter entièrement mais que la Cheffe même se devait pourtant de connaître pour être, comme disait la fille, au top.

Elle voulut ainsi changer la vaisselle, ce qui ne m'apparut pas comme une mauvaise idée, ajouter quelques tables, elle estimait que l'espace n'était pas exploité au mieux, par ailleurs le seul bruit des conversations et des couverts lui semblait monotone et triste autant qu'inélégant, de sorte qu'elle voulut diffuser de la musique en salle et à cela aussi j'acquiesçai, d'autant plus fougueusement que cette initiative me déplaisait, je ne souhaitais pas que la fille ni la Cheffe s'en aperçût.

Elle fit acheter une vaisselle aux lignes compliquées. Là encore je feignis d'admirer les vasques qui remplaçaient les assiettes à soupe et me firent l'effet, au premier coup d'œil, d'urinoirs miniatures, ou les assiettes ovales, les plaques d'ardoise pour présenter le fromage, j'admirai tout cela qui me semblait vulgaire, prétentieux et mal commode, face à la Cheffe dont le visage ne montrait rien et qui, à la question, posée par pure forme, de savoir ce qu'elle en pensait, répondit à la fille : Je suis sûre que tu décides pour le mieux.

Pourtant, le jour où la fille annonça qu'elle avait résolu de supprimer la mention des prix sur la carte présentée aux femmes dès lors qu'un homme les accompagnait, ainsi qu'on pratiquait, affirmait-elle, dans les établissements raffinés, je me mis à ricaner avec fureur et balançai violemment sur le plan de travail le long couteau que j'avais en main.

La Cheffe émit un petit cri de protestation, de réprobation en portant puérilement la main à sa bouche, puis elle me regarda avec sévérité, sans nullement me reprocher, j'en suis convaincu, d'outrepasser les limites de ma fonction, mais pour me signifier que personne ne devait se permettre une telle attitude envers sa fille dès lors qu'elle-même obtempérait, elle avait raison, je le compris et m'excusai muettement auprès d'elle. Je ramassai mon couteau avec douceur.

Une certitude me vint alors, claire et froide, et me rapprocha de la Cheffe : celle que nous allions au désastre, en toute lucidité et dans une adhésion glacée, funeste, passionnée autant que mystérieuse et insensée.

C'était plus simple ainsi, me dis-je, et je sentis, amèrement soulagé, mon indignation s'évanouir, je caressai mon cher couteau pour me faire pardonner de l'avoir traité avec désinvolture, je regardai sans plus d'antipathie aucune la figure abrupte de la fille qui n'aurait plus, me dis-je, le pouvoir de me jeter hors de moi-même ni hors de mon entente secrète, ancienne, inestimable avec la Cheffe.

Enfin, la fille décréta que les prix de la carte étaient trop bas, qu'il fallait les augmenter notablement.

Je vis la Cheffe se cabrer à cette idée dont la brutale arrogance prenait par surprise, tout de même, sa volonté de soumission complète aux ordres de la fille, elle protesta qu'elle avait dû hausser les prix peu auparavant déjà puis, comme la fille croisait les bras avec un air de condescendance agacée, la Cheffe me jeta un coup d'œil alarmé, traqué, elle cria vers la fille sur un ton de vaine prière : C'est vraiment nécessaire ? et la fille acquiesça dans un soupir d'impatience.

Alors la Cheffe éclata d'un rire faux, un rire qui s'extrayait pitoyablement, laborieusement de ressources de légèreté et d'impertinence dont il ne lui restait pratiquement rien, elle murmura ensuite, au bord des larmes : Ce sera comme tu veux.

Elle s'enfuit de la salle où je demeurai seul avec la fille.

Et celle-ci, écarquillant ses yeux petits, m'adressa une mimique de connivence ironique aux dépens évidents de la Cheffe, je la lui retournai, je levai moi aussi les yeux au ciel, souhaitant mourir.

La fille fit fabriquer de nouvelles cartes, elle jeta son dévolu sur un coûteux papier de Hollande violet sur lequel, remarquai-je, on lisait avec peine les mots imprimés dans une calligraphie chantournée et d'une encre gris pâle.

Les semaines passant et l'habitude m'étant venue d'acquiescer systématiquement aux dangereuses lubies de la fille et de me garder d'y réfléchir par la suite, je devins capable d'entretenir avec elle une relation qui n'était plus fondée sur le seul désir affolé de complaire à la Cheffe ni trop cruellement chargée de peur, de colère et de dégoût, je devins capable de plaisanter avec la fille et même, le temps que cela durait, d'omettre de me rappeler les raisons d'une peur, d'une colère, d'un dégoût que je sentais de plus en plus lointains et abstraits en moi, comme des impressions d'enfance, et la Cheffe était là, distante, faiblement souriante, néantisée, je ne me détournais pas et bavardais avec la fille, la Cheffe était là, dans mon dos, brisée et incompréhensible, je ne me détournais pas pour lui faire place, je suivais sa volonté obscure mais la fille avait la force pour elle.

Nous n'avions plus, la Cheffe et moi, aucune sorte d'intimité.

Nous nous croisions discrètement, les yeux presque baissés, avec un excès de décence, de délicatesse.

Avec mes collègues déboussolés, j'évitai toute complicité qui aurait pu leur faire croire que j'étais de leur côté, que nous éprouvions des craintes semblables puisque, de leur côté et contre la Cheffe, je ne le serais jamais, et comme il fallait être du côté de la fille pour demeurer au-dedans de la Cheffe, je n'avais d'autre choix que de m'éloigner de mes collègues, même s'ils avaient raison de déplorer tous ces changements et de redouter une baisse de fréquentation de *la Bonne Heure*, cela, bien sûr, arriva, ainsi que vous le savez.

La fille haïssait *la Bonne Heure*, elle haïssait tout ce qui avait fait le succès du restaurant et tout ce que la Cheffe avait conçu avec une délicate et tendre inspiration, le bleu foncé des murs, de l'auvent, la vaisselle simple et précise, tout cela, oui, la fille le haïssait sans jugement et violemment, tout ce que sa mère avait choisi, aimé, entouré d'attention, et elle haïssait, j'en suis sûr, sans en avoir conscience l'existence même de *la Bonne Heure*.

Comment, sinon, expliquer que les premières critiques des habitués qui mangeaient maintenant dans une vaisselle chichiteuse, au son d'une musique un peu trop forte, aient encouragé la fille à tremper sa position dans le bain glacial du jusqu'au-boutisme, comme si ces justes reproches s'inséraient exactement dans le plan qu'elle avait imaginé pour anéantir *la Bonne Heure* de sa mère et la recréer à sa propre image, selon ses propres désirs qui s'opposaient si parfaitement à ceux de la Cheffe?

Car elle se réjouissait, la fille, de ces plaintes.

Un client demanda qu'on baisse le volume de la musique, la fille n'y consentit pas, alors il promit qu'on ne le reverrait plus. Je l'entendis, elle, murmurer avec plaisir : Bon débarras, et lui demandai pourquoi elle voyait les choses ainsi, elle me répondit qu'elle n'aimait pas ce type, qu'elle n'aimait pas ces gens qui se croyaient chez eux à *la Bonne Heure*.

Mais ce sont ces gens-là qui ont rendu la maison fameuse, lui dis-je de cette voix légère, amusée, confidentielle et presque flirteuse dont j'usais à présent avec la fille, cependant qu'un désespoir familier empourprait ma nuque, mes joues, mon front.

Ce sont ces gens-là qui aiment depuis le début la cuisine de la Cheffe, dis-je encore de ma voix d'emprunt, ma voix effrontée et légèrement cynique à laquelle il me semblait que la fille était sensible comme à un reflet de la sienne.

Elle marmonna qu'ils allaient devoir s'adapter ou aller manger ailleurs, que c'était ainsi et pas autrement.

La fille avait fait de la salle le lieu principal de son omnipotence, elle avait, pour prendre sa place, licencié Delphine qui avait eu pour tâche d'accueillir les clients, de les installer et de veiller au bon déroulement des repas.

Et elle gouvernait lourdement entre les tables son corps importun, s'adressait aux clients d'une voix à la fois onctueuse et trop familière, parlait, du reste, trop haut et s'insérait intempestivement dans les conversations pour demander à tout bout de champ si tout allait bien, si les mets plaisaient, puis s'éloignait avant d'entendre la réponse.

Elle faisait régner sur *la Bonne Heure* une atmosphère de nervosité comme, étrangement, de laisser-aller, de paresseuse dissolution.

Ah, certes, cela arrangeait bien la Cheffe, me disais-je, de s'être trouvé une incontestable raison de ne plus jamais paraître en salle, comment aurait-elle supporté, elle qui appréciait déjà peu de se présenter à une assistance honnête et pudique, d'aller saluer la nouvelle clientèle qu'attira peu à peu l'administration de la fille, au fil des mois durant lesquels cette dernière bouleversa tout ce qui avait fait la sobre singularité de *la Bonne Heure*?

Cela l'arrangeait bien, me disais-je, oppressé, en voyant la Cheffe s'activer mécaniquement dans la cuisine, en apparence impassible, et, envers nous, d'une gentillesse hautaine, impersonnelle, machinale dont nous ne pouvions en aucun cas nous sentir flattés, et moi moins que tout autre encore puisque, aux coups d'œil interrogatifs et, en quelque sorte, parfaitement pauvres et nus que je lui lançais parfois quand nous nous croisions, elle me retournait un regard exagérément, artificiellement dur et indifférent qui me blessait bien que je fusse convaincu qu'elle cherchait ainsi, dans sa détresse, à m'épargner.

Oui, les nouveaux clients de *la Bonne Heure* étaient tels que la fille les voulait, riches et grossiers, ne regardant pas à la dépense dès lors qu'ils mangeaient, dans une ambiance à leurs yeux classe et décontractée, des plats aux noms si évocateurs qu'ils ne disaient rien, pas trop déroutants néanmoins — et la fille fit enlever de la carte les plats les plus difficiles de la Cheffe, ceux en dehors desquels la Cheffe n'éprouvait à cuisiner qu'un plaisir las dont elle n'avait aucun besoin, la fille ne conserva que les plats les moins chers au cœur de sa mère, la palombe aux coings confits, les gros poireaux fourrés au salmis de perdreau, la crème d'amande et de pistache, que la Cheffe avait laissés sur la carte par magnanimité envers ceux de ses clients que son intransigeance faisait souffrir au-delà de toute possibilité de joie.

Et à cela encore la Cheffe se soumit.

Un matin, me frôlant, elle murmura : Tu devrais t'en aller. — Pourquoi? répliquai-je, choqué. — Tu le sais bien, me dit la Cheffe, et elle eut alors le petit sourire dévié qui lui était propre, auquel elle avait substitué depuis le retour de sa fille ce simulacre de sourire qui semblait ondoyer devant ses lèvres, elle leva la main avec hésitation, me caressa rapidement la joue, puis elle s'éloigna de sa foulée preste et légère qui me paraissait maintenant, elle aussi, forcée, étudiée, comme si la Cheffe avait lutté à chaque pas contre la tentation de traîner sur le carrelage ses pieds fatigués, voire de s'écrouler dans un coin et de s'en rapporter à une autre volonté que la sienne — puisque c'était bien cette volonté et non son absence qui la contraignait à se mettre aux ordres de sa fille, et la Cheffe n'avait-elle pas témoigné, depuis l'enfance, de la grande puissance de sa volonté?

Alors je m'en allai, oui, sans tarder, je trouvai facilement une bonne place au *Select*, près du Grand Théâtre.

Je ne pensais pas obéir, ce faisant, au conseil de la Cheffe, j'étais en colère, je croyais ainsi, paradoxalement, l'offenser — j'étais dans une telle colère !

Et j'avais l'impression que je ne pourrais réussir plus efficacement à l'affecter qu'en la prenant au mot, elle qui, me disais-je, avait dû compter sur l'assiduité de mon amour ancien et sans appel pour que je répugne à suivre une recommandation qu'elle me faisait sans doute par acquit de conscience.

J'étais certain, en bref, qu'elle ne désirait nullement ce qu'elle m'avait dit de faire.

Et je l'ai fait cependant et si promptement que c'est à peine si, entre-temps, nous échangeâmes quelques paroles, et je ne lui dis pas au revoir correctement, je disparus, insoucieux de savoir si ma dérobade n'allait pas gêner le travail, si je pouvais être remplacé sur-le-champ, tant j'étais en colère et soulevé, propulsé au-dessus de toute considération scrupuleuse par cette colère toute nouvelle pour moi, dont les effets ne me déplaisaient pas, qui me donnait à mes propres yeux une stature héroïque autant qu'impitoyable.

Mais lorsque, une fois embauché au *Select* et pris dans la routine d'une cuisine où l'esprit de la Cheffe ne se trouvait en rien, ma colère galvanisante retomba, je songeai avec déchirement que j'avais trahi la Cheffe et qu'il ne suffisait pas que je me répète, comme je m'y essayais, qu'elle m'avait poussé à la trahison : la valeur de cet argument raisonnable s'effondrait dès lors que je le plaçais en regard des mises à l'épreuve auxquelles l'amour authentique est confronté, auxquelles la véritable loyauté est confrontée — et que signifie l'amour dont on se targue sans la loyauté discrète, même invisible qui se doit de l'accompagner, que signifie l'amour par essence gratifiant et avantageux au cœur de chacun sans l'indissoluble fidélité d'esprit qui, elle, n'est connue que de celui qui l'éprouve ?

J'avais trahi la Cheffe puisque je m'étais empressé de l'abandonner quand elle me l'avait suggéré, et la colère que je ressentais alors contre elle qui ne s'expliquait pas et contre moi qui ne la comprenais pas, je l'avais complaisamment laissée seule maîtresse de ma résolution.

Cela, me disais-je, jamais ne me serait pardonné.

Le soir, après avoir quitté la vaste cuisine du

Select où je travaillais sous les ordres d'un chef appliqué et insignifiant (on servait dans cette maison des assiettes chiches et prétentieuses, de minuscules cubes de poisson cru, d'ordinaires blancs de poulet présentés en caviar, d'infimes tartelettes aux pralines), je faisais un détour par *la Bonne Heure* que je trouvais toujours close car elle fermait, à présent, bien plus tôt qu'auparavant, et les fenêtres de l'appartement étaient obscures elles aussi, la façade entière m'était hostile, me reprochait altièrement ma désertion.

Il me semblait que je désertais encore quand je tournais les talons pour rentrer chez moi, que je désertais en partant travailler au *Select* chaque matin et en accomplissant là-bas des gestes dans lesquels n'étaient jamais engagés ni l'ardeur ni le sens moral ni même la plus plate satisfaction, que je désertais également en allant épier sous les fenêtres de la Cheffe le moindre signe que je pourrais interpréter en ma faveur ou à mon intention, et je vécus ainsi, avec ce sentiment de mon propre déshonneur auquel je m'habituai, que j'en vins à ne plus distinguer vraiment des pensées moroses qui faisaient l'ordinaire de mon existence, je vécus ainsi, je me mariai dans ce blême sentiment de déshonneur avec l'une de mes collègues, Sophie Pujol, je me mariai sans presque m'en rendre compte, mollement, ironiquement avec une femme tout aussi blasée et goguenarde que moi qui me dit, une fois la cérémonie accomplie : Je me demande bien ce qu'on a fait là.

Nous ne le savions ni l'un ni l'autre mais là où, quant à moi, je ne remarquais nulle part le moindre augure de quoi que ce fût car la conviction que j'avais déchu me fermait à tout présage, à toute promesse, Sophie Pujol resta toujours certaine qu'il y avait eu un lien entre la tranquille, la fraternelle décision que nous prîmes de divorcer huit ou neuf mois plus tard et l'information qui me parvint dans la cuisine du *Select*, selon laquelle *la Bonne Heure* venait de se voir retirer son étoile, et Sophie Pujol fut persuadée que j'avais pressenti ce dernier point et qu'il m'avait semblé, dès lors, nécessaire de divorcer, elle n'en voulut jamais démordre, elle ne m'en tenait nullement rigueur, au contraire : lassée, elle aussi, de ce mariage sarcastique, elle s'en libéra avec soulagement, elle renonça sur cette lancée à sa place au *Select*, elle ouvrit son propre restaurant, le *Pujol*, face au fleuve sur la rive droite, elle connut très vite un succès qui dure encore.

Ce fut le chef du *Select* qui m'apprit, non sans une très manifeste et mesquine jubilation, que *la Bonne Heure* avait perdu son étoile.

D'abord je ne le crus pas, pensant à une rumeur jalouse, infondée. Cela faisait seulement vingt mois que la fille de la Cheffe tenait les rênes du restaurant.

Puis la nouvelle se confirma, suivie tout aussitôt de l'annonce que *la Bonne Heure* fermait définitivement ou plutôt qu'elle ne rouvrirait pas après sa pause hivernale, qui avait lieu à ce moment-là.

Très secoué, je sortis, j'allai voir ce qu'il en était. Je n'avais pas revu, pas entraperçu la Cheffe depuis mon départ.

Quoique j'eusse l'impression d'avoir fourni les plus grands efforts pour ne jamais évoquer son nom ni son existence devant Sophie Pujol, et que ces efforts avaient payé, que je n'avais strictement rien dit, Sophie Pujol m'avouerait, peu après le divorce, qu'elle avait souffert, tout léger, narquois et marqué par la seule camaraderie que fût le climat de notre vie commune, de sentir constamment avec nous la présence surnaturelle et douloureuse d'une autre femme, elle me dirait qu'elle avait vu une ombre à mes côtés, que je me tournais parfois vers celle-ci sans m'en rendre compte, que je plongeais mon regard dans un regard qui n'était pas celui de Sophie Pujol mais de ce fantôme qui logeait au sein de notre mariage et qui, quand bien même nous nous serions aimés plus sérieusement, aurait empêché toute com-munion d'esprit entre nous, toute intimité pleine et sincère, et c'était comme si, me confierait Sophie Pujol, je n'avais pu me remettre de la mort d'un être à jamais aimé plus que tout autre, voilà ce qui avait causé un pénible malaise à Sophie Pujol.

Comme d'habitude, aucune lumière n'éclairait les fenêtres de la cuisine ni de l'appartement de la Cheffe au-dessus de *la Bonne Heure*.

Je fis un porte-voix de mes mains en cornet, je criai son nom vers les fenêtres enténébrées, je criai même, il me semble, le nom de la fille, je criai aussi le nom de Sainte-Bazeille dans l'intention désespérée et provocante de forcer la Cheffe à interrompre pareil attentat contre la délicatesse de ce nom sacré, Sainte-Bazeille, je le hurlai avec tout le désarroi, toute la frustration, toute l'appréhension qui m'étouffaient alors.

Rien ne bougea.

Les jours d'après je battis le rappel des proches de la Cheffe ou, plus exactement, des quelques per-sonnes dont je pouvais supposer qu'elles étaient informées de ce qu'il était advenu de la Cheffe, mais ni mes anciens collègues ni les deux habitués dont je croyais savoir qu'ils rendaient visite à la Cheffe de temps en temps, en privé, ni la sœur Ingrid dont les deux derniers m'aidèrent à retrouver la trace (elle avait racheté un bistrot près de la mer) ne purent me renseigner, étant eux aussi sans nouvelles et n'ayant d'ailleurs, depuis le retour de la fille, que très peu fréquenté la Cheffe, disant laconiquement : Ce n'était plus pareil.

Non, certes, cela n'avait plus du tout été pareil, et j'en savais quelque chose, mais n'était-il pas significatif, me disais-je, que la Cheffe eût noué des liens si fragiles, et avec si peu de gens, qu'elle pouvait disparaître sans qu'ils s'en soient aperçus et, surtout, une fois mis au courant, sans qu'ils en éprouvent de réelle inquiétude ?

Car ils avaient appris la perte de l'étoile et savaient plus ou moins que *la Bonne Heure* fermait ses portes mais aucun ne s'était précipité chez la Cheffe pour l'assurer de son amitié et de son soutien, aucun ne se leva, anxieux, de son fauteuil quand je déclarai que la Cheffe, si elle était là, semblait vivre dans le noir et ne répondre à personne, aucun ne trouva extraordinaire d'imaginer que la Cheffe avait peut-être quitté la ville sans l'en avertir, la Cheffe n'avait aucun ami véritable, constatai-je, personne qui se soucie d'elle, à part moi qui lâchement, vaniteusement, m'étais éloigné.

Et je songeai que c'était là une grande faute de la Cheffe, que de ne pas avoir respecté et cultivé l'amitié, mais était-ce une faute puisque tel avait été son dessein : vivre dans la solitude ?

Dix fois, vingt fois j'allai jusque chez la Cheffe, j'appelais et j'attendais, je marchais de long en large sur le trottoir, cependant jamais je ne l'aperçus, jamais je ne vis bouger les rideaux ni filtrer la moindre lumière, de sorte que je finis par me persuader qu'elle était partie sans en rien dire, peut-être, à personne, sans penser non plus que j'en serais tourmenté, anxieux et affligé, soit qu'elle estimât que son sort ne devait plus beaucoup m'intéresser puisque je n'étais jamais allé la voir depuis mon départ de *la Bonne Heure* et que, par ailleurs, peut-être l'avait-elle appris, je m'étais marié avec Sophie Pujol, soit qu'elle voulût, en m'inquiétant, me punir et me faire mal.

Je préférais encore cette dernière hypothèse à celle qu'elle pût imaginer que je ne me souciais plus d'elle, que je menais une vie affranchie de la sienne, que je ne l'avais aimée qu'un temps.

Mes pensées ne se sont jamais libérées de vous et je ne me suis jamais senti, depuis que je vous connais, indépendant, lui dirais-je plus tard, dans la cuisine où sa voix égale, tranquille me garderait éveillé une bonne partie de la nuit.

Et je lui dirais encore, avec l'audace que procure l'épuisement : Sophie Pujol, mon ex-femme, a toujours pensé que notre mariage s'était rompu à cause de vous, je n'en suis pas certain, elle en est convaincue cependant. — On mange très bien au *Pujol*, répondrait la Cheffe sur un ton de certitude enthousiaste, n'est-ce pas le plus important ? Le mariage, à côté, c'est une blague. — C'est bien vrai, répondrais-je, soulagé, et nous ririons ensemble, avec personne d'autre je n'ai ri de si bon cœur, d'un cœur si pur, qu'avec la Cheffe.

Affolé, profondément déprimé, je donnai mon congé au *Select*.

Puis j'utilisai mes économies, assez importantes puisqu'en dehors du travail je n'avais jamais fait grand-chose, à financer le genre de voyages que je considérais auparavant du même regard d'incompréhension dubitative que la Cheffe portait en général sur les sorties et les divertissements, je pris l'avion pour le Vietnam, pour l'Inde et l'Italie, pour le Japon, je m'inscrivis à des tours organisés, cherchant systématiquement, en dépit de toute raison, à découvrir parmi mes compagnons de voyage ou, soudain, dans le hall d'un hôtel international le visage de la Cheffe.

Sans me l'avouer je choisissais des pays renommés pour leur cuisine, je songeais obscurément que si la Cheffe avait pris la décision bien improbable de voyager, ce ne pourrait être que vers des contrées où elle trouverait de quoi enhardir encore son imagination, et des denrées inconnues d'elle à rapporter, des épices rares, des végétaux qui ne poussaient pas chez nous, pas un instant je n'envisageai l'éventualité qu'elle ne cuisinerait plus, quoi qu'il pût advenir du restaurant.

Après mon dernier périple, de retour à Bordeaux, j'acceptai de me faire soigner pour une grave dépression.

Je n'avais plus d'argent, je devais travailler, le courage me manquait.

J'allai voir Sophie Pujol, elle accepta de m'embaucher et nous nous entendions de la sorte aussi bien que possible. Je prenais alors divers médicaments, mes gestes étaient ralentis, une certaine précision me faisait défaut, Sophie Pujol eut pourtant la bonté de ne rien me reprocher, d'ailleurs son restaurant marchait du tonnerre.

Puis, dans un bar, je tombai sur la fille de la Cheffe.

Remarquant tout de suite mes yeux vidés d'expression, la peau grisâtre et comme amollie de ma figure, elle m'en parla et me confia qu'elle était mal en point elle aussi, ce qui, à vrai dire, ne se voyait guère, elle était potelée et fraîche, non pas gaie mais plus vivante, plus animée que du temps de *la Bonne Heure*.

À mes questions pressantes, avides, directes au sujet de sa mère, elle répondit qu'elle ne savait rien, que la Cheffe avait disparu en lui laissant une grosse somme d'argent qu'elle, la fille, avait déjà presque entièrement dépensée, elle n'était pas habituée, avoua-t-elle non sans un curieux charme canaille, à vivre modestement, ainsi l'avait élevée sa mère, fort mal.

Elle me paya un verre, je lui offris les deux suivants et, vacillant et bredouillant sous les effets mêlés de l'alcool et des médicaments, je m'entendis lui proposer de l'héberger puisque, venait-elle de me raconter, elle n'avait plus nulle part où aller, on l'avait mise à la porte de je ne sais quel logement collectif où elle avait trouvé refuge, l'histoire, confuse, ne m'intéressait nullement.

Je compris seulement que la Cheffe ne lui avait pas permis de garder les clés de son appartement, j'en ressentis une fugace satisfaction et, pour m'en châtier peut-être, également parce que la fille, perdue, indécise, moins désagréable qu'autrefois, m'inspirait une vague compassion, je lui proposai donc mon toit, qu'elle puisse se retourner.

Très vraisemblablement espérais-je aussi qu'elle me ferait le récit des derniers mois qu'elle avait passés avec sa mère et qu'au détour d'une phrase anodine un indice me serait révélé concernant ce que pouvait bien faire la Cheffe en ce moment, en quel lieu et dans quel but, et la fréquentation de la fille me rapprochait de la Cheffe en tout état de cause, même de façon dévoyée, pitoyable et corrompue.

Je ne soupçonnai pas alors, dans mon abrutissement et l'indifférence profonde que m'inspirait la personnalité de la fille, qu'elle accepta mon invitation non pas tant parce qu'elle ne savait réellement où dormir (elle avait d'autres recours, il lui restait pas mal d'argent) que pour constater, avec une vicieuse, âpre, malsaine délectation, comment je me servais d'elle, dirait-elle ensuite, et combien le souvenir de la Cheffe me tourmentait, et ce dernier point était exact mais quel besoin avait cette fille pleine d'elle-même de s'installer précisément dans une situation qui ne ferait que confirmer ses présomptions, à savoir que seule la Cheffe comptait pour moi, son âme et sa cuisine, l'âme de sa cuisine ?

Malgré mon hébétude, nous ne fûmes pas longs à nous prendre en grippe réciproquement.

Tout ce qu'elle faisait, disait, suggérait me hérissait ou me faisait honte, quant à elle un véritable sentiment d'exécration à mon égard se développa dans son cœur étroit et narcissique.

L'histoire de notre relation est celle, banale à pleurer, de deux êtres précairement unis par la débine, la solitude et l'irrésolution et qui, une fois passés les quelques bons moments du début, se retrouvent, ahuris, aigres, vindicatifs, face à quelqu'un qu'ils ne peuvent aimer ni estimer en rien, je prends ma part, j'étais taciturne et distant, brusquement indiscret quand j'essayais d'en apprendre davantage sur la Cheffe, très peu agréable d'une manière générale, et parfaitement dépourvu d'ambition, de projets ou d'entrain comme de tendresse réelle.

La fille, elle, paresseuse, ennuyée, passait son temps devant la télévision qu'elle s'était procurée, parlant de retourner au Canada mais se gardant de rien entreprendre en ce sens, amèrement contente de m'imposer sa compagnie.

La seule question à laquelle elle admit de répondre fut celle que je lui posai à propos de la perte de l'étoile : ce revers avait-il terrassé la Cheffe ? Pas du tout, dit la fille avec un reniflement moqueur, j'ai même eu l'impression que ça ne lui déplaisait pas.
— Peut-être, m'écriai-je, mais fermer *la Bonne Heure*, quel échec, quelle désolation ! Tout ça, c'est ta faute.

La fille me lança un coup d'œil d'étonnement non joué. Je ne l'ai pas forcée à m'écouter ni à me garder, dit-elle avec une plate logique. D'ailleurs, elle n'était pas obligée de fermer le restaurant. — C'est l'unique moyen qu'elle a trouvé pour se débarrasser de toi, murmurai-je, et la fille ricana, après quoi, comme d'habitude, nous restâmes des heures sans échanger un mot, exaspérés l'un par l'autre sans raison précise, la fille poussait le volume de la télévision pour m'irriter davantage tandis que, pour la contrarier, je passais et repassais devant le poste au prétexte de ranger l'appartement.

Ayant tiré d'elle le peu qu'elle pouvait me livrer

à propos de la Cheffe, je l'entreprenais chaque jour, avec une insistance offensante, sur le sujet de son départ, ne dissimulant par nulle délicatesse de langage que je voulais maintenant la voir vider les lieux.

Mais, bientôt, il ne fut plus question pour moi de songer à la mettre dehors.

Cora me confie qu'elle voudrait ouvrir un restaurant français à Lloret de Mar, elle a appris la cuisine et c'est depuis toujours ce qu'elle veut faire, voilà pourquoi elle est venue à Lloret de Mar. Elle compte sur mon aide pour trouver un local et lui donner les recommandations les plus utiles. Elle dit en souriant et en me fixant d'un regard légèrement provocant qu'un homme qui a travaillé si longtemps aux côtés de la Cheffe ne peut être que de bon conseil. Je suis abasourdi gêné la chaleur est atroce, que vont penser mes amis de Lloret de Mar, je voudrais fuir n'avoir plus rien à faire avec Cora ni avec Martine Jean-Marc Thierry, pourquoi ne me laisse-t-on pas tranquille à Lloret de Mar, alors je sors marcher à grandes enjambées sur la plage et peu à peu mes pensées s'apaisent et l'idée ne m'est plus aussi pénible à envisager. Je me rappelle le plaisir que j'ai ressenti en empoignant les couteaux de Cora, le petit coup que cela m'a porté au cœur.

Nous vivions dans un état d'hostilité si féroce qu'elle ne me fit pas prévenir au *Pujol* quand elle sentit qu'elle devait se rendre à la maternité, elle accoucha de notre enfant sans présence amie ou familière auprès d'elle, elle choisit seule le prénom du bébé et lui donna son propre nom de famille, celui de la Cheffe.

Et quand, enfin averti, j'accourus à la maternité, quand je pris dans mes bras la petite Cora, sa mère tourna son visage vers le mur, refusant de communier avec moi dans un bonheur quelconque, fût-il de courte durée, si bien que, de bonheur, j'en éprouvai très peu et me découvris au contraire écœuré de moi-même, je reposai l'enfant dans son berceau, je me sentais indigne de cet instant sacré.

Par la suite, même lorsque la fille eut regagné notre logement, je n'eus guère l'occasion de m'occuper de Cora ni de la prendre dans mes bras, tant sa mère répugnait à me la confier, ce que, d'une étrange façon, je comprenais puisqu'elle me haïssait.

Elle entreprit alors les démarches nécessaires pour exécuter enfin ce qu'elle avait évoqué complaisamment longtemps auparavant, elle s'envola pour le Canada deux ou trois mois après la naissance de Cora, emmenant celle-ci, me laissant plus profondément esseulé que je ne l'avais jamais été.

Elle avait vaguement promis de m'envoyer une adresse où la joindre et, ayant deviné, au ton de sa voix, qu'elle ne le ferait pas, je ne fus nullement surpris de ne recevoir aucune nouvelle, et j'attendais cependant, j'espérais que le besoin d'argent la conduirait à m'appeler mais son avidité n'atteignait pas le niveau de l'animosité maladive qu'elle me portait, et je les perdis toutes les deux, à jamais me semblait-il alors.

J'ouvris un compte au nom de Cora et lui constituai un pécule.

Ainsi avais-je moi aussi ma jeune éléphante au loin, je voulais qu'elle fût un jour couverte de l'or que j'aurais gagné pour elle même si je ne devais plus jamais la revoir.

Ce fut la période la plus malheureuse de mon existence certainement.

Il me faut souligner pourtant que j'avais déve-loppé une telle sujétion aux médicaments que j'arri-vais au bout de chaque journée sans conscience bien nette de l'avoir vécue et qu'il m'était impossible, le soir, de me rappeler clairement ce que j'avais fait le matin, ou dans quel ordre j'avais exécuté les diverses tâches dont le résultat indéniable tombait parfois sous mes yeux indifférents, à tel point que Sophie Pujol me poussa à prendre un congé de maladie et que, elle n'ayant que peu de temps pour des visites, peu de goût sans doute aussi (la moindre conversa-tion m'épuisait d'ennui), je me retrouvai parfaite-ment désœuvré, solitaire et, en un sens, presque bien à force d'inanité.

Un soir de printemps, c'est dans cette condition de vacuité mentale et sensible qu'à tout petits pas traî-nants je marchai jusqu'à *la Bonne Heure*, la froide odeur de cave émanant des couloirs d'immeubles quand les portes étaient ouvertes sur la rue était tout ce que recueillaient mes sens, j'avais aimé cette odeur étant enfant, je l'avais humée à m'en tourner la tête, cette glaciale exhalaison de salpêtre.

J'aperçus alors une lumière derrière les vitres dépolies de la cuisine.

Si grandes étaient ma déréliction et mon hébétude que, voyant cette lumière, je songeai pourtant qu'il n'y avait assurément pas de lumière du tout, qu'il ne s'agissait que d'une projection de mon souvenir empli de chagrin et de regret, je passai mon chemin.

Puis je revins sur mes pas sans être mû par une réflexion plus raisonnable, mécaniquement comme l'abruti que j'étais devenu, j'approchai ma figure aussi près que possible de la fenêtre pourvue de barreaux et, après de longues minutes, je me confirmai à moi-même, avec lenteur, que les lampes étaient allumées dans la cuisine de *la Bonne Heure*.

Soudain tremblant de tout mon corps, mon front allant heurter les barreaux, je toquai à la vitre, plusieurs fois et de plus en plus fort.

Je me redressai, je me précipitai vers la porte du restaurant, je craignais, en n'étant pas assez rapide, que les faits se transforment en songe, que les lumières s'éteignent, ne fallait-il pas prendre de court la réalité pour qu'elle ne puisse se modifier, ainsi raisonnais-je dans mon excitation égarée — vite, gagner la porte de *la Bonne Heure* afin que la Cheffe, si c'était elle, n'eût pas le temps de disparaître.

Et la porte s'ouvrit, la Cheffe la tira en reculant dans la pénombre de la salle.

C'est toi, dit-elle paisiblement, gentiment, de sa voix grave et nette que je n'avais pas entendue depuis plus de deux ans et qui m'atteignit précisément là où, pendant tout ce temps, j'avais cessé d'éprouver quoi que ce fût de vivace, de simple, de spontané, alors je sentis se rouvrir mes poumons racornis, une douleur intense déchira ma poitrine tandis qu'un maigre sourire crispé déformait mes lèvres, et j'entrai sans rien dire, privé de parole, mes deux mains agrippées l'une à l'autre à hauteur de mon sein gauche — comme je devais sembler froid et contraint, raide et peu sentimental, me disais-je, éperdu, incapable de prononcer un mot, conscient seulement de l'air stupide, guindé, si peu en rapport avec ma véritable émotion, qui figeait mes traits en cet instant où j'aurais tant voulu que la Cheffe me reconnût pour l'homme de sa vie — rien de moins, car je m'étais tellement repré-

senté cette scène que les cas de figure les moins vraisemblables avaient fini par prendre la consistance
d'hypothèses, puis de probabilités, de sorte que, ima-
ginant ce qui se passerait si je devais un jour revoir la
Cheffe, mon rêve commençait au moment où, posant
les yeux sur moi, elle comprenait enfin que j'étais le
seul être au monde qu'elle pût aimer, puisque le seul
qui l'aimât aveuglément.

Et voilà que je lui apparaissais avec mon visage
pétrifié, hagard, mes yeux voilés, mon silence imbécile, oh je me reprochais presque d'avoir toqué à la
vitre tout à l'heure, je me serais sauvé si mes jambes
en avaient eu la force.

Eh bien, ça n'a pas l'air d'aller, dit la Cheffe très
doucement.

À mon grand embarras je me mis à pleurer, irré-
pressiblement comme cela ne m'était pas arrivé
depuis l'enfance et alors que jamais encore je n'avais
à ce point désiré que la Cheffe me vît comme un
homme parvenu à la pleine séduction de sa maturité.

Et je secouais mon bras en tous sens, voulant
signifier : Je vous en prie, ne faites pas attention, que
ce geste efface de votre mémoire ces minutes ridicules !

La Cheffe, se haussant sur la pointe des pieds,
m'enlaça, et pour la première, pour l'unique fois
de mon existence je fus dans ses bras, le visage tout
contre ses cheveux qu'elle avait tirés en un chignon
intraitable comme naguère, comme pour oublier,
faire oublier qu'elle avait une chevelure.

Alors j'inclinai mon visage, je sentis au coin de ma
bouche l'effleurement d'un baiser.

Je me tournai légèrement pour permettre à la

Cheffe, si elle souhaitait m'embrasser encore, de trouver mes lèvres, mais elle s'écarta doucement, elle m'essuya les joues avec le dos de sa main.

Elle me scrutait maintenant d'un œil soucieux, non dénué, me sembla-t-il, de tendresse, ce qui me revigora sur-le-champ et m'insuffla le courage de la regarder franchement à mon tour en tâchant de faire exprimer à ma bouche, à mes yeux exactement ce que je ressentais — un ravissement exténué, une joie gre-lottante, peu assurée, si considérable toutefois qu'elle s'avoisinait au désespoir.

Dans la semi-obscurité de la salle, le visage pâle, étincelant, tendu et poli de la Cheffe semblait flot-ter au-dessus de la forme sombre de son tablier sur lequel luisaient quelques taches toutes fraîches, le désir violent me vint alors de la suivre à la cuisine et, comme avant, de la regarder élaborer, expérimenter procédés et alliances d'ingrédients, et créer dans la solitude nocturne, émancipatrice, sous mon regard dévot et discret, des recettes dont le nombre et la parfaite originalité donnaient seuls, selon elle, une raison de se poursuivre à sa vie banale.

Mais la Cheffe, quoique m'observant avec la plus grande affection, ne me proposa pas de lui tenir compagnie en cuisine.

Elle était en tout point la même que deux ans auparavant, notai-je, plus conscient encore, en com-paraison, du délabrement de mon aspect.

Je tentai de réfréner l'avidité du regard dont je parcourais toute sa personne compacte et assurée, ses belles mains solides de chaque côté du tablier, son front lisse et brillant, ses yeux sombres, calmes, scrutateurs, l'ovale précis, androgyne de sa figure que n'encadrait nulle chevelure attrayante, elle était la même, oui, on ne pouvait croire qu'elle avait failli, qu'elle s'était enfuie et cachée, tandis que mon propre visage montrait assez, lui, l'ampleur de mes affaissements multiples — professionnel, moral, sentimental.

Quelle honte, quelle honte d'être vu ainsi, ressassais-je en moi-même, brûlant de dissimuler ma face fiévreuse.

La Cheffe remarqua mon trouble, et combien je me sentais malheureux et humilié devant elle, alors elle prit ma main, la pressa entre les siennes, froides et douces, et me dit en souriant : Il va falloir te retaper, mon garçon. Tu sais que je compte rouvrir le mois prochain ?

Je bredouillai je ne sais quoi, elle n'y prêta guère d'attention. Elle fit un large mouvement pour montrer la salle empoussiérée puis me demanda, d'une voix pleine de plaisir impatient, à partir de quelle date je pensais pouvoir revenir travailler à ses côtés.

Certes, par sa longue absence inexpliquée, la Cheffe m'avait fait toucher le fond de la peine et du désenchantement mais c'est elle qui, ensuite, me tira d'affaire et même, littéralement, me sauva.

Elle m'expliquerait que ma désastreuse allure l'avait fortement ébranlée à l'instant où je lui étais apparu dans l'encadrement de la porte, qu'elle avait tâché de masquer sa stupéfaction et sa pitié et que les seules pensées qui lui venaient alors concernaient la nécessité urgente de me sortir de là grâce à l'unique remède auquel elle accordait foi, le travail.

Cela signifie-t-il, lui demandai-je, horrifié d'avance par les implications possibles de sa réponse, que vous ne m'auriez pas rappelé auprès de vous si je m'étais bien porté ? — Oh, je ne sais pas, ne te mets pas à barjoter, mon garçon, ainsi éluda-t-elle, débonnaire et rassurante mais également décidée à ne pas me mentir en m'assurant qu'elle m'aurait demandé de revenir quelles que fussent les circonstances.

Et je le compris alors, la Cheffe n'avait pas songé à moi dans la composition de sa nouvelle équipe, je le compris avec consternation.

Je me demandai, égaré, si ce rejet avait à voir avec l'existence de Cora, si la Cheffe avait pu apprendre que j'étais le père et, pour cette raison, ne voulait pas de moi auprès d'elle, rien ni personne qui fût rattaché de quelque manière à sa fille — ou était-ce simplement qu'elle estimait toujours, comme je le faisais moi-même, que je l'avais trahie en quittant *la Bonne Heure* ?

Il m'était impossible de le lui demander. Mais lorsque, un jour, comme en passant, elle laissa tomber que sa fille vivait à Montréal avec un Canadien et qu'ils avaient une fillette prénommée Cora, je sus qu'elle ne connaissait pas la vérité et j'en fus soulagé en même temps que piqué d'une pointe de vive jalousie à l'égard de cet inconnu qui considérait comme la sienne l'enfant qu'on m'avait ravie, ma petite éléphante dont j'édifiais scrupuleusement la future parure, la montagne d'or que je lui destinais.

J'en fus soulagé et j'aurais pourtant voulu mettre la Cheffe au fait, lui avouer fièrement : Je suis le père de votre petite-fille — ah, ratifiant ainsi un autre lien entre nous, indestructible, innocent et irrécusable, comme elle m'avait manqué auparavant, cette affinité incontestable, comme j'avais envié ses frères et sœurs de lui être unis par le sang!

Mais je ne parlai pas, je me jurai de ne jamais parler.

Si la Cheffe devait savoir, ce ne serait pas de ma bouche, et j'ignorais si, ayant pris cette décision, je me protégeais ou me sacrifiais, si je protégeais la Cheffe ou sacrifiais durement quelque chose à quoi elle avait droit.

La Cheffe m'imposa de venir travailler avec elle chaque jour avant la réouverture du restaurant. Sophie Pujol me laissa partir sans regret et ce qu'elle n'avait pu obtenir, elle, malgré son amitié patiente, la Cheffe y réussit en trois semaines de vigilance et d'affection sévère — je cessai de prendre tout médicament.

Chaque matin, en m'ouvrant la porte, elle m'examinait d'un coup d'œil froidement pénétrant.

Puis je m'activais à rafraîchir la salle, je repeignis les murs, cirai les boiseries, frottai le carrelage au savon noir, trouvant d'abord dans ces tâches d'un genre que je n'avais jamais exercé une sorte de furieuse volupté, puis une satisfaction apaisée qui, mise au service du détail, du «bien fini», me rappelait opportunément que j'étais clean à présent.

Pendant ce temps la Cheffe travaillait à la cuisine et j'espérais que la récompense de mes efforts, la reconnaissance de l'ascendant que j'avais pris sur mes habitudes morbides s'exprimeraient par une invitation à l'y rejoindre avant le reste des employés, mais ce ne fut pas le cas et lorsque vint pour elle le moment de présenter ses nouveaux plats je me trouvai au milieu de quatre collègues, j'y consentis en moi-même, je courbai intérieurement la tête, j'admis que j'avais encore montré trop peu de zèle et de modestie pour m'attendre à recouvrer déjà, si même cela devait arriver, la profonde intimité que nous avions développée dans le travail, ce tête-à-tête quasi muet et empreint de confiance qu'elle n'avait eu avec personne d'autre, j'en étais convaincu.

La Cheffe nous montra donc la nouvelle carte qu'elle avait élaborée. Elle me plut, oui, elle me plut.

De sorte que je ne puis dire d'où me vint l'infime pressentiment que quelque chose n'allait pas ou plutôt qu'un élément secret se trouvait en excès dans le geste de la Cheffe.

Incapable de mettre le doigt sur ce dont il s'agissait, j'oubliai mon intuition et j'admirai comme elles le méritaient les trouvailles de la Cheffe, sans plus penser que j'assistais là au commencement de son mal.

Les plats les plus récents poussaient à leur point extrême ses conceptions rigoristes.

Pour des jeunes gens qui, comme mes nouveaux collègues, ne connaissaient pas la Cheffe, il pouvait être question de grande sobriété.

Je discernais, quant à moi, un ascétisme que je n'avais pas remarqué chez la Cheffe autrefois, il me sembla fugacement qu'on passait tout près d'une sorte de haine si étrangère pourtant à la personnalité de la Cheffe que j'en étais désemparé.

Mais, je dois le préciser, cela ne se voyait pas et c'est avec un air de tranquille entrain qu'elle nous présenta, nous décrivit et nous expliqua le chapon lentement cuit dans le bouillon de bourrache, le sandre doré en feuille de châtaignier, la compotée de betteraves jaunes, le rôti de cèpes farcis de noix confites, le carpaccio de lièvre à la crème de menthe poivrée, toutes recettes qui, avec les quelques autres qu'elle nous dépeignit encore, attirèrent rapidement une clientèle curieuse quand *Gabrielle* ouvrit, suscitèrent articles et commentaires énonçant une même opinion, à savoir que la Cheffe étonnait et ravissait comme jamais, et lui valurent, deux ans plus tard, l'étoile qui lui avait été retirée, ce dont la Cheffe, cette fois, n'éprouva pas de honte ni de gêne ni, je crois, aucune sorte de sentiment, elle était folle et détachée, remplie, à l'égard de la cuisine, d'une hostilité glaciale, personnelle, belliqueuse.

Jamais elle n'aurait pu travailler dans l'ennui, dans la morosité ou la lassitude, elle aurait laissé le restaurant définitivement fermé si de telles sensations s'étaient emparées d'elle.

Mais le corps à corps sans merci était à sa mesure.

Elle ne me parlait nullement en ces termes lorsqu'elle me retenait des nuits entières dans la cuisine bien rangée et prête pour le lendemain, alors elle m'apparaissait sereine et dépouillée, intense et calme, s'adressant à moi comme au seul ami qu'elle avait, certes, mais aussi de manière neutre, sans s'intéresser spécifiquement à ma personne, me voyant comme celui qui saurait peut-être, avec son amour et sa loyauté, rapporter ou consigner si cela devait être.

Elle ne me parlait pas de sa nouvelle haine pour la cuisine ni de la façon dont, insensiblement, elle retranchait ingrédient après ingrédient de ses plats, se maintenant dans les limites d'une exquise austérité mais au bord, me disais-je avec inquiétude, de verser dans le non-sens, ainsi elle ne me parlait pas de ce qui la préoccupait, la tourmentait, de ce qui l'avait abandonnée.

Je ne m'en rendais compte que parce que je l'aimais comme je n'avais jamais aimé et n'aimerais jamais qui que ce fût.

Elle croyait cependant échapper à ma clairvoyance.

À la fin d'une de ces nuits je lui demandai où elle était allée lorsqu'elle avait disparu, je lui dis, sur un ton plaisant, que je l'avais cherchée dans le monde entier ou, du moins, dans tout Bordeaux.

Elle leva un sourcil surpris, puis amusé. Je n'étais pas bien loin, tu sais, me répondit-elle. Elle resta silencieuse. Elle ajouta enfin : Moi aussi j'ai cherché désespérément ce que je n'avais plus.

Les années s'écoulèrent pareilles les unes aux autres, *Gabrielle* était florissante et portée aux nues, rien ne me rappelait pourtant la joie, la bonté et l'accomplissement de l'époque précédente bien que la Cheffe parût avoir le même visage et la même attitude.

J'étais certain qu'elle était perdue, qu'elle avait tout perdu.

Je conserve de ces années le souvenir, unique, d'un instant où j'ai vu les traits de la Cheffe comme sculptés dans l'or pur d'un bonheur indemne, ce fut par une soirée d'hiver, durant la brève période, de janvier à février, où le restaurant fermait.

Je passai dire bonjour à la Cheffe comme je le faisais deux ou trois fois par semaine, oh je lui aurais rendu visite quotidiennement si je n'avais eu peur d'être importun.

Elle m'ouvrit la porte de l'appartement, je remarquai aussitôt son air rayonnant, contenu, et son chemisier d'un bleu brillant dont le halo l'entourait d'une clarté lunaire. J'ai de la visite pour quelques jours, me dit-elle.

Une fillette arriva derrière elle, grande et solide, de longs cheveux bruns, des yeux perspicaces, intéressés qui fixèrent les miens sans rien deviner, pensai-je aussitôt, soudain privé de toute ressource.

La Cheffe lui dit mon prénom, l'enfant me tendit la main. Je la gardai un instant dans la mienne. Bonjour, Cora, enchanté de faire ta connaissance, chuchotai-je. Elle inclina légèrement sa jolie tête songeuse.

Au prétexte de ne pas déranger je m'en allai aussitôt, jambes flageolantes, me détestant et me plaignant dans le même temps, preuve de ma faiblesse, de ma complaisance puisque j'étais incapable d'accepter avec un même joyeux courage ce qu'on m'avait imposé et les choix que j'avais faits.

Quelques jours avant sa mort, si fortuite pour certains qu'ils éprouvèrent le besoin de lui inventer une tumeur au cerveau qu'elle aurait volontairement cachée ou qu'elle aurait décidé de ne pas se faire enlever (mais à quoi bon chercher de telles raisons ?), la Cheffe me téléphona pour m'inviter à Sainte-Bazeille le dimanche suivant, à l'heure du déjeuner.

Elle fermerait exceptionnellement *Gabrielle* ce jour-là et, me dit-elle sur un ton ostensiblement mystérieux qui ne lui ressemblait guère, je serais en compagnie d'un certain nombre de ses amis qui apprécieraient eux aussi, elle n'en doutait pas, cette partie de campagne inopinée.

Elle m'expliqua comment rejoindre l'auberge

qu'elle avait réservée tout entière pour cette occasion, juste à la sortie de Sainte-Bazeille en direction de Marmande, et sa voix artificiellement pétulante, le fait qu'elle m'eût téléphoné au lieu de me parler directement au restaurant, tout cela me procura une sensation de malaise.

Quand j'entrai dans l'auberge, au ras de la nationale, on me dit que la Cheffe m'attendait dans le jardin.

Je traversai la salle vide, au dur carrelage beige, aux meubles de bois verni, et je pénétrai dans un jardin enchanté, ah c'est précisément l'expression qui me vint à l'esprit.

La Cheffe était assise à une petite table posée sur l'herbe au milieu de poules noires et de poules blanches qui picoraient librement à l'entour des cerisiers chargés de fruits. Entre les arbres poussaient comme par hasard carottes, roquette, pois et fèves, que becquetaient de-ci de-là les poules rondes et propres, avec une étrange délicatesse et comme si, par ailleurs comblées, elles n'agissaient ainsi que pour la forme, pour les exigences du tableau.

La Cheffe m'entendit, se leva, scintillante, pure et nette dans une robe de coton blanc que je ne lui connaissais pas, avec son visage offert et démuni qui n'était rien d'autre, dans son achèvement, que ce qu'il était, je ne pus m'empêcher de prendre ce visage entre mes mains, rapidement, ce à quoi la Cheffe ne se déroba ni ne protesta, j'avais le cœur étreint d'une souffrance aiguë et limpide qui ne me causait pas de mal véritable.

La Cheffe m'invita à m'asseoir, puis elle appela en direction de l'auberge et, presque aussitôt, on nous apporta deux verres et une bouteille de graves dans un seau à glace.

Je demandai à la Cheffe où étaient ses amis. Quels amis ? Il n'y a que toi, répondit-elle gaiement.

Elle servit le vin, pencha la tête en arrière pour mieux sentir le soleil sur sa peau.

Alors je décidai de chasser la gêne et le trouble qui m'empêchaient fâcheusement d'apprécier l'instant, je présentai moi aussi ma figure au soleil.

Lorsque je m'écriai doucement, heureux, que j'avais bien faim, la Cheffe se redressa et, tendant le bras, elle montra les poules, les jeunes légumes, les cerises déjà mûres.

Elle me dit que le repas était là, sobre, magnifique et parfait.

Nous pouvions nous imaginer la saveur de chaque élément comme de ces éléments combinés. Elle n'inventerait jamais rien de plus simple ni de plus beau, aussi notre vin, cet excellent graves, suffisait à notre déjeuner qui constituait le couronnement, dit-elle avec un douloureux sérieux, de la longue cérémonie qu'avait été sa carrière.

Trois jours plus tard, le mercredi, la Cheffe mourut dans son lit, sans combat apparent.

Je demande à Cora si elle a déjà trouvé un nom pour le restaurant qu'elle veut ouvrir à Lloret de Mar. Elle me dit que ce sera un simple prénom, peut-être précédé de « chez ». Elle me dit alors le prénom de sa grand-mère, Gabrielle. Quelle bonne idée, je murmure, dissimulant par pudeur une partie de ma joie.

DU MÊME AUTEUR

Aux Éditions Gallimard

PUZZLE (TROIS PIÈCES), avec Jean-Yves Cendrey, 2007

MON CŒUR À L'ÉTROIT, 2007 (Folio n° 4735)

TROIS FEMMES PUISSANTES, 2009 (Folio n° 5199). Prix Goncourt

LES GRANDES PERSONNES

LADIVINE, 2013 (Folio n° 5830). Grand Prix de l'héroïne Madame Figaro

LA CHEFFE, ROMAN D'UNE CUISINIÈRE, 2016 (Folio n° 6471)

VINGT-HUIT BÊTES : UN CHANT D'AMOUR, avec Dominique Zehrfuss, 2016

Aux Éditions de Minuit

QUANT AU RICHE AVENIR, 1985

LA FEMME CHANGÉE EN BÛCHE, 1989

EN FAMILLE, 1991

UN TEMPS DE SAISON, 1994

LA SORCIÈRE, 1996

HILDA, 1999

ROSIE CARPE, 2001. Prix Femina

PAPA DOIT MANGER, 2003

TOUS MES AMIS, 2004

LES SERPENTS, 2004

Chez d'autres éditeurs

COMÉDIE CLASSIQUE, *P.O.L*, 1987 (Folio n° 1934)

LA DIABLESSE ET SON ENFANT, *L'École des Loisirs,* 2000

LES PARADIS DE PRUNELLE, *Albin Michel jeunesse,* 2002

AUTOPORTRAIT EN VERT, *Mercure de France,* 2005 (Folio n° 4420)

LE SOUHAIT, *L'École des Loisirs,* 2005

Y PENSER SANS CESSE, *L'Arbre Vengeur,* 2011

LA DIABLESSE ET SON ENFANT, lu par Dominique Reymond,
 L'École des Loisirs, 2012

LA SORCIÈRE, avec les dessins de Benoît Guillaume, *Actes Sud,* 2018

COLLECTION FOLIO

Composition Dominique Guillemin
Impression Maury Imprimeur
45330 Malesherbes
le 19 août 2019.
Dépôt légal : août 2019.
1er dépôt légal dans la collection : février 2018.
Numéro d'imprimeur : 239374.

ISBN 978-2-07-276363-2. / Imprimé en France.